国家林业局陈建伟副司长在调查现场（右三）（马书钊摄）

专家对调查谏言献策（郭国杞摄）

鸟类学家王歧山教授等指导资源调查（右一）（马书钊提供）

调查人员在工作（常荣涛摄）

太行山区的猕猴（郭国杞摄）

伏牛山区的林麝（王春平摄）

太行山区的斑羚（王春平摄）

范里水库赤麻鸭（杨富财摄）

三门峡库区湿地的大天鹅（杨富财 郭国杞摄）

金钱松果

固始县分布的金钱松

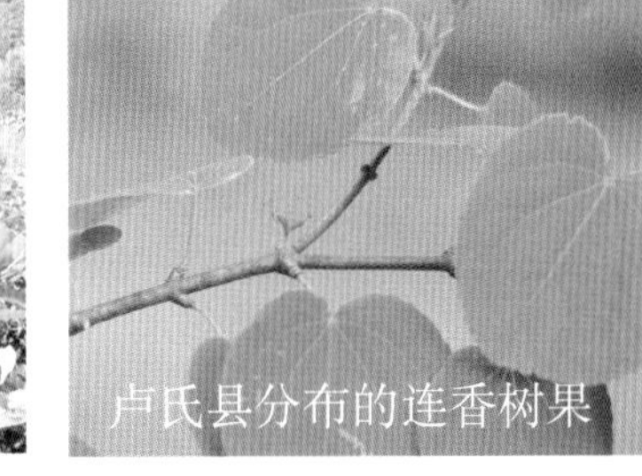

卢氏县分布的连香树果

宝天曼分布的大果青杆

红豆杉果

宝天曼分布的秦岭冷杉

卢氏县分布的红豆杉

林州市分布的核桃楸

水曲柳果

陕县分布的水曲柳

图片摄影　郭国杞

西华县人工湿地（王春平摄）

孟津黄河滩（马书钊摄）

贾鲁河芦苇湿地（王春平摄）

白墙水库湿地（王春平摄）

河南省野生动植物资源调查与保护

甘　雨　方保华　主编

黄河水利出版社

内 容 提 要

本书共分三部分。第一部分包括调查研究简史和方法,重点介绍了部分河南省两栖及爬行动物、鸟类和兽类的生物学特征、地理分布和具体数量等;第二部分包括河南省全国重点保护野生动植物资源调查情况综述、结果和分析评价;第三部分对河南省野生动植物资源保护与自然保护区建设从总体上进行规划,提出了重点建设内容。附录中首次公布了河南省陆生野生脊椎动物名录。本书可供有关野生动植物保护管理和规划设计工作者、大中专院校师生、野生动植物爱好者阅读参考。

图书在版编目(CIP)数据

河南省野生动植物资源调查与保护/甘雨,方保华主编.
郑州:黄河水利出版社,2004.7
ISBN 7-80621-775-4

Ⅰ.河… Ⅱ.①甘… ②方… Ⅲ.①野生动物-动物资源-资源调查-河南省②野生动物-动物资源-资源保护-河南省③野生植物-植物资源-资源调查-河南省④野生植物-植物资源-资源保护-河南省
Ⅳ.①Q958.526.1②Q948.526.1

中国版本图书馆 CIP 数据核字(2004)第 024114 号

策划编辑:王路平　电话:0371-6022212　E-mail:wlp@yrcp.com

出 版 社:黄河水利出版社
地址:河南省郑州市金水路 11 号　邮政编码:450003
发行单位:黄河水利出版社
发行部电话及传真:0371-6022620
E-mail:yrcp@public.zz.ha.cn
承印单位:黄河水利委员会印刷厂
开本:787 mm×1 092 mm　1/16
印张:16
字数:370 千字　印数:1—2 100
版次:2004 年 7 月第 1 版　印次:2004 年 7 月第 1 次印刷

书号:ISBN 7-80621-775-4/Q·4　定价:35.00 元

《河南省野生动植物资源调查与保护》

序

野生动植物资源是人类社会发展不可缺少的重要物质基础。人类吃、穿、用的多数产品都与野生动植物有着密切的关系,许多行业就是基于利用野生动植物资源发展起来的,如皮毛、皮革业,餐饮业和野禽、野味加工业,保健品、化妆品及中成药制造业,标本、工艺品生产业和狩猎业等。野生动植物是自然环境的重要组成部分,保护、发展和合理利用野生动植物资源,对于改善自然环境、减少自然灾害、保持生物多样性、维护生态平衡、保持国民经济的持续稳定发展有着重要意义。

河南省地处南北气候过渡地带,野生动植物资源丰富。多年来,各级政府十分重视野生动植物的保护工作,取得了世人瞩目的成就。普遍建立野生动植物保护管理机构,初步形成行政管理和执法体系,执法力度不断加大;自然保护区建设取得重大进展,为珍稀濒危野生动植物提供了良好的栖息地;组织实施拯救工程,濒危物种得到及时保护;法律法规进一步健全,保护工作有法可依;组织野生动植物资源调查,积极开展科学研究,为资源保护和管理奠定了基础。

河南省人口众多,人均资源相对贫乏。随着人口的增长和社会经济的迅猛发展,人类活动对野生动植物资源的破坏与威胁日趋严重,大大增加了全省野生动植物保护工作的难度,影响了生态建设的发展。为进一步加快野生动植物保护事业的发展,贯彻落实党中央国务院关于"在可持续发展中,赋予林业以重要地位;在生态建设中,赋予林业以首要地位;在西部大开发中,赋予林业以基础地位"的战略思想。河南省根据国家林业局的总体部署,省林业厅先后组织完成全省陆生野生动物资源调查和国家重点保护野生植物资源调查,开展野生动植物资源保护与自然保护区建设工程总体规划等工作。同时积极实施作为国家六大林业重点工程内容之一的"河南省野生动植物保护及自然保护区建设工程"。为加强野生动植物资源保护、管理、科研、开发利用等工作,服务野生动植物重点保护工程,我省林业技术工作者编写了《河南省野生动植物资源调查与保护》一书。

《河南省野生动植物资源调查与保护》是河南省第一部全面系统地介绍野生动植物资源的专业书籍。它利用最新调查成果,详细论述了野生动植物资源调查方法和我省野生植物资源现状与存在的问题,提出了我省野生动植物资源保护的中长期建设目标和重点建设内容,明确了野生动植物繁育、合理开发利用和产业主体框架,公布了河南省陆生野生动物名录,对我省野生动植物资源保护与自然保护区建设工作进行了探讨。该书内容翔实,数据准确,语言简明流畅,对生产、科研、教学、规划设计等部门都具有重要的参考价值,为各级领导宏观决策提供了科学依据。该书的出版标志着河南省野生动植物资源保护事业迈上了一个新的台阶。

2004年2月

前　言

河南省地处中原，位于北亚热带向暖温带过渡地带，气候条件多样，地貌类型千差万别，地理环境复杂，河流众多，为各种生物物种提供了优越的栖息繁育条件，形成了丰富的生物多样性。全省约有陆生脊椎动物522种，其中两栖动物20种，爬行动物38种，鸟类385种，兽类79种；有维管束植物4 473种，其中蕨类植物205种，裸子植物74种，被子植物4 194种。此外，还有鱼类100余种。已定名的昆虫有7 600多种，占全国已定名昆虫种类的12.7%。

保护自然资源和建设好生态环境，是实施可持续发展的一项重要战略任务。野生动植物及其栖息地的保护、建设和发展，是生态环境保护和建设中的一个重要组成部分。加强野生动植物保护，建立具有重要保护价值的自然保护区，是实施生物多样性保护的一个重要方面。为从根本上有效地保护、发展和合理利用野生动植物资源，使人口、资源、环境、经济协调发展，根据原林业部"关于安排全国陆生野生动物普查工作有关问题的通知"、"关于部署全国重点保护野生植物资源调查工作的通知"和国家林业局开展全国野生动植物保护及自然保护区建设工程总体规划的要求，河南省先后开展了陆生野生动物资源调查、国家重点保护野生植物资源调查、野生动植物资源保护与自然保护区建设工程总体规划等工作。

陆生野生动物资源调查采用常规调查和专项调查相结合的方法，全省调查对象共130种。通过这次调查，查清了全省野生动物资源分布现状，建立了资源数据库，提出了系统的野生动物资源调查报告和图表资料。国家重点保护野生植物资源调查采用样方、核实和访问估计等调查方法，内容包括栽培植物、贸易植物、重点保护野生植物，共涉及21个物种、14个群落。通过调查，确定了目的物种的分布范围、面积，目的物种所处的群落及生境状况，确定物种现存数量及用材树种的蓄积量，社会经济情况，栽培、利用及贸易状况，管理研究状况，影响资源变化的主要因子等。根据上述资源调查成果，提出了河南省野生动植物资源保护及自然保护区建设工程总体规划方案。

本书分河南省陆生野生动物资源调查、河南省全国重点保护野生植物资源调查、野生动植物资源保护与自然保护区规划三部分。第一部分内容包括调查研究简史和方法，重点介绍部分河南省两栖及爬行动物、鸟类和兽类的生物学特征、地理分布和具体数量等，详细介绍了水鸟、白冠长尾雉、金钱豹、原麝和林麝的资源状况，并对资源保护管理和利用提出评价意见和建议，编制了资源监测方案。第二部分内容包括河南省全国重点保护野生植物资源调查情况综述、结果和分析评价，并编制了监测资源方案。第三部分对河南省野生动植物资源保护与自然保护区建设从总体上进行规划，提出了重点建设内容，明确了野生动植物繁育、合理开发利用和产业主体框架，首次公布了河南省陆生野生脊椎动物名录。本书可为有关野生动植物保护管理和规划设计工作者、大中专院校师生、野生动植物爱好者从事生产管理、科研、教学等活动提供科学依据和基本资料。

河南省林业厅野生动植物保护处和河南省林业调查规划院给本书出版以大力支持，河南大学、河南师范大学、河南农业大学、河南教育学院和全省各地林业部门的部分专家、工程技术人员参加了调查工作，在此一并表示诚挚的谢意。由于作者水平有限，错误和疏漏之处在所难免，敬请读者批评指正。

编　者

2004年2月

目　录

第三部分　野生动植物资源保护与自然保护区规划

第一部分　河南省陆生野生动物资源调查

1995年原林业部下发"关于安排全国陆生野生动物普查工作有关问题的通知"(林护通字[1995]60号),要求有关省(自治区)林业行政主管部门根据《全国陆生野生动物普查大纲》,尽快制订本省(自治区)野生动物普查工作计划和工作方案,并抓紧完成技术规程细则的编写工作。1996年,河南林业厅根据《全国陆生野生动物普查大纲》和《全国陆生野生动物资源调查与监测技术规程》的规定,结合河南省的实际情况,编写了《河南省陆生野生动物资源调查与监测实施方案及工作细则》,于1996年8月上报原林业部。为了做好这次调查的技术准备和组织发动工作,1996年8月原林业部在东北林业大学举办了全国陆生野生动物资源调查与监测技术培训班,并于同年9月在北京召开全国陆生野生动物保护管理暨资源调查工作会议,会上王志宝副部长亲自对全国调查与监测工作做了具体部署。按照原林业部的要求,河南省于1996年12月发出"关于开展全省陆生野生动物资源调查的通知"(豫林[1996]271号),对全省调查与监测工作做了安排。1996年12月成立了河南省陆生野生动物资源调查与监测工作领导小组,1997年3月成立调查与监测办公室和专家顾问组。同时根据原林业部对河南省实施细则的批复意见,对实施细则进行了修改。1997年4月,完成了调查实施细则、外业表格、调查图册的编写以及调查仪器、工具、地形图的购置等准备工作。1997年5月在信阳南湾林场举办了调查与监测技术培训班,各省辖市也先后举办培训班15期,培训人员700多人次。之后完成了全省的外业调查、数据汇总、报告编写和其他资料整理工作。

本次调查采用常规调查和专项调查两种方法。常规调查将全省划分为山区和平原2个副总体,分别布设样带1 776条和597条,于冬季和夏季调查两次;专项调查共有4项,即白冠长尾雉资源专项调查、水鸟资源专项调查、金钱豹资源专项调查、麝资源专项调查。调查的内外业期间,经国家林业局和省林业厅质量检查组的多次检查,调查质量符合有关规定标准。

通过这次调查,查清了全省陆生野生动物资源现状,建立了资源数据库;提出了系统的野生动物资源调查报告和图表资料;在资源调查的同时建立了陆生野生动物监测网络。

第1章　调查情况综述

第1节　调查研究简史

河南省陆生脊椎动物调查研究起步于20世纪二三十年代,集中于60～80年代。1949年以前,只有少量的区系调查,如1936年常麟定对河南及安徽南部的鸟类进行的调查，发表《河南及安徽南部鸟类志略》（英文），记有 19 种鸟类。傅桐生于 1935 年和 1936 年发表《河南爬行类志》、《嵩山松鼠志》和《河南两栖类志》。1937 年傅桐生根据自己多年的调查资料，整理出《河南鸟类名录》，共收列鸟类 269 种。1949 年以后，特别是 20 世纪 60 年代前半期，在以前工作的基础上，许多动物学工作者在全省开展了地区性的二级区划工作。1960 年前，河南省防疫站对啮齿类动物做了较多调查，汇编了《河南省部分地区鼠类区系初步调查报告》。20 世纪 60 年代初期开展了动物区系区划调查，发表了一系列成果材料，如 1961 年周家兴发表《河南省哺乳动物区系分析》，论述了全省 50 种野生兽类的区系组成及分布，并于 1962 年发表《河南省动物区划界线问题》；1960～1961 年周家兴等人经过调查和资料整理，相继发表《商城新县鸟类调查初步报告》、《河南哺乳动物名录》、《河南省两栖和爬行动物目录》，共记载兽类 6 目 16 科 49 种，鸟类 9 目 27 科 69 种，爬行动物 3 目 8 科 26 种，两栖动物 2 目 5 科 14 种；1964 年郭田岱等对鸡公山鸟类进行了初步调查，报道鸟类 79 种，同年瞿文元发表《河南蛇类区系》等。从 20 世纪 80 年代开始对一些山系或地区的动物资源进行调查，如桐柏山鸟类资源调查、南阳地区鸟类资源调查、商丘地区鸟类资源调查等。1981～1995 年相继建立了 18 个自然保护区，河南省林业勘察设计院开展了各保护区动物资源调查和规划设计工作。1985 年河南省林业勘察设计院等单位对小浪底水库库区陆生生物资源及环境进行了调查。1989 年由中国野生动物保护协会资助，开展了太行山猕猴资源调查和豫南大别山区白冠长尾雉资源调查。1993 年由国家濒危物种进出口管理办公室安排，开展全省麝资源调查和郑州市观赏动物调查。经过调查，从 1960 年到 1985 年全省共新记录脊椎动物 127 种，其中鱼类 30 种，陆生脊椎动物 97 种；新发现两栖动物新种 1 种，即 1983 年发现的商城肥鲵。之后，共发现兽类新记录 1 种，鸟类分布新记录 4 种，即 1986 年在禹县无梁乡（现为禹州市无梁镇）采集到一雌二雄共 3 只红颊獴（*Herpestes auropunctatus*）标本（因不能确定是否为省内分布种，所以本书名录中未列入），1991 年和 1997 年分别新记录白鹮和叉尾太阳鸟，1997～1998 年的全省水鸟资源调查分别在淅川县和卢氏县发现红腰杓鹬和秃鹳。

河南省陆生野生动物科学研究，主要开展了太行山猕猴的形态学、生态学及人工饲养繁殖技术研究，白冠长尾雉的生态学和人工饲养繁殖技术研究，白枕鹤繁殖研究，河南省啮齿动物分类区系的研究，河南大别山有尾两栖类的研究等，并获得进展，建立了猕猴、白冠长尾雉和白枕鹤人工繁殖种群。

第 2 节　调查方法

2.1　调查对象、内容及范围

2.1.1　调查对象

全省调查对象共 130 种，其中国家要求调查的有 75 种，河南省增列的有 55 种；采用常规调查方法调查的有 83 种，采用专项调查方法调查的有 47 种。还对国家要求调查而未列入河南省调查名录的 13 种野生动物进行了调查，其中有 1 种采用常规调查方法调查，有 12 种采用专项调查方法调查。

2.1.1.1 常规调查对象

鸟兽类采用样带法调查，两栖类、爬行类采用样线法调查，具体调查对象如下：

兽类：虎、金猫、豹猫、赤狐、貉、豺、狼、大灵猫、小灵猫、黄喉貂、水獭、斑羚、鬣羚、小麂、狍、野猪、穿山甲、草兔、小飞鼠、复齿鼯鼠、豪猪共21种。其中貉、大灵猫、小灵猫、黄喉貂、水獭、小麂、草兔、飞鼯、复齿鼯鼬、豪猪等10种为河南省增列的调查对象，其余11种为国家要求的调查对象。本次调查除虎、金猫、貉、豺、大灵猫、小灵猫等6种未发现外，其余各种均有记录。

鸟类：本次常规调查共确定48种，其中国家要求调查的21种，即豆雁、绿翅鸭、绿头鸭、斑嘴鸭、棉凫、金雕、白尾海雕、鸢、苍鹰、雀鹰、松雀鹰、普通鵟、蜂鹰、游隼、燕隼、红隼、勺鸡、红腹锦鸡、雉鸡、画眉、云雀；河南省增列的27种，即白肩雕、大鵟、赤腹鹰、草原雕、乌雕、秃鹫、白尾鹞、白头鹞、鹊鹞、小隼、灰背隼、红脚隼、黄爪隼、小鸨、红翅凤头鹃、八声杜鹃、鹰头杜鹃、小鸦鹃、夜鹰、栗头蜂虎、三宝鸟、姬啄木鸟、蓝翅八色鸫、黑枕黄鹂、红嘴山鸦、寿带鸟、红嘴相思鸟。本次调查均有记录，并发现了国家要求调查而未列入河南省调查名录的鸟类灰胸竹鸡。

爬行类：共8种，其中王锦蛇、玉斑锦蛇、黑眉锦蛇、乌梢蛇为国家要求的调查对象，黄缘盒龟、蝮蛇、菜花烙铁头、竹叶青为河南省增列的调查对象。本次调查均有发现。

两栖类：共6种，其中虎纹蛙、黑斑蛙、中华蟾蜍、沼蛙、隆肛蛙为国家要求的调查对象，商城肥鲵为河南省增列的调查对象。本次调查均有发现。

2.1.1.2 专项调查对象

兽类：豹、猕猴、林麝、原麝。均为国家要求的调查种类。本次调查中均有记录。

鸟类：共42种，其中国家要求调查的有30种，即丹顶鹤、白鹤、白头鹤、白枕鹤、灰鹤、蓑羽鹤、大鸨、骨顶鸡、白鹳、黑鹳、朱鹮、黄嘴白鹭、白琵鹭、斑嘴鹈鹕、鸬鹚、大天鹅、小天鹅、鸳鸯、鸿雁、灰雁、罗纹鸭、赤颈鸭、白眉鸭、赤膀鸭、白眼潜鸭、凤头潜鸭、鹊鸭、普通秋沙鸭、青头潜鸭、白冠长尾雉；河南省增列的有12种，即白鹮、草鹭、大白鹭、苍鹭、角䴙䴘、凤头䴙䴘、白鹈鹕、铁嘴沙鸻、红脚鹬、丘鹬、中杓鹬、白胸翡翠。本次专项调查共发现38种，没有发现蓑羽鹤、朱鹮、白眼潜鸭、白鹮。另外，还发现了国家要求调查而未列入河南省调查名录中的白额雁、赤麻鸭、翘鼻麻鸭、针尾鸭、花脸鸭、琵嘴鸭、红头潜鸭、斑背潜鸭、斑头秋沙鸭、红胸秋沙鸭、玉带海雕、红腰杓鹬等12种鸟类。

两栖类和爬行类只对大鲵开展专项调查，其余种类均采用样线法调查。

2.1.2 调查内容

调查内容包括：种类，本次调查确定的调查对象的数量、分布及生境状况，社会经济状况，驯养、利用及贸易状况，管理及研究状况，影响资源变化的主要因子。

2.1.3 调查范围

本次调查范围为河南全境，总面积16.7万km^2，重点是山区以及平原的湿地等。

2.2 总体及抽样设计

2.2.1 总体与分层

以河南省为总体，根据省内地貌类型不同进行分层，每层即为一副总体，即山区和平原2个副总体。山区副总体共有61个县(市、区),面积87 317 km²,占全省总面积的52.29%;平原副总体共有97个县(市、区),面积79 683 km²,占全省总面积的47.71%。

2.2.2 抽样设计

2.2.2.1 实际样带调查面积、总体样带数和各层样带数

样带总面积根据原林业部制定的《全国陆生野生动物资源调查与监测技术规程》中对抽样强度的规定,即森林及灌丛景观类型抽样强度不小于1.0%,农田景观类型抽样强度不小于0.5%。据此计算,全省山区副总体样带面积应大于873.17 km²,平原副总体样带面积应大于398.415 km²,实际布设样带面积分别为883 km²和418.6 km²,抽样强度达到1.01%和0.53%。

山区副总体每条样带大小为100 m×5 000 m,每条样线长为200 m;平原副总体每条样带大小为100 m×7 000 m,每条样线长为400 m。

每个样点为半径50 m的圆形面积,每个统计动物实体的样方面积为500 m×500 m,每个统计动物活动痕迹的样方面积为50 m×50 m。

全省常规调查共布设2 373条样带、9 492条样线,其中山区副总体1 776条样带、7 104条样线,平原副总体597条样带、2 388条样线。因样带起点布设在外省等原因,经省调查办公室同意,取消9条样带、36条样线,另有1条山区副总体样带实际位于平原副总体范围,所以全省实际完成2 364条样带、9 456条样线的调查。其中山区副总体1 766条样带、7 064条样线,平原副总体598条样带、2 392条样线。

全省专项调查共布设23个样方(23 km²)、57个调查点、272块湿地、47个样方河段(总长34.4 km)。

2.2.2.2 样带点间距及布设

样带点间距(R_i)取整数,根据各层总面积(A_i)及其相应的样带数(n_i)求得,即 $R_i = \sqrt{A_i / n_i}$。各层样带数(n_i)是根据各层总面积(A_i)、抽样强度(Q_i)和样带面积(M_i)来确定的,其计算公式为:$n_i = A_i \times Q_i / M_i$。根据以上方法计算可得河南省山区副总体和平原副总体的点间距分别为7 km和12 km,点间矩形的面积分别为49 km²和144 km²,为保证抽样强度以及尽量将样带起点布设在森清固定样地的西南角点上(因河南省山区和平原森清固定样地点间距分别为4 km和8 km,确定山区副总体样带以东西点间距12 km、南北点间距4 km布设,平原副总体样带以东西点间距16 km、南北点间距8 km布设。

样带布设严格按照随机等概的原则,布设在1:5万地形图上。任意选取一个森清固定样地的西南角点作为样带中心线的起点,逐条布设全省样带。样带全部为东西走向。山区副总体样带从起始点向西5 000 m处为终点,平原副总体从起始点向西7 000 m处为终点。以副总体为单位按由东向西、由北向南的顺序统一用阿拉伯数字编号。样带号为4位数。每条样带上布设4条样线,山区副总体的样线分别布设在距样带中心线起始点的1 000、2 000、3 000、4 000 m处,平原副总体的样线分别布设在1 500、3 000、4 500、6 000 m处。样线按顺序用阿拉伯数字编号。需要采用样点和样方调查时,样点布设数量、位置和编号同样线;样方布设在样带中心线上距起始点1 000、3 000 m处,每处布设

一组样方，每组样方由 1 个 500 m×500 m 的样方和一个 50 m×50 m 的样方组成。

2.3 调查方法

2.3.1 常规调查方法

本次调查采用的常规调查方法包括样带法和样线法。山体切割剧烈，地形复杂，无法连续行走的样带，在进行鸟类和兽类调查时，分别采用样点法和样方法调查。

样带调查方法：该法是本次调查的主要方法，按照以上总体及抽样设计的要求进行样带布设。对布设的样带分两次开展调查，一次为 3～7 月进行，另一次为 10 月至翌年 1 月进行。调查时，按地形图上样带位置对照实地，尽可能对所有调查对象同时进行调查（样线区域之外可不考虑对两栖类、爬行类调查）。具体要求与操作方法如下：

(1)调查应在晴朗、风力不大的天气条件下进行，最佳调查时间为清晨和傍晚。每条样带应在同一天内完成。

(2)沿样带起始点向终点方向步行匀速调查。

(3)记录位于调查者前方及两侧的个体，包括越过样带的个体。如遇由后向前飞的鸟类，不记录，如在繁殖期调查，听到或看到一只成体鸟应记录为一对，看到一窝卵也记录为一对。

(4)尽可能准确地记录所遇个体至样带中心线的垂直距离和个体至样带起始边的距离。样带两侧 50 m 以外的个体也作同样记录。

(5)遇见兽类活动痕迹时，应尽可能当场根据该动物的行为习性、活动范围及环境情况直接推断样带内实体数量。

样线调查方法：该法是两栖类和爬行类的调查方法。只在 3～7 月调查一次。样线布设见 2.2.2。调查时，沿样线以每分钟约 30 m 的速度前行，发现两栖类或爬行类个体时，记录该个体种名及与观察者之间的距离和小生境。

样点法和样方法调查方法：样点法是在样带上均匀布设 4 个样圆，样点位于样带中心线上，样圆半径为 50 m，调查人员应处于圆心位置，调查、记录样圆内见到或听到的动物种类和数量，调查条件和时间同样带法；样方法是通过在设定的样方中计数见到的动物或痕迹进行数量统计的调查方法。调查条件和时间参照样带法。

2.3.2 专项调查方法

水鸟专项调查方法：水鸟专项调查以精确统计为主，辅助以估算的方法。对水鸟数量较大，无法精确统计的采用估算法，也称“集团统计法”，就是将水鸟分成若干个小集团，精确统计具有代表性的某几个小集团的水鸟数量和种类比例，再根据小集团数量推算各种类的总数。鲇鱼山水库、南湾水库、石山口水库、郑州纬一路等 4 处采用集团统计法调查。对水鸟分布面积较小或狭长的区域调查时，沿区域地边缘与水鸟保持适当距离步行进行调查。对面积较大、水域宽阔的区域，调查前以座谈访问等方法了解水鸟集中分布区的位置，能通行或距离可视的作步行调查，否则用船只从水路调查。实地调查的同时，调查组对所在地的农贸市场和其他水鸟及其产品贸易场所进行调查了解。

全省冬季调查于 12 月至翌年 3 月进行，夏季调查于 6～9 月进行。调查范围包括省内主要河流、湖泊、沼泽以及其他水鸟集群地。全省共调查 272 块湿地及其他水鸟集群地，分布在全省18个省辖市。

白冠长尾雉专项调查方法：采用座谈访问和样方调查两种方法。将座谈访问调查结果与样方调查结果进行比较分析，最后确定资源数量。

(1)座谈访问。通过座谈会、个别访问等形式，了解调查区内白冠长尾雉资源状况，在1∶5万地形图上勾绘其活动范围，记录每个分布区的蓄存数量、季节性活动规律、分布类型、植被、地貌、海拔等。座谈访问的每个调查区面积不宜过大，以不大于一个行政村为宜，以乡(镇、林场)为单位将各调查区白冠长尾雉数量及分布面积汇总，计算每个乡(镇、林场)的分布密度，并按各乡(镇、林场)的密度大小确定该乡(镇、林场)的分布类型区。分布类型区共分3种：Ⅰ类为集中分布区(密度大于等于0.1只/hm^2或比较常见)；Ⅱ类为分布较多区(密度大于0.02只/hm^2、小于0.1只/hm^2或有时可以见到但数量不是太多)；Ⅲ类为零星分布区(密度小于等于0.02只/hm^2或很难见到)。座谈访问后确定的分布类型区，作为样方调查时样方设置地点和数量的主要依据，座谈访问得出的资源数量作为分析样方调查结果的参考。

(2)样方调查。根据座谈访问确定的分布类型区和各分布类型区面积，设置若干面积为100 hm^2的样方。样方设置数量按抽样强度不小于分布总面积的1%确定。为保证调查数据的连续可比性，信阳市(原信阳地区)应调查1988年设置的样方，如果原样方失去代表性或难以找到即达不到抽样强度时，可根据访问情况重新设置样方或增设样方。样方调查开始后，每7～10天观察记录一次，共观察3次。将观察点尽可能地设在样方中心，记录看到的实体数和听到的鸣叫声，同时记录周围的自然环境特征。每次观察时间为上午6:30～9:30以及下午3:00～6:30。

调查在4月中旬至6月上旬进行。调查范围包括西峡县、淅川县、内乡县、南召县、桐柏县、信阳市的平桥区和狮河区、罗山县、新县、商城县、确山县和泌阳县等12个县(区)。

金钱豹专项调查方法：采用访问与野外设点调查相结合的方法。根据访问材料和金钱豹活动痕迹的发现地点，全省共设57个调查点。每个调查点需查明金钱豹的实际活动范围，并根据近年来的目击次数、只数，发现的足迹、粪便、食迹情况，猎捕数量等，估计金钱豹的数量。分布交界重叠的，根据金钱豹的活动习性、范围等判断取舍。由于河南省降雪量小、积雪时间短、金钱豹密度低等原因，很难发现其活动痕迹，故专项调查结合全省陆生野生动物资源样带普查，以访问为主，辅以路线调查的调查方法。共布设样带1 766条，样带长5 000 m，宽100 m。访问的对象多为常年工作在野外的护林员、猎民、采药人等，共访问256人，获得相关信息188条，其中62条为1990年以前的信息，1990年以来的信息有126条，1995年以来的信息有97条。在访问调查的基础上，我们又组织专家对访问材料进行了审查，对重点分布区和重要信息进行了回访、现地复核及路线调查。

调查于1998年12月至1999年1月进行。调查范围包括全省所有的山区、半山区和丘陵区县(市、区)，地理位置介于北纬31°23′～36°22′、东经110°21′～116°39′之间，总面积为87 317 km^2。

麝专项调查方法：包括麝的种类、数量和种群消长情况调查及麝的分布、利用和饲养等调查内容。

(1)麝的种类调查。从五个方面确定麝的种类。一是鉴定个别自然保护区制作的麝标本;二是通过当地林业部门破获的猎麝案件时拍摄的死体照片;三是把从陕西、四川麝饲养场拍摄的麝照片给当地猎人及熟悉该种动物的其他人员辨认,看是否有体形和毛色不同;四是根据麝的区系分布和地理位置确定;五是参考当地中药材和土畜产收购工作者提供的各种材料。

(2)数量和种群消长情况调查。主要依据全省野外调查和历年麝皮、麝香收购数据,以及据此所建立的逻辑斯蒂种群模型。

(3)麝的分布、利用和饲养等情况调查。我们采用收集资料、实地访问和调查相结合的办法,资料来源和访问对象主要是林业单位、外贸进出口公司、土畜产收购站或个体收购站、药材购销及药材管理部门的干部职工,还有狩猎爱好者、野生动物经营利用单位、地方史志作者及有关科研人员。

根据已掌握的动物资源区系材料经与有关专家座谈,确定9个省辖市29个县(市、区)为这次调查范围,并选择新县、桐柏、内乡、西峡、洛宁、嵩县、卢氏和济源8个县(市)作为大别山、桐柏山、伏牛山和太行山的典型地区进行重点调查。

野生动物资源利用与保护管理现状调查方法:调查内容包括野生动物驯养、利用、贸易、狩猎及野生动物管理机构等方面。

(1)野生动物驯养情况调查方法。调查所有野生动物饲养单位和个人。调查内容按“野生动物饲养单位调查统计表”和“野生动物饲养状况调查统计表”的要求填写。

(2)野生动物的收购、经销、利用及贸易状况调查方法。查询资料和实地调查相结合,对所有经销、加工利用及贸易单位和个体户进行调查。调查内容按“野生动物及其产品的购进、加工及销售情况调查表”的要求填写。

(3)野生动物管理机构调查方法。由省调查办公室组织,再由各省辖市将“野生动物管理机构调查统计表”发至各辖区管理机构实地调查填写,最后由省辖市统一上报。

2.3.3 换算系数确定方法

采用直接换算的方法,即利用专家或有经验的调查人员区别不同个体留下的痕迹,并根据各动物的行为习性、活动范围及环境情况,直接推断样带(样方)内个体数量。

2.4 数据处理方法

2.4.1 常规调查数据处理方法

固定样带宽度数据处理:L 为样带长度;W 为样带单侧宽度;N 为观察到的个体总数(包括样带以外的个体数);N_1 为样带内观察到的个体数;P 为样带内个体数所占比例,$P = N_1/N$;D 为密度。

(1)样带内绝对密度的计算:$D = N_1/(2LW)$

(2)当动物的发现概率随至样带中线距离的增加呈直线减少时:

$$P = KW(2 - KW);K = (1 - \sqrt{1 - P})/W;D = 10NK/L$$

(3)当动物的发现概率随至样带中线距离的增加呈负指数函数方式减少时:

$$P = 1 - e^{-aw};a = [-\ln(1 - p)]/w;D = 5aN/L$$

可变样带宽度的数据处理(截线法):D 为密度;N 为样带中线两侧观察到的个体数

量；L 为样带长度；X_i 为第 i 个个体到中线的距离；$\overline{W}$ 为个体到样带中线的平均距离，$\overline{W}=(\sum_{i=1}^{N} X_i)/N$。

(1)当动物的发现概率随至样带中线距离的增加呈负指数方式减少时，应以负指数分布探测函数拟合：$D=(N-1)/(2L\,\overline{W})$

(2)当动物的发现概率随至样带中线距离的增加呈半正态函数方式减少时，应以半正态截尾分布探测函数拟合：$D=(\sqrt{N\pi/(2\sum X_i^2)}(N-0.8))/(2L)$。

样线法调查数据处理：

(1)单样线一次调查的数量统计：

$$D=\frac{n^2}{2L\times\sum d_i}\text{ 或 }D=\frac{\sum(1/d_i)}{2L}$$

式中：D 为某一物种的居群密度；n 为被观察到的某一物种的个体数；L 为样线长度；d_i 为第 i 个个体与观察者之间的距离。

(2)多样线多次调查的数量统计：

$$D=\frac{\sum L_i\times D_i}{\sum L_i}$$

式中：D_i 为第 i 次调查的某物种居群密度；L_i 为第 i 条样线的长度。

2.4.2 专项调查数据处理方法

2.4.2.1 水鸟专项调查数据处理

2.4.2.1.1 直数法数据处理

$$N=\sum_{i=1}^{M} N_i$$

式中：N 为某种类全省个体总数；N_i 为某种类第 i 个调查地的个体数；M 为某种类分布的调查地数。

2.4.2.1.2 集团统计法数据处理

集团统计法数据处理仅用于鲇鱼山水库、南湾水库、石山口水库、郑州市纬一路 4 处调查地。

(1)集团平均个体数：

$$\overline{n}=\sum_{i=1}^{m} n_i/m$$

式中：$\overline{n}$ 为精确统计的 m 个集团的平均个体数；n_i 为第 i 个集团个体数；m 为精确统计的集团数。

(2)某种类所占比例：

$$\overline{p}=\sum_{i=1}^{m} p_i/m$$

式中：$\overline{p}$ 为精确统计的 m 个集团某种类平均所占比例；p_i 为 i 个集团某种类所占比例；m 为精确统计的集团数。

(3)调查地某种类总数：

$$N=\overline{n}\times\overline{p}\times M$$

式中：N 为某调查地某种类个体总数；$\overline{n}$ 为精确统计的 m 个集团的平均个体数；$\overline{p}$ 为精确统计的 m 个集团某种类平均所占比例；M 为某调查地集团总数。

2.4.2.2 白冠长尾雉专项调查数据处理

(1)样方密度：

$$D_K = \sum N_i/(100n)$$

式中：D_K 为第 K 个样方的平均密度；N_i 为样方内第 i 次发现的个体数；n 为观察次数。

(2)类型区白冠长尾雉密度(以市、地为单位计算)：

$$D_J = \sum D_K/N_J$$

式中：D_J 为 J 类型区密度；D_K 为 J 类型区内第 K 个样方的平均密度；N_J 为 J 类型区内的样方总数。

(3)某省辖市白冠长尾雉总数(以市、地为单位计算)：

$$M_i = \sum D_J \times S_J$$

式中：M_i 为某省辖市白冠长尾雉总数；D_J 为 J 类型区白冠长尾雉密度；S_J 为 J 类型区白冠长尾雉分布面积。

(4)全省白冠长尾雉总数：

$$M = \sum_{i=1}^{n} M_i$$

式中：M 为全省白冠长尾雉个体总数；M_i 为第 i 个省辖市白冠长尾雉个体数；n 为白冠长尾雉分布的省辖市数。

2.4.2.3 金钱豹专项调查数据处理

$$N = \sum_{i=1}^{n} N_i$$

式中：N 为全省金钱豹总数；N_i 为第 i 个活动小区金钱豹的个体数；n 为活动小区总数。

2.4.2.4 麝专项调查数据处理

根据卢氏县、西峡县、淅川县、内乡县的麝香收购数据，建立逻辑斯蒂方程。然后根据估计的捕获率，求种群平衡点，即资源量。再根据上面 4 县的密度和全省分布面积，计算全省资源量。

2.4.3 数据汇总方法

2.4.3.1 样带法山区副总体密度的无偏估计

$$\overline{D} = \sum_{j=1}^{M} D_j/M$$

式中：$\overline{D}$ 为山区副总体密度的无偏估计；D_j 为山区副总体第 j 条样带的密度；M 为山区副总体内的总样带数。

2.4.3.2 样带法平原副总体密度的无偏估计

样带法平原副总体密度的无偏估计参照 2.4.3.1。

2.4.4 总体统计量计算

将各副总体某种动物的密度换算成个体数,然后各副总体该种动物的数量相加即为总体内这种动物的数量。

第3节 调查结果概述

河南省野生动物的地带性分布特点比较明显。据《中国动物地理区划》,河南省属于华北区和华中区,该分界线西接秦岭,沿伏牛山主脉向东南倾斜至淮河区,大体沿其主干出省界。因而在境内,南北方类型及南北广布的动物种类都有分布。界线以北,北方动物种类占优势,界线以南,南方种类占优势。

根据本次调查及史料统计结果,河南省约有陆生脊椎动物522种,包括两栖动物20种,爬行动物38种,鸟类385种,兽类79种。其中国家一级保护13种,国家二级保护79种,省重点保护35种。

本次调查实际发现陆生野生脊椎动物354种,其中两栖动物2目6科16种,爬行动物3目7科27种,鸟类17目46科268种,哺乳动物8目18科43种。红腰杓鹬和秃鹳为本次调查发现的分布新记录种。本次调查还发现一种尚未记录并无法鉴定的有尾两栖动物的幼体。该种标本于1988年6月下旬曾在西峡黄石庵林场大量采到过,1999年4月又于该地采集到一只幼体。1999年在内乡县又采到一些尚无法确认的有尾类幼体。另外还发现了一些区域性分布新记录种,如首次发现鹮嘴鹬、黑翅长脚鹬等在孟津县黄河滩区的分布等。

第2章 调查物种各论

第1节 两栖、爬行动物资源

河南省共有两栖动物20种。淮河秦岭一线以南有19种,属有尾目5种,无尾目14种,其中施氏巴鲵、极北小鲵、商城肥鲵、东方蝾螈、中国雨蛙、无斑雨蛙、虎纹蛙、饰纹姬蛙8种,仅分布于河南南部的大别、桐柏山区。淮河秦岭一线以北有12种,属有尾目1种,无尾目11种,其中中国林蛙、花背蟾蜍、中华大蟾蜍、北方狭口蛙、黑斑蛙等在省内广泛分布。

河南省共有爬行动物38种。大别、桐柏山区有31种,伏牛、太行山区28种,豫东、豫北平原及南阳盆地15种。

两栖爬行动物主要栖息于沟塘、河流、沼泽、稻田以及其他湿地环境。

1.1 有尾目 CAUDATA-SALAMANDERS AND NEWTS

商城肥鲵 *Pachyhynobius shangchengensis nov. sp*

地方名 娃娃鱼

英文名 Shangcheng Fat Salamander

栖息地及习性 栖息在海拔380～1 100 m的山溪内。白天成体以水栖为主,多隐于缓流水荡内石块下或在石块上爬行,受惊后游入石缝中,以水生小动物为食。

分布与数量 分布于商城县,全省共约1 818条左右,种群密度为0.020 824条/km^2。本种为20世纪80年代新发现的新属新种,详见《两栖动物研究》1983年第1期"河南省小鲵科-新属新种"一文。2000年第2期《野生动物》发表贵州长顺县发现商城肥鲵。

大鲵 *Andrias davidianus*(Blanchard)

地方名 娃娃鱼

英文名 Chinese Giant Salamander

栖息地及习性 栖息地海拔500～1 800 m。河段多有丰富的石灰质岩层,河谷窄,河床多为石底,巨石遍布,多栖息于经水流切割形成之岩洞或深潭中。成体常单栖生活,幼体喜集群。白天很少活动,偶尔上岸晒太阳,夜间寻觅,多在滩口或浅滩处捕食。主要以蟹、鱼、蛙、虾、水蛇、水生昆虫等为食。每年5～8月为繁殖期,一般体长620 mm、体重1 400 g的雌体卵已成熟,卵数可达350枚。雌体产卵后即离去,雄体有护卵行为,有的雄体将卵带缠于身上,加以保护。受精卵52～68天即可孵出幼鲵,幼鲵能独立活动时,雄体才离去。

分布与数量 据资料记载,分布于大别、伏牛、桐柏山区。本次调查发现于卢氏、洛宁、嵩县、栾川、西峡、淅川、内乡、南召、新安、济源、桐柏、商城、新县、信阳市浉河区等县(市、区)有分布,共29 763条,其中卢氏县5 861条,西峡县5 463条,其余各县18 439条。

1.2 无尾目 SALIENTIA-FROGS AND TOADS

中华大蟾蜍 *Bufo gargarizans* Cantor

地方名 癞蛤蟆、蟾蜍

英文名 Zhoushan Toad

栖息地及习性 生活在不同海拔区的多种生境中。除冬眠和繁殖期在水中生活外,一般多在陆地草丛、林下、居民点周围或沟边、山坡的石下或土穴、石洞等潮湿地方栖息。黄昏时出来捕食,其食性较广。蝌蚪以植物性食物为主,也食肉类及动物的尸体;幼蟾以小虫子为食;成蟾蜍主要捕食昆虫、蚯蚓等。

分布与数量 据资料记载,本种为广布种,本次样线调查发现于开封、孟津、新安、叶县、原阳、博爱、灵宝、商丘等县(市),经访问调查全省各县(市)均有分布。共 12 755 998 只,其中,山区副总体 7 510 655 只,平原副总体 5 245 343 只。种群密度 76.383 222 只/km^2。

沼蛙 *Rana guentheri* Boulenger

地方名 青蛙、沼蛙

英文名 Guenther's Frog

栖息地及习性 多栖息于池塘、稻田或水坑内,常隐蔽在水生植物、土洞或杂草中。鸣声:"咣……咣……"似狗叫,声音低浊。

分布与数量 据资料记载,本种分布于伏牛山区和大别、桐柏山区,本次样线调查发现于开封、栾川、鲁山、林州、长垣 、台前、渑池、商丘等县(市)。共 7 353 208 只,其中,山区副总体 4 802 305 只,平原副总体 2 550 903 只。种群密度 44.031 186 只/km^2。

黑斑蛙 *Pelophylax nigromaculata* Hallowell

地方名 青蛙、田鸡、黑斑侧褶蛙

英文名 Black-spotted Pond Frog

栖息地及习性 常见蛙类,广泛栖息于平原或丘陵的水田、池塘、湖沼、河流及海拔 2 200 m以下的山地。白天隐蔽,黄昏和夜间活动。10~11 月进入松软的土中或枯枝落叶下越冬。成体主食昆虫,也摄取蛛形动物和蜈蚣等。每年 3~6 月产卵,卵产于池塘内的水面上,聚集成卵块。

分布与数量 据资料记载,本种为广布种,本次样线调查发现于新乡、修武、济源、清丰、陕县、商丘、灵宝、西华等县(市),经访问调查,全省各县(市)均有分布。共 22 298 922 只,其中,山区副总体 8 421 005 只,平原副总体 13 877 917 只。种群密度 133.526479 只/km^2。

虎纹蛙 *Hoplobatrachus rugulosa* Wiegmann

地方名 青蛙

英文名 Chinese Tiger Frog,Chinese Bull-frog

栖息地及习性 栖息于山区丘陵地带的稻田、池塘、水坑和沟渠中。白天隐居在水域岸边的洞穴中,晚上活动,跳跃能力极强。以各种昆虫、小蛙、蚯蚓等为食。雄蛙鸣声如犬吠。5~6 月产卵,卵产于静水池塘及水田内,卵单枚浮于水面。

分布与数量 据资料记载,本种仅分布于南部的大别山区,本次样线调查发现于固始、商城、罗山等县。共 2 488 384 只,其中,山区副总体 210 605 只,平原副总体 2 277 779 只。

种群密度 14.900 497 只/km²。

隆肛蛙 *Paa* (*Feirana*) *quadran* Liu. Hu. and Yang

地方名 蛤蟆

英文名 Swelled Vent Frog

栖息地及习性 生活于海拔 500～1 800 m 山区的大小溪流、沼泽、水坑或其附近的灌木、草丛地带。白天大多隐伏于溪底的石缝间、石块下或小瀑布下的石洞内，有时藏匿在溪边石隙或草丛中，受惊扰即潜入水底石块下或腐叶、泥沙中；夜晚活动于溪边或附近的耕地内。以食昆虫为主，嗜食大黑蚂蚁、蚊、叩头虫。繁殖期较一般蛙类为早。

分布与数量 据资料记载，本种仅分布于南部的大别、桐柏山区，本次样线调查发现于栾川、鲁山、台前、灵宝、淅川、济源、修武、嵩县、西峡、商城、新县、内乡、南召、卢氏等县(市)。共 1 353 167 只，其中，山区副总体 458 455 只，平原副总体 894 712 只。种群密度 8.102 814 只/km²。

1.3 龟鳖目 TESTUDDFORMES

黄缘盒龟 *Cuora flavomarginata*

地方名 黄缘闭壳龟、夹板龟、断板龟、克蛇龟、驼背龟

英文名 Black-bellied Box Turtle, Yellow-margined Box Turtle

栖息地及习性 栖息于森林边缘、河流、湖泊等潮湿处。陆生，有时也在溪间、河边、池塘等水域活动；杂食性，以鱼、虾、螺及蚯蚓等为食；有冬眠习性。

分布与数量 据资料记载，本种仅分布于南部的大别、桐柏山区，本次样线调查发现于确山等县。共 7 728 只，全部分布于山区副总体。种群密度 0.088 502 只/km²。

1.4 蛇目 SERPENTIFORMES

王锦蛇 *Elaphe carinata*

地方名 臭王蛇、黄颌蛇

英文名 Stink Snake

栖息地及习性 栖息于海拔 300～2 300 m 范围内平原、丘陵和山地的多种生境。性活泼，行动迅速。吃鸟类、鸟卵及鼠类，亦吃其他蛇类，甚至吃自己的小蛇；有一股奇臭，无毒。

分布与数量 据资料记载，本种广泛分布于山区，野生状态数量次于黑眉锦蛇。本次样线调查发现于新安、栾川、鲁山、济源、南乐、灵宝等县(市)。共 1 308 471 条，其中，山区副总体 773 540 条，平原副总体 534 931 条。种群密度 7.835 156 条/km²。

玉斑锦蛇 *Elaphe mandarina*

地方名 玉带蛇、神皮花蛇

英文名 Mandarin Rat Snake

栖息地及习性 栖息于海拔 300～1 500 m 的平原、山区林中、溪边草丛，也常出没于居民区及其附近。以小型哺乳动物、蜥蜴为食。

分布与数量 据资料记载，本种分布于伏牛、太行、大别、桐柏山区，本次样线调查发现于

新密、栾川、孟县、济源、沁阳、台前、渑池、灵宝等县(市)。共 963 884 条,其中,山区副总体 515 925 条,平原副总体 447 959 条。种群密度 5.771 760 条/km²。

黑眉锦蛇 *Elaphe taeniurus*

地方名　菜花蛇

英文名　Striped Racer, Stripe-tailed Rat Snake

栖息地及习性　栖息于平原、丘陵、山地。性凶暴,喜在田间觅食鼠类、麻雀、蛙类及昆虫。无毒。

分布与数量　据资料记载,本种在省内为广布种,数量较多。本次样线调查发现于杞县、兰考、栾川、鲁山、汝阳、伊川、嵩县、安阳、获嘉等县。共 535 868 条,其中,山区副总体 297 436条,平原副总体 238 432 条。种群密度 3.208 790 条/km²。

乌梢蛇 *Zaocys dhumnades* (Cantor)

地方名　乌风蛇、乌蛇

英文名　Chinese Rat Snake

栖息地及习性　栖息于平原、丘陵或海拔 1 600 m 以下的中低山地带。常见于农田、河沟附近,有时也在村落中发现。行动迅速,反应敏捷。性温顺,不咬人。以蛙类、蜥蜴、鱼类、鼠类等为食。

分布与数量　据资料记载,本种在省内为广布种,数量较多。本次样线调查发现于开封、兰考、新安、宝丰、安阳、原阳、济源、濮阳等县(市)。共 3 547 183 条,其中,山区副总体 2 517 961条,平原副总体 1 029 222 条。种群密度 21.240 617 条/km²。

蝮蛇 *Agkistrodon halys* (Pallas)

栖息地及习性　多生活在山地和丘陵区。捕食鼠类、蜥蜴、蛙类等。性凶猛,有毒。

分布与数量　据资料记载,本种广泛分布于全省的山区,本次样线调查发现于栾川、平顶山、灵宝、确山、西峡、淅川、信阳等县(市)。共 1 266 748 条,其中,山区副总体1 102 825 条,平原副总体 163 923 条。种群密度 7.585 317 只/km²。

菜花烙铁头 *Trimeresurus jerdonii* Guenther

地方名　松花公子

栖息地及习性　栖息于海拔较高的山区。喜捕食鸟类及小型哺乳动物。

分布与数量　据资料记载,本种广泛分布于全省的山区,本次样线调查发现于栾川、汝阳、济源、陕县、灵宝、宁陵、南召、桐柏等县(市)。共 691 406 条,其中,山区副总体 649 731 条,平原副总体 41 675 条。种群密度 4.140 156 条/km²。

竹叶青 *Trimeresurus stejnegeri* Schmidt

地方名　青竹蛇、刁竹青、焦尾巴、红眼睛蜓蛇

英文名　Boomboo-leaf Snake

栖息地及习性　栖息于山区溪流边、杂草、灌木丛和竹林中,喜居树上,有时盘伏水边岩石上。多在夜间活动,白天也可发现。捕食蛙类、蝌蚪、蜥蜴、鼠类等。由于体色与树叶相同,伪装性很强,人、畜易被咬伤。

分布与数量　据资料记载,本种仅分布于河南省的伏牛山区,本次样线调查发现于淅川、西峡等县。共 506 531 条,其中,山区副总体 407 662 条,平原副总体 98 869 条。种群密

度 3.033 120 条/km^2。

第 2 节　鸟类资源

河南省约有鸟类 385 种，大别山及桐柏山的鸟类以东洋界种占优势；伏牛山区除有东洋界种外，还有不少古北界种类；太行山区的鸟类种数不及豫南山区，且古北界种占优势。豫东、豫北鸟类区系简单，北方型的喜鹊、灰喜鹊、乌鸦等占优势。黄河两岸的宽阔滩地、黄河故道及其他湿地为冬候鸟或旅鸟的越冬地或停歇地。

全省鸟类栖息生境多样，森林、湿地、灌丛、农田、城市及乡村均有分布。

2.1　䴙䴘目　WPODICIPEDIFORMES

角䴙䴘　*Podiceps auritus*（Linnaeus）

地方名　水葫芦

英文名　Slavonian Grebe，Horned Grebe

栖息地及习性　主要栖息于淡水湖泊及沼泽地区，尤其是富有挺水植物的较浅水域。常单独或成对活动，迁徙季节和冬季亦见有成小群活动。在河南省属冬候鸟，见于河流、水库及池塘中，白天活动，善游泳和潜水。游泳时颈伸得很直，遇惊时潜入水中，仅将嘴、眼露出水面呼吸及窥伺，感到危险时也常通过飞行逃走。起飞灵活、飞行快速，多呈直线飞行，两翅扇动较快。觅食活动主要在清晨和下午，通过潜水取食各种小型鱼类、水生昆虫、甲壳类、软体动物、蛙、蝌蚪等，也吃少量水生植物。

分布与数量　据资料记载，分布于豫东平原、豫北黄河故道及孟州市白墙水库。本次调查发现于南召县罗圈岩水库、疗庄水库、白河，南阳市卧龙区龙王沟和桐柏县二郎山水库等。非繁殖季节共 44 只，其中南召县 18 只，南阳市卧龙区 18 只，桐柏县 8 只。种群密度 0.003 969只/km^2。

凤头䴙䴘　*Podiceps cristatus*（Linnaeus）

地方名　水葫芦、浪里白

英文名　Great Crested Grebe

栖息地及习性　凤头䴙䴘在河南省为旅鸟，栖息于大型湖泊、水库及沼泽地带，常成对或成小群活动于富有芦苇或水草的开阔水面，善于游泳和潜水。游泳时颈向上伸，和水面保持垂直姿式。潜水觅食，每次潜水时间和潜行距离都较长，主要捕食各种鱼类，也吃昆虫、昆虫幼虫、虾、甲壳类、软体动物等水生无脊椎动物，偶尔也吃少量水生植物。很少上岸或到浅水区活动，受惊后多潜入水中逃遁，很少起飞。飞翔时距水面稍高，初离水面时稍溅起水花，飞行距离不远。

分布与数量　据资料记载，分布于伏牛山和大别、桐柏山区。本次调查发现于信阳市商城县鲇鱼山水库，商丘市民权县林七水库，焦作市温县黄河，孟州市白墙水库，洛阳市嵩县陆浑水库，平顶山市鲁山县昭平台水库，郑州市中牟县中联养殖场。非繁殖季节共 196 只，其中商城县 1 只，民权县 152 只，温县 18 只，孟州市 3 只，嵩县 13 只，鲁山县 7 只，中牟县 2 只。种群密度 0.017 678 只/km^2。

2.2 鹈形目 PELECANIFORMES

白鹈鹕 *Pelecanus onocrotalus* Linnaeus

英文名 Rosy Pelican

栖息地及习性 主要栖息于湖泊、河流、沼泽地带。常成群生活，善飞行，亦善游泳。主要以鱼类为食。营巢于湖中小岛和湖边芦苇浅滩。每窝产卵2～3枚。

分布与数量 据资料记载，分布于豫东平原。本次调查发现于三门峡市卢氏县范里水库，南阳市南召县冢岗庙水库、青石板水库、群英水库、吴二坪水库、罗圈水库、疗庄水库、松河、排路河、白河。非繁殖季节共65只，其中卢氏县2只，南召县63只。种群密度0.005 863只/km^2。

斑嘴鹈鹕 *Pelecanus philppensis* Gmelin

英文名 Spotte dbilled Pelican

栖息地及习性 栖息于河流、湖泊和沼泽地带。单独或成小群生活，善游泳，飞翔有力，常在水面上空翱翔。主要以鱼类为食，也吃蛙、甲壳类、蜥蜴、蛇等。营巢于湖边和沼泽湿地中高大的树上。每窝产卵3～4枚，孵化期约30天。

分布与数量 据资料记载，分布于伏牛山区、太行山区、豫东平原。本次调查发现于三门峡市卢氏县范里水库。非繁殖季节卢氏县共2只，种群密度0.000 180只/km^2。

普通鸬鹚 *Phalacrocorax carbo* Linnaeus

地方名 水老鸦、鱼鹰

英文名 Common Cormorant

栖息地及习性 栖息于河流、湖泊、水库等水域，常集群活动，善游泳和潜水，擅长捕鱼。主要通过潜水捕获各种鱼类为食，潜水时，鸬鹚先向上半跃出水面，然后再翻身入水下，或在水上的岩石、木桩或大树上，发现鱼后即潜入水下捕食。一般可潜入水下1～3 m，停留40多秒。捕捉到鱼后上到水面吞食。游泳时颈向上伸直，头微向上倾斜。飞行高度较低，常贴水面飞行，飞行时头颈向前伸直，脚向后伸，与鸭类飞行姿态相似，但两翅扇动较缓。休息时常站在水边的岩石或树上，身体与地面差不多保持垂直，靠硬尾羽支持地面，并不时扇动两翅。

分布与数量 据资料记载，分布于开封、信阳、桐柏等地。本次调查发现于信阳市光山县泼河水库，淮滨县兔子湖，浉河区南湾水库，新县香山水库，商城县鲇鱼山水库，罗山县石山口水库；驻马店市泌阳县板桥水库；洛阳市嵩县陆浑水库；平顶山市宝丰县河陈水库，汝州市安沟水库；三门峡市卢氏县范里水库；济源市马头渔场；南阳市镇平县陡坡水库、高垃水库、赵湾水库，南召县冢岗庙水库、青石板水库、三道岭水库、群英水库、吴二坪水库、磁塔岩水库、罗圈崖水库、疗庄水库、张庙水库、鸭河口水库、铁河、灌河、松河、排路河、白河、空山河、辛庄水库、七一水库；淅川县淇河。非繁殖季节共404只，其中光山县5只，淮滨县13只，信阳市浉河区81只，新县11只，商城县63只，罗山县15只，泌阳县2只，嵩县20只，宝丰县12只，汝州市5只，卢氏县2只，济源市1只，镇平县12只，南召县156只，淅川县2只，镇平县4只。种群密度0.036 439只/km^2。

2.3 鹳形目 CICONIIFORMES

苍鹭 *Ardea cinerea* Linnaeus

地方名 长脖老等、灰鹭

英文名 Grey Heron

栖息地及习性 苍鹭栖息于沼泽、湖泊等各种水域中,栖息类型有地栖型和树栖型。地栖型多将巢筑于苇塘中,每年筑巢,很少利用旧巢。而树栖型多将巢筑在水边的乔木上,每年将旧巢稍加修补后产卵。卵多在清晨产出,常隔日产1枚。每窝多为3～4枚,最多可达7枚。地栖型幼鸟1个月后随亲鸟觅食,而树栖型要经过1个半月才能离巢。苍鹭的主要食物为鱼类,占食物主量90%以上。其中以泥鳅最多,有时也吃一些水生昆虫,食物中也发现两栖类和鼠类。

分布与数量 据资料记载,分布于全省。本次调查发现于信阳市浉河区南湾水库,商城县鲇鱼山水库,罗山县石山口水库;商丘市民权县林七水库,睢县城湖,虞城县田庙;驻马店市泌阳县板桥水库,汝南县宿鸭湖水库;开封市兰考县东坝头;焦作市孟州市黄河、白墙水库,修武县低洼地;安阳市安阳县小南海水库,汤阴县汤河水库;濮阳市南乐县马颊河;洛阳市汝阳县玉马水库,孟津黄河省级湿地水禽自然保护区,嵩县陆浑水库;新乡市封丘县黄河滩涂,豫北黄河故道湿地鸟类国家级自然保护区;三门峡市卢氏县范里水库,灵宝市阳平河,湖滨区涧河、三门峡库区省级湿地自然保护区;济源市曲阳湖、马头渔场;南阳市社旗县唐河,桐柏县二郎山水库,淅川县丹江口水库;周口市扶沟县国有林场。非繁殖季节共1 501只,其中信阳市浉河区1 200只,商城县5只,罗山县1只,民权县1只,睢县2只,虞城县30只,泌阳县2只,汝南县5只,兰考县3只,孟州市33只,修武县19只,安阳县1只,汤阴县8只,南乐县5只,汝阳县2只,孟津县62只,嵩县12只,延津县8只,封丘县40只,卢氏县2只,灵宝市2只,陕县5只,济源市16只,社旗县1只,桐柏县2只,淅川县7只,扶沟县27只。种群密度0.135 384只/km^2。

草鹭 *Ardea purpurea* Linnaeus

地方名 紫鹭、老等

英文名 Purple Heron

栖息地及习性 草鹭栖息于河流、胡泊及沼泽。喜营群巢,有时与苍鹭、白琵鹭、大白鹭混居。常单独或小群相距不远静立水中,等待食物到身边,突然捕食之,因此长时间站立水中,故人称“老等”。飞行时头颈呈“S”形,鼓翼缓慢,叫声嘶哑。食物主要是鱼类,鱼类比例达90%以上,所吃鱼类有鲫、塘鳢、泥鳅等,也吃一些虾、水生昆虫和两栖类。

分布与数量 据资料记载,分布于伏牛山和大别、桐柏山区。本次调查发现于信阳市浉河区南湾水库,罗山县石山口水库;焦作市温县黄河;平顶山舞钢市油房山水库、山头峰水库;三门峡市卢氏县范里水库。非繁殖季节共317只,其中信阳市浉河区300只,罗山县3只,温县2只,舞钢市10只,卢氏县2只。种群密度0.028 594只/km^2。

大白鹭 *Egretta alba*(Linnaeus)

地方名 白老等

英文名 Large Egret

栖息地及习性　栖息于苇塘、池塘沿岸或沼泽湿地。分散或成对长时间站立于浅水中，常与其他鹭类混在一起。飞行时颈部收缩成“S”形，两腿后伸，两翅鼓动缓慢。步行时常缩着脖子，缓慢地一步一步地前进。食物以鱼为主，也取食虾、甲壳类和软体动物。营巢于高大树上或沼泽中，多集群营巢或与其他鹭类混群营巢。每窝产卵3～6枚，常为4枚。孵化期25天左右。雏鸟为晚成鸟，留巢期近30天，50天时，基本与成鸟相似。

分布与数量　据资料记载，分布于太行山和大别、桐柏山区及豫东平原。本次调查发现于信阳市浉河区南湾水库，罗山县石山口水库；商丘市民权县林七水库；驻马店市泌阳县板桥水库、宋家场水库，确山县薄山水库；开封市开封县刘店；焦作市孟州市白墙水库；安阳市汤阴县汤河水库；濮阳市濮阳县黄河、金堤河，范县黄河滩涂，台前县黄河；洛阳市孟津黄河省级湿地水禽自然保护区；新乡市延津黄河故道湿地鸟类国家级自然保护区，封丘县黄河滩涂；平顶山舞钢山头峰水库，鲁山县沙河；三门峡市卢氏县范里水库；南阳市内乡县打磨岗水库、泰山庙水库，南召县七一水库，淅川县丹江口水库。非繁殖季节共700只，其中信阳市浉河区600只，罗山县18只，民权县1只，泌阳县6只，确山县2只，开封县3只，孟州市10只，汤阴县1只，濮阳县10只，范县1只，台前县2只，孟津县11只，延津县1只，封丘县5只，舞钢市1只，鲁山县10只，卢氏县6只，内乡县2只，南召县7只，淅川县3只。种群密度0.063 137只/km^2。

黄嘴白鹭　*Egretta eulophotes*（Swinboc）

英文名　Chinese Egret

栖息地及习性　栖息于河流、湖泊、水塘、溪流、水稻田和沼泽地带。常单独、成对或小群活动，有时亦见成数十只的大群。白天觅食，晚上休息。食物以小型鱼类为主，也吃虾、蟹、蝌蚪和水生昆虫等。营巢于矮小树杈，常成群营巢。每窝产卵2～4枚，孵化期24～26天。

分布与数量　据资料记载，分布于大别、桐柏山区。本次调查发现于信阳市浉河区南湾水库，商城县鲇鱼山水库，罗山县石山口水库；洛阳市孟津黄河省级湿地水禽自然保护区；三门峡库区省级湿地自然保护区；南阳市镇平县陡坡水库、高垃水库、赵湾水库、邓州市刘山水库。繁殖季节共2 629只，其中信阳市浉河区300只，商城县1 800只，罗山县3只，孟津县7只，陕县500只，镇平县16只，邓州市3只。种群密度0.237 125只/km^2。

白鹳　*Ciconia ciconia*（Linnaeus）

地方名　白老鹳

英文名　White Stork

栖息地及习性　栖息于河流、湖泊和沼泽或浅水岸边。成体从不鸣叫，繁殖初期成鹳常立在巢上将头背向后方，上下嘴打动发出“da—da—da”的响声，离巢不远的幼鸟遭遇惊扰时亦发出同样的响声。多在浅水中取食，有时亦取食于陆地。繁殖期主要食物是鱼类，有湖鲲、鲶、泥鳅、鲫等，亦食大型鞘翅目昆虫以及林蛙等。越冬期主要以植物性食物为主。

分布与数量　据资料记载，分布于太行、大别、桐柏山区及豫东平原。本次调查发现于平顶山市叶县孤石滩水库；三门峡市卢氏县老灌河、官坡河、兰草河、范里水库；济源市曲阳湖。非繁殖季节共23只，其中叶县1只，卢氏县14只，济源市8只。种群密度0.002 075只/km^2。

黑鹳 *Cionia nigra*（Linnaeus）

地方名　黑老鹳

英文名　Black Stork

栖息地及习性　常栖息于河流水域边，从不鸣叫。喜在沼泽和潮湿土地上取食，繁殖期主要食物是鱼类，迁徙时也以昆虫和蛙类为食。有沿用旧巢的习惯，每年对旧巢进行修整，添加新巢材，每窝产卵多为4枚。卵乳白色，上布不规则橙黄色斑块。孵卵期约30天。雌雄共同育雏，在雏鸟25日龄以前雌鹳常守护在巢内，雄鹳外出采食并将带回的食物吐于巢中，由雏自行争食。每日喂雏2～3次。70日龄左右雏鸟离巢。

分布与数量　据资料记载，分布于太行、伏牛山区及豫东平原。本次调查发现于洛阳市孟津黄河省级湿地水禽自然保护区；平顶山市叶县孤石滩水库；三门峡市卢氏县范里水库；济源市曲阳湖；南阳市南召县冢岗庙水库、三道岭水库、磁塔岩水库、疗庄水库、铁河、灌河、排路河、白河，淅川县灌河、丹江河、丹江水库。非繁殖季节共81只，其中孟津县3只，叶县1只，卢氏县2只，济源市2只，南召县30只，淅川县43只。种群密度0.007 306只/km^2。

白鹮 *Threskiornis aethiopicus*（Latham）

地方名　圣鹮

英文名　Sacred Ibis

栖息地及习性　常栖息于沼泽、湖泊、池塘、溪沟岸边的浅水地带，为中型涉禽；性情温顺而胆怯，喜集群活动，常与白琵鹭、草鹭、苍鹭结伴飞翔、活动、觅食；飞翔时其头、颈前伸，腿向后伸，鼓翅较快，由于其长而下弯的嘴，使整个身体微呈下弯，停落时，先滑翔，两腿弯曲成站立状，嘴、颈前伸，整个身体呈弓状落于地面。以小型的水生鱼类、蛙类、虾、软体动物及昆虫等为食物。巢多筑在苇塘的深处，为典型的群营巢鸟类，常与白琵鹭、草鹭、苍鹭等混杂营巢；每窝产卵2～7枚，绝大多数为4～6枚，卵椭圆形，白色。孵化由雌雄鹮共同承担，孵化期23～24天。雏鸟为晚成性，40日龄才能随亲鸟外出飞翔，或单独外出觅食。

分布与数量　据资料记载，分布于豫东平原，本次调查未发现。1986年发现1只。1986年10月20日宁陵县乔楼乡农民窦申强捕获1只，送至郑州市动物园饲养，1990年2月7日死于肺炎。本次调查未见到该种类。

朱鹮 *Nipponia nippon*（Temminck）

地方名　红鹤

英文名　Crested Ibis

栖息地及习性　调查区为伏牛山区的深山区，淇河从北向南流经该区，两岸沟叉和村庄附近高大乔木较多，是朱鹮比较理想的觅食活动区和筑巢区。

分布与数量　据资料记载，最早由傅桐生于1937年记载于河南淅川县的荆紫关，1979年西峡县外贸部门曾在丹水镇收购过“红鹤”(朱鹮)羽皮一张。据淅川县荆关镇石洪亮、郑关柯等当地群众反映，1995年、1997年和1998年在淅川县荆关镇狮子沟、龙峪沟、淇河庄水坝等与西峡县交界处发现朱鹮活动。本次调查时未发现踪迹。根据调查分析，此区在繁殖季节可能有数量很少的朱鹮，估计1～3对，但需要长期深入调查，故本种未列入《河南省鸟类名录》。

白琵鹭 *Platalea leucorodia* Linnaeus

地方名 琵鹭、大琵鹭、琵琶鹭

英文名 Spoonbill

栖息地及习性 栖息于沼泽、湖泊、池塘及溪沟的浅水地带，为中型涉禽；性情温顺而胆怯；喜集群活动，常与白鹳、草鹭、苍鹭等结伴飞行、活动和觅食；飞翔时鼓翅较快；常双腿或单腿长时间呆立于草丛或溪沟边，休息时常将头插入肩羽中。以小型的鱼类、蛙类、虾、昆虫及软体动物为食。集群繁殖，巢区多选择在常年积水、人迹罕至的苇塘深处，常与白鹳、草鹭、苍鹭等混合营巢；卵白色，有的具有不明显的不规则褐色斑点。孵化期23～24天；雏鸟晚成，35～40日龄才能在空中飞翔。

分布与数量 据资料记载，分布于信阳，本次调查发现于洛阳市孟津黄河省级湿地水禽自然保护区。非繁殖季节共8只。种群密度0.000 722只/km^2。

2.4 雁形目 ANSERIFORMES

鸿雁 *Anser cygnoides* (Linnaeus)

地方名 大雁

英文名 Swan Goose

栖息地及习性 常栖息于湖泊、沼泽等水生植物丛生的水边，有时也栖息于盐碱水域草滩。迁徙时，常结成上百只的大群，排成“一”字形或“人”字形。鸣声洪亮，传得很远。白天在浅水中或岸边休息、游荡，夜间觅食。主要吃各种草本水生和陆生植物，也吃一些植物的种子等。巢筑于人迹罕至、植被茂盛、较干燥的苇塘深处或草地的丘岗上，以及水库中的岛上。鸿雁是一边产卵一边孵化，每巢产卵4～9枚。

分布与数量 据资料记载，分布于全省湿地，本次调查发现于驻马店市泌阳县板桥水库；平顶山市郏县汝河，鲁山县沙河，叶县孤石滩水库；三门峡市卢氏县范里水库；南阳市方城县吕家水库，镇平县陡坡水库、高垃水库、赵湾水库。非繁殖季节共215只，其中泌阳4只，郏县8只，鲁山县20只，叶县4只，卢氏县4只，方城县26只，镇平县149只。种群密度0.019 392只/km^2。

豆雁 *Anser fabalis* (Latham)

地方名 大雁

英文名 Bean Goose

栖息地及习性 栖息于河流、湖泊、沼泽。性喜集群，长十几只或几十只甚至数百只一起活动。排成“一”字形或“人”字形，边飞边鸣。食物以植物为主，春季有时采食青苗或在陆地上采食苔草和其他青草，秋季多在日出时和黄昏前到农田采食谷子等。

分布与数量 据资料记载，分布于全省，本次调查发现于信阳市狮河区南湾水库；许昌市的禹州市白沙水库；驻马店市汝南县宿鸭湖；焦作市的孟州市黄河、白墙水库，温县黄河；洛阳市孟津黄河省级湿地水禽自然保护区；新乡市封丘县黄河滩涂；平顶山市湛河区白龟山水库；三门峡市卢氏县范里水库；济源市赵庄水库；南阳市社旗县百亩堰、湾刘水库；周口市扶沟县国有林场。非繁殖季节共23 918只，其中山区副总体21 063只/km^2，平原副总体2 855只/km^2。种群密度0.143 222只/km^2。

白额雁 *Anser albifrons* (Scopoli)

地方名　大雁

英文名　White-fronted Goose

栖息地及习性　常和其他雁类混群栖息于低湿地或较大的开阔水面，叫声清晰、尖锐、喧杂。迁徙时以家族为单位或数个家族一群，排成“人”字形、“一”字形或“/”形，且飞且鸣，秩序井然。以莎草科和禾本科植物的嫩叶为主食，也吃少量草籽和谷粒等。

分布与数量　据资料记载，分布于伏牛山区和豫东平原，本次调查发现于驻马店市泌阳县板桥水库；洛阳市孟津黄河省级湿地水禽自然保护区。非繁殖季节共16只，其中泌阳县1只，孟津县15只。种群密度0.001 443只/km^2。

灰雁 *Anser anser* (Linnaeus)

地方名　大雁

英文名　Greylag Goose

栖息地及习性　平时多成对或数只成小群活动，但迁徙时常结成大群，有时候达千只。栖息于淡水或盐碱水域的平原地带，也停息于河中的沙洲，有时游荡在湖泊中。常和鸿雁混合在一起。性机警，人不易接近。主要以野草的种子及其鲜嫩的茎叶为食，采食量大。

分布与数量　据资料记载，分布于全省，本次调查时发现于驻马店市泌阳县宋家场水库；开封市尉氏县贾鲁河；洛阳市孟津黄河省级湿地水禽自然保护区；平顶山市叶县孤石滩水库；郑州市的登封市隐士沟水库；南阳市南召县铁河、灌河、白河。非繁殖季节共147只，其中泌阳县4只，尉氏县50只，孟津县61只，叶县2只，登封市6只，南召县24只。种群密度0.013 259只/km^2。

大天鹅 *Cygnus cygnus* (Linnaeus)

地方名　天鹅、大白鹅、白天鹅

英文名　Whooper Swan

栖息地及习性　常栖息于大型湖泊或沼泽中较宽阔的水域中。迁徙时也见于池塘、水库以及灌溉时的农田。一般成对活动，迁徙时以家族为单位结成10～20只的小群活动。飞行平稳有力，队列成“一”字形或“人”字形。食物主要有水生植物的种子、茎叶、根，以及其他杂草种子，也间食少量软体动物、水生昆虫等。

分布与数量　据资料记载，分布于全省，本次调查发现于信阳市罗山县石山口水库；安阳市的林州市弓上水库、南谷洞水库；平顶山市湛河区白龟山水库；三门峡市卢氏县洛河、老灌河、范里水库，三门峡库区省级湿地自然保护区；郑州市二七区尖岗水库；南阳市内乡县湍河。非繁殖季节共1 645只，其中罗山县3只，林州市6只，湛河区10只，卢氏县10只，陕县1 609只，二七区6只，内乡县1只。种群密度0.148 372只/km^2。

小天鹅 *Cygnus columbianus* (Ord)

地方名　白天鹅、天鹅

英文名　Whistling Swan ,Tundra Swan

栖息地及习性　小天鹅在河南省为旅鸟，偶见于冬季。主要栖息于多芦苇及水草的大型湖泊、水库及池塘，常集群活动，性活泼而机警，常常远离人及其他动物；在水中游泳和栖息时，也远离岸边；游泳时颈向上伸直，几乎与水面垂直。常结群觅食，选取觅食地时常有一对小天鹅在上空不断盘旋侦察,确实无危险时才降落,稍有惊扰就不再来此地觅食,觅食时不时地伸直头颈观望四周,行动十分谨慎。视觉敏锐,离很远即能发现人及动物的活动,并躲避或飞逃。以水生植物的根、茎、叶和种子为食,也吃部分昆虫和其他小型无脊椎动物。

分布与数量　据资料记载,分布于全省,本次调查发现于洛阳市孟津黄河省级湿地水禽自然保护区;平顶山市叶县孤石滩水库;济源市曲阳湖。非繁殖季节共 105 只,其中孟津县 102 只,叶县 1 只,济源市 2 只。种群密度 0.009 471 只/km^2。

鸳鸯　*Aix galericulata*（Linnaeus）

英文名　Mandarin Duck

栖息地及习性　在河南省为旅鸟或冬候鸟,栖息于溪流、沼泽、湖泊、水田、近山的河川等处,常出没于水面宽阔,周围多芦苇等水生植物的水域。喜群居,常与其他种类的野鸭集成小群,游荡于水面上,性杂食,以草籽、橡子、蚂蚁、石蝇、蝗虫、蚊子、虾、小鱼和蛙等为食。

分布与数量　据资料记载,分布于开封、嵩县、罗山、桐柏等地,本次调查发现于平顶山舞钢市石漫滩水库,叶县孤石滩水库,鲁山县昭平台水库;三门峡市卢氏县洛河、老灌河、范里水库,灵宝市漠河水库;南阳市淅川县灌河、丹江河、滔河、刘营水库、立新水库,宛城区白河游览区。非繁殖季节共 66 只,其中舞钢市 12 只,叶县 2 只,鲁山县 2 只,卢氏县 28 只,灵宝市 2 只,淅川县 18 只,南阳市宛城区 2 只。种群密度 0.005 953 只/km^2。

赤麻鸭　*Tadorna ferruginea*（Pallas）

地方名　野鸭

英文名　Ruddy Shelduck

栖息地及习性　在河流、湖泊等各类水域都可见到。杂食性,以谷类、水生植物、昆虫、甲壳动物、小鱼、小蛙等为食。

分布与数量　本次调查除鹤壁市没有发现外,全省其余 17 个省辖市均有分布。非繁殖季节共约 4 606 只。

翘鼻麻鸭　*Tadorna tadorna*（Linnaeus）

地方名　冠鸭、白鸭

英文名　Common Shelduck

栖息地及习性　栖息于沼泽及湖泊,喜欢食物丰富的咸水湖泊。性机警,常成对或小群活动。杂食性,以软体动物、甲壳动物、小鱼、水中昆虫和种子为食。

分布与数量　本次调查除鹤壁市没有发现外,全省其余 17 个省辖市均有分布。非繁殖季节共 125 只。

针尾鸭　*Anas acuta*（Linnaeus）

地方名　尖尾鸭

英文名　Pintail

栖息地及习性　栖息于各种类型的河流、湖泊、沼泽、盐碱湿地、水塘。喜欢成群生活,常成群活动,特别是迁徙季节和冬季,常成几十只至数百只的大群活动。性胆怯而机警,白天隐藏在有水的芦苇丛中或在远离岸边的水面游荡或休息,黄昏和夜晚才到水边浅水处觅食，稍有动静，立即飞离。主要以植物性食物为主。常以草籽和其他水生植物嫩芽和种子为食。繁殖期间多以水生无脊椎动物，如淡水螺、软体动物和水生昆虫为食。

分布与数量　本次调查除鹤壁市没有发现外，全省其余17个省辖市均有分布。非繁殖季节共45只。

绿翅鸭　*Anas crecca*（Linnaeus）

地方名　风鸭

英文名　Common teal

栖息地及习性　喜欢栖息在开阔的大型湖泊、河流、沼泽地带。喜集群，特别是迁徙季节和冬季，常集成数百甚至上千只的大群活动。以植物性食物为主，也吃螺、甲壳类、软体动物、水生昆虫和其他小型无脊椎动物。觅食主要在水边浅水处。多在清晨和黄昏觅食，有时晚上和白天亦觅食，每日觅食时间较长。

分布与数量　本次调查除鹤壁市没有发现外，全省其余17个省辖市均有分布。繁殖季节共3 347只，非繁殖季节共30 032只。

花脸鸭　*Anas formosa* Georgi

地方名　王鸭

英文名　Baikal teal

栖息地及习性　喜欢集群生活，主要栖息于各种淡水或咸水水域，包括湖泊、河流、水库、水塘、沼泽、河湾以及农田等各类生境。白天常成小群或与其他野鸭混群游泳或漂浮于开阔的水面休息，夜晚则成群飞往附近田野、沟渠或湖边浅水处觅食。食性以植物为主，也吃螺、软体动物、水生昆虫等小型无脊椎动物。

分布与数量　本次调查除鹤壁市没有发现外，全省其余17个省辖市均有分布。非繁殖季节共22只。

罗纹鸭　*Anas falcata* Georgi

地方名　扁头鸭

英文名　Falcated teal

栖息地及习性　主要栖息于河流、湖泊及沼泽地带。常成对或小群活动。冬季和迁徙季节亦集成10余只至数十只的大群。性胆怯而机警，白天多在开阔的湖面、沙洲或湖心岛上休息和游泳，清晨和黄昏才飞到附近农田或游至水边浅水处觅食。食性以植物为主，偶尔也吃软体动物、甲壳类和水生昆虫等小型无脊椎动物。

分布与数量　本次调查除鹤壁市没有发现外，全省其余17个省辖市均有分布。非繁殖季节共347只。

绿头鸭　*Anas platyrhynchos* Linnaeus

地方名　大绿头

英文名　Mallard

栖息地及习性　主要栖息于水生植物丰富的湖泊、河流、池塘、沼泽等水域中；冬季和迁徙期间亦出现于开阔的湖泊、水库、江河、沙洲和草地。常集成数十、数百甚至上千只的大群。性好动，活动时发出“嘎—嘎—嘎”的叫声。其食性杂，主要以野生植物的叶、芽、茎、种子和水藻等植物性食物为食。也吃软体动物、甲壳类、水生昆虫等动物性食物。觅食多在清晨和黄昏，白天常在河湖岸边、沙滩或湖心沙洲和小岛上休息，或在开阔的水面上游泳。

分布与数量　本次调查除鹤壁市没有发现外，全省其余 17 个省辖市均有分布。繁殖季节共 6 527 只，非繁殖季节共 17 386 只。

斑嘴鸭　*Anas poecilorhyncha* Forster

地方名　蒲鸭

英文名　Spotbill Duck

栖息地及习性　主要栖息在各类大小湖泊、水库、河流、水塘、沙洲和沼泽地带。迁徙期间和冬季也出现在农田地带。常成群活动，也和其他鸭类混居。善游泳，很少潜水。清晨和黄昏则成群飞往附近农田、沟渠、小水塘和沼泽地上觅食。食性以植物为主，此外也吃软体动物、昆虫等小型动物。

分布与数量　本次调查除鹤壁市没有发现外，全省其余 17 个省辖市均有分布。繁殖季节共 9 688 只，非繁殖季节共 19 642 只。

赤膀鸭　*Anas strepera* Linnaeus

地方名　蹼鸭

英文名　Gadwall

栖息地及习性　栖息和活动在河流、湖泊、水库、水塘和沼泽地带。常成小群活动，也喜欢与其他野鸭混群活动。性胆怯而机警，飞行极快。食性以水生植物为主。觅食时间多在清晨和黄昏，白天多在开阔水面休息。

分布与数量　本次调查除鹤壁市没有发现外，全省其余 17 个省辖市均有分布。非繁殖季节共 31 只。

赤颈鸭　*Anas penelope* Linnaeus

地方名　鹅子鸭

英文名　Wigeon

栖息地及习性　栖息于河流、湖泊、水塘、沼泽等各类水域中。常成群活动，也和其他鸭类混群。善游泳，亦善潜水，飞行快而有力。主要以植物性食物为食。也吃少量动物性食物。

分布与数量　本次调查除鹤壁市没有发现外，全省其余 17 个省辖市均有分布。非繁殖季节共 88 只。

白眉鸭　*Anas querquedula* Linnaeus

地方名　风鸭

英文名　Garganey

栖息地及习性　栖息于开阔的湖泊、河流、沼泽、池塘、沙洲等水域中，也出现于山区水塘、河流中。常成对或成小群活动，迁徙和越冬期间亦集成大群。性胆怯而机警，常在有水草隐蔽处活动和觅食。主要以水生植物的叶、茎、种子为食，也到岸上觅食青草和到农田觅食谷物，从不潜水取食。觅食多在夜间，白天在开阔水面或水草丛中休息。

分布与数量　本次调查除鹤壁市没有发现外，全省其余 17 个省辖市均有分布。非繁殖季节共 425 只。

琵嘴鸭 *Anas clypeata* Linnaeus

地方名　琵琶嘴鸭

英文名　Shoveller

栖息地及习性　栖息于开阔地区的河流、湖泊、水塘、沼泽等水域环境中，常成对或成 3～5 只的小群活动，也见有单只活动的。迁徙季节亦成大群。多在有烂泥的水塘和浅水处活动觅食。性机警而灵活，飞行力不强，但飞行速度快而有力。食物主要以螺、软体动物、甲壳类、水生昆虫、鱼、蛙等动物性食物为主。也吃水藻、草籽等植物性食物。觅食方式主要是在水边浅水处或沼泽地上通过其呈铲形的嘴在泥土中掘食。

分布与数量　本次调查除鹤壁市没有发现外，全省其余 17 个省辖市均有分布。非繁殖季节共 7 只。

红头潜鸭 *Aythya ferian*（Linnaeus）

地方名　红头鸭

英文名　Common Pochard

栖息地及习性　栖息于富有水生植物的开阔湖泊、水库、水塘、河湾等各类水域中。迁徙季节和冬季成大集群。有时也和其他鸭类混群。白天多在开阔的水面活动和游泳，或一动不动地漂浮于水面上睡觉，有时也成群在岸边休息。性胆怯而机警，善潜水。主要在深水地方通过潜水觅食，也常在岸边浅水处像其他鸭一样，头下脚上扎入水中取食。食物以水藻，水生植物叶、茎、根和种子为主。也觅食软体动物、甲壳类等小型动物性食物。

分布与数量　本次调查除鹤壁市没有发现外，全省其余 17 个省辖市均有分布。非繁殖季节共 85 只。

白眼潜鸭 *Aythya nyroca*

英文名　White-eyed Pochard

栖息地及习性　主要栖息于大的湖泊、水流缓慢的河流。极善潜水，但在水下停留时间不长。常在富有芦苇和水草的水面活动，并潜伏于其中。性胆怯而机警，常成对或成小群活动。食性为杂食性，主要以植物性食物为主。

分布与数量　据记载全省各省辖市均有分布。本次调查未发现。

青头潜鸭 *Aythya baeri*

地方名　青头鸭

英文名　Baer's Pochard

栖息地及习性　多栖息在大的湖泊、河流、水塘地带。常成对或成小群活动在水边水生植物丛中或附近水面上。性胆怯而机警。主要以各种水草的根、叶、茎和种子为食。也吃软体动物、水生昆虫、甲壳类、蛙等动物性食物。觅食方式主要通过潜水。

分布与数量　本次调查除鹤壁市没有发现外，全省其余 17 个省辖市均有分布。非繁殖季节共 725 只。

凤头潜鸭 *Aythya fuligula*

地方名　凤头鸭

英文名　Tufted Duck

栖息地及习性　主要栖息于湖泊、河流、水库、池塘、沼泽等开阔水面。性喜成群，常集成上百只的大群。善游泳和潜水,可潜水2～3 m深。觅食主要在白天,晚上多栖息于湖心岛或近岸的烂泥滩、沙洲。主要以虾、蟹、蛤、水生昆虫、小鱼、蝌蚪等动物性食物为主,有时也吃少量水生植物。

分布与数量　本次调查除鹤壁市没有发现外,全省其余17个省辖市均有分布。非繁殖季节共139只。

斑背潜鸭　*Aythya marila*

英文名　Scaup Duck

栖息地及习性　主要栖息在河流、湖泊、水库和沼泽浅水处。善游泳和潜水,起飞时需在水上助跑。属杂食性,主要捕食甲壳类、软体动物、水生昆虫、小型鱼类等水生动物。也吃水藻,水生植物叶、茎、种子等。

分布与数量　本次调查除鹤壁市没有发现外,全省其余17个省辖市均有分布。非繁殖季节共136只。

棉凫　*Nettapus coromandelianus*

英文名　Cotton Teal

栖息地及习性　栖息于河流、湖泊、水塘和沼泽地带,有时亦出现在村庄附近的小水塘中。常成对或成几只至20只的小群活动。性温顺,不太怕人。善游泳和潜水,但一般很少潜水。一般不上岸活动,主要在白天活动,晚上栖息于湖中或树枝上。以植物为主食,也吃水生昆虫、蠕虫、软体动物、蜗牛、甲壳类和小鱼。

分布与数量　本次调查除鹤壁市没有发现外,全省其余17个省辖市均有分布。繁殖季节共381只。

鹊鸭　*Bucephala clangula*

地方名　白脸鸭

英文名　Godeneye

栖息地及习性　主要栖息于流速缓慢的河流、湖泊、水库。常10～20只一群,亦可见40～50只的大群。性机警而胆怯,人不能靠近。白天活动,善潜水,起飞时笨拙。食物主要为昆虫、蠕虫、甲壳类、软体动物、小鱼、蛙以及蝌蚪等各种淡水和咸水水生动物。

分布与数量　本次调查除鹤壁市没有发现外,全省其余17个省辖市均有分布。非繁殖季节共634只。

斑头秋沙鸭　*Mergus albellus*

英文名　Smew

栖息地及习性　主要栖息于流速缓慢的河流、湖泊、水库。通常7～8只至10余只一群,有时亦多至数十只的大群。善游泳和潜水,几乎整天都在水面活动。通常一边游水一边频频潜水捕食。食物主要为小鱼,也大量捕食软体动物、甲壳类,偶尔也吃少量植物性食物。

分布与数量　本次调查除壁市没有发现外,全省其余17个省辖市均有分布。非繁殖季节共164只。

红胸秋沙鸭　*Mergus serrator*

英文名　Red-breasted Merganser

栖息地及习性　主要栖息于河流、水库和沼泽等湿地。常成小群活动,几乎整天都在水上，很少到岸上活动。性胆怯而机警，起飞笨拙。通过潜水取食，食物主要为小型鱼类，也吃水生昆虫、昆虫幼虫、甲壳类、软体动物等其他水生动物，偶尔也吃少量植物性食物。
分布与数量　本次调查仅在南阳市吴二坪水库发现2只（非繁殖季节）。

普通秋沙鸭　*Mergus merganser*
英文名　Goosander
栖息地及习性　主要栖息于河流、水库和沼泽等湿地。常成小群活动，迁徙季节或冬季也常集成数十至上百只的大群，偶尔也见单只活动。善潜水，起飞笨拙。
分布与数量　本次调查除鹤壁市没有发现外，全省其余17个省辖市均有分布。非繁殖季节共711只。

2.5　隼形目　FALCONIFORMES

雀鹰　*Accipiter nisus*
英文名　Sparrow Hawk
栖息地及习性　栖息于山地森林和林缘地带，冬季主要栖息于低山丘陵、山脚平原、农田地边以及村庄附近。日出性，常单独生活，善滑翔。主要以雀形目小鸟、昆虫和鼠类为食。有时也捕食野兔、蛇等。营巢于森林中树上，巢多常年利用，每窝产卵3～4枚，孵化期32～35天。雏鸟晚成，巢期生活24～30天。
分布与数量　据资料记载，分布于全省，本次调查发现于新安、鲁山、鹤壁、辉县、修武、南乐、渑池、扶沟、西峡、信阳等县。非繁殖季节共59 395只，种群密度0.355 659只/km^2，其中，山区副总体58 443只，平原副总体952只；繁殖季节共99 626只，种群密度0.596 563只/km^2，其中，山区副总体98 674只，平原副总体952只。

松雀鹰　*Accipiter virgatus*
英文名　Besra Sparrow
栖息地及习性　栖息于林缘、村落附近的农田等处。高空飞翔时常频频鼓动双翅后作直线滑翔，有时作圆圈状翱翔。食料以小鸟、昆虫为主，也食鼠类。营巢于茂密森林中枝叶茂盛的高大树木上部，位置较高，常利用旧巢。每窝产卵3～4枚。
分布与数量　据资料记载，分布于全省，本次调查发现于栾川、嵩县、洛宁、济源、陕县、卢氏、西峡、新乡等县（市）。分布于山区副总体，其中，非繁殖季节共1 681只，种群密度0.010 066只/km^2；繁殖季节共297只，种群密度0.001 778只/km^2。

鸢　*Milvus korschun*
地方名　老鹰
英文名　Black Kite
栖息地及习性　栖息于山区林地、城郊及居民点附近。常在天空翱翔，发现猎物立即俯冲之下。以鼠、兔、蛙、鸟等为食。营巢于悬崖峭壁上，每窝产卵2～3枚，孵化期38天，雏鸟晚成，42天离巢。
分布与数量　据资料记载，分布于全省，本次调查发现于巩义、尉氏、孟津、栾川、嵩县、洛宁、伊川、鲁山、林州、内黄、鹤壁郊区、辉县、修武、济源、沁阳、清丰、濮阳、民权、泌阳、遂平、上蔡、新蔡、南召、方城、西峡、信阳、息县、光山、固始、罗山等县（市、区）。非繁殖季节共 8 957 只，种群密度 0.053 635 只/km²，其中，山区副总体 5 340 只，平原副总体 3 617 只；繁殖季节共 61 807 只，种群密度 0.370 102 只/km²，其中，山区副总体 60855 只，平原副总体 952 只。

普通鵟 *Buteo buteo*

地方名 土豹

英文名 Buzzard

栖息地及习性 栖息于森林和林缘地带，开阔旷野常见在空中盘旋飞翔。食料以鼠类为主，也捕食蝗虫、金龟子等昆虫及小鸟等。营巢于森林或林缘高大树木上，也营巢于悬崖，有时也侵占鸦巢。每窝产卵 2～3 枚，孵化期 28 天，雏鸟晚成性，40～45 天巢期生活。

分布与数量 据资料记载，分布于全省，本次调查发现于杞县、孟津、新安、汝阳、宜阳、偃师、获嘉、济源、陕县、灵宝、泌阳、西峡、信阳、息县、淮滨、光山、固始、商城、罗山、新县等。非繁殖季节共 3 908 只，种群密度 0.024 335 只/km²，其中，山区副总体 1 624 只，平原副总体 2 284 只；繁殖季节共 3 135 只，种群密度 0.018 772 只/km²，其中，山区副总体 2 373 只，平原副总体 762 只。

金雕 *Aquila chrysaetos*

英文名 Golden Eagle

栖息地及习性 栖息于山区，冬季也常到丘陵和山脚平原地带活动。白天活动，飞行迅速，翱翔于高空，两翅成"V"形。主要捕食大型鸟类和兽类，食料以野兔为主，也吃鼠、鸭、野鸡、山羊等，有时也吃死尸。营巢于高大乔木顶部或悬岩凹处，常利用旧巢。每窝产卵 2 枚，孵化期 45 天，雏鸟晚成性，80 天离巢。

分布与数量 据资料记载，分布于大别、伏牛、太行山区，本次调查发现于通许、新安、嵩县、舞钢、焦作中站区、修武、济源、卢氏、灵宝、商丘、内乡、淅川等县(市、区)。非繁殖季节共 1 673 只，种群密度 0.010 018 只/km²，其中，山区副总体 1 483 只，平原副总体 190 只；繁殖季节共 1 444 只，全分布于山区副总体，种群密度 0.008 647 只/km²。

玉带海雕 *Haliaeetus leucoryphus*

英文名 Pallas's Fishing Eagle

栖息地及习性 栖息于平原、草原、农田、河谷、湖泊等开阔地带。主要以鱼和水禽为食，也吃蛙和爬行类动物。营巢于湖泊、河流或沼泽岸边的高大乔木树上，有时也占乌鸦等其他鸟类的巢。每窝产卵 2 枚，孵化期 30～40 天，雏鸟晚成性，70～105 天离巢。

分布与数量 据资料记载，分布于太行山区和豫东平原，本次调查发现于孟津县。非繁殖季节共 1 只，仅发现于山区副总体，种群密度 0.000 090 只/km²。

白尾海雕 *Haliaeetus albicila*

地方名 黄嘴雕、芝麻雕

英文名 White-tailed Sea Eagle

栖息地及习性 栖息于湖泊、沼泽等开阔水域地带。主要以鱼为食，常在水面低空飞行，发现猎物后利用爪伸入水中抓捕，也捕食鸟类和中小型哺乳动物。营巢于湖边、河岸或附近的高大树上，常利用旧巢，每窝产卵 2 枚，孵化期 35～45 天，雏鸟晚成性，70 天离巢。

分布与数量 据资料记载，分布于伏牛山区，本次调查发现于灵宝等县。非繁殖季节共

99只，分布于山区副总体，种群密度0.000 593只/km²。

苍鹰 *Accipiter gentillis*

地方名　黄鹰

英文名　Goshawk

栖息地及习性　栖息于森林内的暖性松林、阔叶落叶林、人工林，湿地内的永久性湿地、季节性湿地，乡村及城市，农田内的玉米、棉田、麦田、菜田、豆田，灌丛内的沙地灌草丛及半灌丛、山地灌草丛。通常单独活动，性甚机警，亦善隐藏。很少在空中翱翔，多隐藏在森林中树枝间窥视猎物，飞行快而灵活。主要以森林鼠类、野兔、雉类、鸠鸽类和其他中型鸟类为食。

分布与数量　据资料记载，分布于全省，本次调查发现于郑州管城区、荥阳、开封郊区、洛阳郊区、鲁山、林州、内黄、封丘、焦作、济源、濮阳、许昌、三门峡、商水、确山、平舆、邓州、信阳等县(市、区)。非繁殖季节共36 194只，种群密度0.216 731只/km²，其中，山区副总体28 009只，平原副总体8 185只；繁殖季节共184 136只，种群密度1.102 611只/km²，其中，山区副总体180 139只，平原副总体3 997只。

凤头蜂鹰 *Pernis ptilorhyncus*

地方名　蜂鹰、凤鹰

英文名　Honey Buzzard

栖息地及习性　栖息于森林内的暖性松林、阔叶落叶林、人工林，永久性湿地、季节性湿地，乡村和城市、农田，灌丛内的沙地灌草丛及半灌丛、山地灌草丛。尤以疏林和林缘地带较常见。常单独活动，飞行灵活，多为鼓翅飞翔。常快速地扇动两翅从一棵树飞到另一棵树，边飞边叫。主要以黄蜂和其他蜂类及其蜂蜜、蜂蜡和幼虫为食。也吃其他昆虫及其幼虫、蛇、蜥蜴、蛙、鼠类等。通常在飞行中捕食，营巢于树上，形状为盘状，每窝产卵2～3枚。

分布与数量　据资料记载，分布于豫东平原和大别、桐柏山区，本次调查发现于西峡、杞县。繁殖季节共388只，其中，山区副总体198只，平原副总体190只。种群密度0.002 323只/km²。

游隼 *Falco peregrinus*

地方名　花梨鹰

英文名　Peregrine Falcon

栖息地及习性　栖息于森林内的暖性松林、阔叶落叶林、人工林，湿地内的永久性湿地、季节性湿地，乡村、城市及农田，灌丛内的沙地灌草丛及半灌丛、山地灌草丛。飞行迅速，多单独活动，通常在快速鼓翼飞行时伴随着一阵滑翔。主要捕食野鸭、鸥、鸠鸽类、雉鸡类等中小型鸟类，也捕食鼠类和野兔等小型哺乳动物。多数时候都在空中飞翔寻找食物，发现猎物时快速上升，然后再急速向猎物俯冲。营巢于林间空地、河谷悬崖、地边丛林。也营巢于土丘和沼泽。每窝产卵2～4枚，卵色红褐。

分布与数量　据资料记载，分布于开封等地，本次调查发现于嵩县、民权、南召等县。繁殖季节共783只，其中，山区副总体593只，平原副总体190只。种群密度0.004 689只/km²。

燕隼 *Falco subbuteo*

地方名　青条子

英文名　Hobby

栖息地及习性　栖息于森林内的暖性松林、阔叶落叶林、人工林，湿地内的永久性湿地、季节性湿地，乡村、城市和农田，灌丛内的沙地灌草丛及半灌丛、山地灌草丛。飞行迅速，常单独活动或成对活动。主要以麻雀、山雀等雀形目小鸟为食，也大量捕食蜻蜓、蟋蟀、蝗虫等昆虫。主要在空中捕食，黄昏时活动较频繁。营巢于疏林或林缘高大乔木上，通常自己很少营巢，常侵占乌鸦和喜鹊巢，每窝产卵 2～4 枚。

分布与数量　据资料记载，分布于豫东平原和大别、桐柏山区，本次调查发现于嵩县、鲁山、南乐、范县等县。非繁殖季节共 1 384 只，分布于山区副总体，种群密度 0.008 287 只/km^2；繁殖季节共 480 只，种群密度 0.002 874 只/km^2，其中，山区副总体 99 只，平原副总体 381 只。

红隼 *Falco tinnunculus*

英文名　Kestrel

栖息地及习性　栖息于森林内的暖性松林、阔叶落叶林、人工林，湿地内的永久性湿地、季节性湿地，乡村、城市和农田，灌丛内的沙地灌草丛及半灌丛、山地灌草丛。不喜欢茂密的大森林。飞翔时两翅快速扇动。主要以蝗虫、蚱蜢等昆虫为食。也吃鼠类、雀形目鸟类以及其他两栖爬行类小型动物。营巢于悬崖、石缝、土洞、树洞和喜鹊、乌鸦旧巢中。通常每窝产卵 4～5 枚。

分布与数量　据资料记载，分布于全省，本次调查发现于杞县、栾川、偃师、林州、内黄、辉县、济源、灵宝、邓州、南召、西峡、信阳、固始、罗山等县(市)。非繁殖季节共 2 930 只，种群密度 0.017 545 只/km^2，其中，山区副总体 1 978 只，平原副总体 952 只；繁殖季节共 1 970只，种群密度 0.011 796 只/km^2，其中，山区副总体 1 780 只，平原副总体 190 只。

赤腹鹰 *Accipiter soloensis*

英文名　Horsfield's Goshawk

栖息地及习性　栖息于森林内的暖性松林、阔叶落叶林、人工林，湿地内的永久性湿地、季节性湿地，乡村、城市、农田，灌丛内的沙地灌草丛及半灌丛、山地灌草丛。常单独或成小群活动，休息时多停在树木顶端或电杆柱上。主要以蛙、蜥蜴等动物性食物为食。主要在地上捕食，营巢于树上，每窝产卵 2～5 枚。

分布与数量　据资料记载，分布于全省，本次调查发现于杞县、兰考、栾川、嵩县、林州、获嘉、济源、卢氏、宁陵、柘城、西峡、淅川、息县等县(市)。繁殖季节共 2 670 只。

大鵟 *Buteo hemilasius*

地方名　花豹

英文名　Buzzard

栖息地及习性　栖息于山地、山脚平原，冬季也常出现在低山丘陵、农田、湿地、村庄和城市附近。常单独或成小群活动，飞翔时两翼鼓动较慢，常在空中作圈状翱翔。主要以啮齿动物、蛙类、蜥蜴、蛇类等动物为食。营巢于悬崖峭壁或树上，巢呈盘状可多年利用，每窝产卵 2～4 枚。

分布与数量　据资料记载，分布于全省，本次调查发现于杞县、兰考、栾川、嵩县、林州、获嘉、济源、卢氏、宁陵、柘城、西峡、淅川、息县等县(市)。非繁殖季节共 1 857 只，繁殖季节共 1 271 只。

白肩雕　*Aquila heliaca*

英文名　Imperial Eagle

栖息地及习性　栖息于 2 000 m 以下山地森林地带，冬季常到低山丘陵、森林平原、小块丛林和林缘地带，有时也见于沼泽和河谷地带，常单独活动，主要以啮齿动物、草兔、雉鸡、鹌鹑、斑鸠等小型和中型哺乳动物为食，也吃爬行类和动物尸体。觅食活动常见于白天。营巢于森林中高大乔木，在少树的空旷地区，也营巢于孤立树上。每窝产卵 2～3 枚，孵化期 43～45 天，雏鸟晚成性，55～56 天离巢。

分布与数量　据资料记载，分布于全省，本次调查发现于杞县、兰考、栾川、嵩县、林州、获嘉、济源、卢氏、宁陵、柘城、西峡、淅川、息县等县(市)。非繁殖季节共 99 只。

草原雕　*Aquila rapax*

地方名　大花雕

英文名　Steppe Eagle

栖息地及习性　栖息于低山开阔地带，常栖止于高树顶端。食物以兔、鼠类为主，也吃爬行类和动物尸体。营巢于悬崖上，也营巢于地上或小山坡上。每窝产卵 3～5 枚，孵化期 45 天，雏鸟晚成性，55～60 天离巢。

分布与数量　据资料记载，分布于全省，本次调查发现于杞县、兰考、栾川、嵩县、林州、获嘉、济源、卢氏、宁陵、柘城、西峡、淅川、息县等县(市)。非繁殖季节共 99 只。

乌雕　*Aquila clanga*

地方名　花雕

英文名　Greater Spotted Eagle

栖息地及习性　栖息于沼泽附近的林地。以鼠、蛙、鱼为主要食物，也吃金龟子、蝗虫等昆虫。营巢于森林中高大乔木上。每窝产卵 2 枚，孵化期 42～44 天，雏鸟晚成性，60～65 天离巢。

分布与数量　据资料记载，分布于全省，本次调查发现于杞县、兰考、栾川、嵩县、林州、获嘉、济源、卢氏、宁陵、柘城、西峡、淅川、息县等县(市)。非繁殖季节共 289 只。

秃鹫　*Aegypinus monachus*

地方名　坐山雕、狗头雕

英文名　Cinereous Vulture

栖息地及习性　栖息于山区，也到平原活动，多单独活动，取食时有群食现象，常栖止于山顶或大树顶端。食物以动物尸体为主，也吃小兽、蛙和昆虫。营巢于森林中高大树上，常利用旧巢。每窝产卵 1 枚，孵化期 52～55 天，雏鸟晚成性，90～150 天离巢。

分布与数量　据资料记载，分布于全省，本次调查发现于杞县、兰考、栾川、嵩县、林州、获嘉、济源、卢氏、宁陵、柘城、西峡、淅川、息县等县(市)。非繁殖季节共 297 只，繁殖季节共 297 只。

白尾鹞 *Circus cyaneus*

地方名 灰鹰

英文名 Hen Harrier

栖息地及习性 栖息于农田、草原、湖泊、沼泽、河谷及林缘等开阔地带。捕食鼠类、斑鸠等鸟类,也吃金龟子等昆虫。营巢于枯芦苇丛、草丛或灌丛间地上。每窝产卵4~5枚,孵化期29~31天,雏鸟晚成性,35~42天离巢。

分布与数量 据资料记载,分布于全省,本次调查发现于杞县、兰考、栾川、嵩县、林州、获嘉、济源、卢氏、宁陵、柘城、西峡、淅川、息县等县(市)。非繁殖季节共4 710只,繁殖季节共7 105只。

鹊鹞 *Circus melanoleucos*

地方名 喜鹊鹞

英文名 Pied Harrier

栖息地及习性 栖息于开阔旷野。常低飞捕食,取食鼠、蛙、鱼、鸟等,也吃甲虫等昆虫。营巢于疏林中乔木或地上,巢可多年利用。每窝产卵4~5枚,孵化期30天,雏鸟晚成性,30天左右离巢。

分布与数量 据资料记载,分布于全省,本次调查发现于杞县、兰考、栾川、嵩县、林州、获嘉、济源、卢氏、宁陵、柘城、西峡、淅川、息县等县(市)。非繁殖季节共2 769只,繁殖季节共5 295只。

白头鹞 *Circus aeruginosus*

英文名 Marsh Harrier

栖息地及习性 栖息于低山平原地区的河流、湖泊、沼泽、芦苇塘等开阔水域及其附近地区。多在水边草地或沼泽地上空飞行。以小型鸟类、雏鸟、鸟卵、小型啮齿类、蛙、蜥蜴、蛇等动物性食物为食,也能捕捉雉、鸭等中型鸟类。营巢于沼泽地带芦苇丛中。每窝产卵4~5枚,孵化期32~33天。

分布与数量 据资料记载,分布于全省,本次调查发现于杞县、兰考、栾川、嵩县、林州、获嘉、济源、卢氏、宁陵、柘城、西峡、淅川、息县等县(市)。非繁殖季节共1 780只,繁殖季节共1 667只。

小隼 *Microhierax melanoleucos*

英文名 White-legged Falconet

栖息地及习性 栖息于开阔河谷地区,也见于平原。成集群活动。主要吃昆虫,也能捕食小型鸟类和鼠类。

分布与数量 据资料记载,分布于全省,本次调查发现于杞县、兰考、栾川、嵩县、林州、获嘉、济源、卢氏、宁陵、柘城、西峡、淅川、息县等县(市)。非繁殖季节共381只,繁殖季节共1 780只。

灰背隼 *Falco columbarius*

地方名 朵子、鸽子鹰

英文名 Merlin

栖息地及习性 栖息于山区河谷、旷野荒漠、草原及灌丛地带。常在空中追捕鸽子等鸟类,故称鸽子鹰。以鸟类、蜥蜴、蛙等为食,也取食昆虫。营巢于树上或悬岩上。多占用乌鸦、喜鹊和其他鸟类旧巢。每窝产卵3~4枚,孵化期28~32天,雏鸟晚成性,25~30天离巢。
分布与数量　据资料记载,分布于全省,本次调查发现于杞县、兰考、栾川、嵩县、林州、获嘉、济源、卢氏、宁陵、柘城、西峡、淅川、息县等县(市)。非繁殖季节共198只,繁殖季节共198只。

红脚隼　*Falco vespertinus*
地方名　青燕子、白指甲鹞
英文名　Red-legged Falcon
栖息地及习性　栖息于林区开阔地带、田间。常单独活动,多飞翔于空中,发现猎物,直下捕食。食物以蝗虫、蝼蛄等昆虫为主。营巢于疏林中高大乔木上,巢较集中。每窝产卵4~5枚,孵化期22~23天,雏鸟晚成性,27~30天后离巢。
分布与数量　据资料记载,分布于全省,本次调查发现于杞县、兰考、栾川、嵩县、林州、获嘉、济源、卢氏、宁陵、柘城、西峡、淅川、息县等县(市)。非繁殖季节共494只,繁殖季节共1 377只。

黄爪隼　*Falco naumanni*
英文名　Lesser Kestrel
栖息地及习性　栖息于旷野、荒漠草地、河谷疏林及灌丛。性极活跃,多成对或成小集群活动。主要以甲虫类昆虫为食,也食鼠类、蜥蜴和小型鸟类。营巢于山区河谷悬崖峭壁上、大树洞中。每窝产卵4~5枚,孵化期28~29天,雏鸟晚成性,26~28天后离巢。
分布与数量　据资料记载,分布于全省,本次调查发现于杞县、兰考、栾川、嵩县、林州、获嘉、济源、卢氏、宁陵、柘城、西峡、淅川、息县等县(市)。繁殖季节共198只。

2.6　鸡形目　GALLIFORMES

灰胸竹鸡　*Bambusicola thoracica*
地方名　竹鹧鸪、泥滑滑
英文名　Chinese Bamboo Partridge
栖息地及习性　栖息于海拔2 000 m以下的低山丘陵和山脚平原地带的竹林、灌丛和草丛中。也出现于山边耕地,甚至村屯附近。常数只至20多只成群活动,冬季结群较大,繁殖季节则分散活动。
分布与数量　据资料记载,分布于伏牛山区,本次调查发现于西峡、博爱。非繁殖季节共494只,繁殖季节共2 670只。

勺鸡　*Pucrasia macrolopha*
地方名　角鸡、柳叶鸡、山麻鸡、松鸡、刁鸡
英文名　Koklas Pheasant
栖息地及习性　栖息于海拔1 000~1 400 m的阔叶林、针阔混交林和针叶林中,尤其喜欢林下植被发达且地势起伏不平而又湿润、多岩石的混交林地带。有时也出现于林缘灌丛和山脚灌丛地带。常成对或成群活动。

分布与数量　据资料记载，分布于栾川、内乡、西峡、辉县、济源、桐柏等县（市），本次调查发现于栾川、济源、灵宝、泌阳、南召、西峡等县（市）。非繁殖季节共 38 398 只，繁殖季节共 31 919 只。

白冠长尾雉　*Syrmaticus reevesii*

地方名　地鸡、长尾鸡

英文名　White-crowned Long-tailed Pheasant

栖息地及习性　主要栖息在海拔 400～1 500 m 的山地森林中，尤为喜欢地形复杂、地势起伏不平、多沟谷悬崖、峭壁陡坡处的茂密山地阔叶林或混交林。通常成群活动在森林茂密而林下较为空旷的林中沟谷和空地。善奔跑亦善飞翔。全省分布面积约 106 457 km^2。

分布与数量　本次调查发现于信阳市罗山县、新县、商城县、鸡公山国家级自然保护区，驻马店市确山县、泌阳县，南阳市桐柏县、西峡县。共 5 730 只，其中罗山县 1 616 只，新县 2 138只，商城县 888 只，鸡公山国家级自然保护区 135 只，确山县 63 只，泌阳县 93 只，桐柏县 732 只，西峡县 65 只。

红腹锦鸡　*Chrysolophus pictus*

地方名　金鸡、锦鸡、红鸡、山鸡

英文名　Golden Pheasant

栖息地及习性　栖息于海拔 500～2 500 m 的阔叶林、针阔叶混交林和林缘疏林灌丛地带。也出现于岩石陡坡的矮树丛和竹丛地带。冬季常到林缘草坡和耕地活动和觅食。常成群活动，特别是秋冬季，有时集群多达 30 只。春、夏亦见单独或成对活动的。性机警、胆怯怕人。

分布与数量　据资料记载，分布于伏牛山区，本次调查发现于栾川、嵩县、汝州、卢氏、灵宝、南召、西峡、内乡、镇平、淅川等县（市）。非繁殖季节共 8 801 只，繁殖季节共 28 285 只。

雉鸡　*Phasianus colchicus*

地方名　野鸡、山鸡、环颈雉

英文名　Common Pheasant

栖息地及习性　栖息于低山丘陵、农田、地边、沼泽草地以及林缘灌丛和公路两边的灌丛与草地中，分布高度多在海拔 1 200 m 以下。秋季常集成几只至 10 多只的小群到农田、林缘和村庄附近活动和觅食。脚强健，善于奔跑，特别是在灌丛中奔走极快。

分布与数量　据资料记载，分布于全省，本次调查发现于郑州、洛阳、平顶山、周口、安阳、商丘、焦作、济源、三门峡、信阳、驻马店、南阳等省辖市的县（市、区）。非繁殖季节共 251 090 只，繁殖季节共 235 543 只。

2.7　鹤形目　GRUIFORMES

灰鹤　*Grus grus*

地方名　老等、灰灵鹤、大雁

英文名　Common Crane

栖息地及习性　栖息于开阔平原、草地、沼泽、河滩、旷野、湖泊以及农田地带，尤为喜欢富有水边植物的开阔湖泊和沼泽地带。常呈 5～10 余只的小群活动,迁徙期间有时集群多达 40～50 只,在冬天越冬地,甚至集群个体多达数百只。性机警、胆小怕人。
分布与数量　分布于焦作市的孟州市黄河,安阳市的林州市弓上水库、南谷洞水库,洛阳市孟津县省级湿地保护区,新乡市延津县豫北黄河故道保护区,三门峡市卢氏县木桐河、索峪河及三门峡库区省级湿地自然保护区,南阳市方城县望花亭水库。共 383 只,其中孟州市 23 只,林州市 15 只,孟津县 253 只,卢氏县 6 只,陕县 22 只,延津县 41 只,方城县 23 只。

白头鹤　*Grus monacha*
地方名　玄鹤、锅鹤、黑鹤
英文名　Hooded Crane
栖息地及习性　栖息于河流、湖泊岸边泥滩、沼泽和芦苇沼泽及湿草地中,也出现于林缘和林中开阔沼泽地上。常成对或家族群活动,有时亦见有单独活动和由家族组成的松散大群活动。常边走边在泥地上挖掘觅食。冬季亦常到栖息地附近农田活动和觅食。
分布与数量　仅见于平顶山市的汝州市安沟水库,共 1 只。

丹顶鹤　*Grus japonensis*
地方名　仙鹤、紫鹤、大白布衫子
英文名　Red-crowned Crane
栖息地及习性　栖息于开阔平原、沼泽、湖泊、草地、滩涂、芦苇、沼泽以及河岸沼泽地带。有时也出现于农田和耕地中,尤其是迁徙季节和冬季。常成对或呈家族群和小群活动。迁徙季节和冬季常由数个或数十个家族群结成较大的群体。有时集群多达 40～50 只,甚至 100 多只,但活动时仍在一定区域内分散成小群或家族活动。觅食地和夜栖地一般较为固定。
分布与数量　分布于平原副总体。据资料记载,发现于豫东平原 ,本次调查发现于开封等县(市)。非繁殖季节共 190 只。

白枕鹤　*Grus vipio*
地方名　红面鹤、白顶鹤
英文名　White-naped Crane
栖息地及习性　栖息于开阔平原芦苇沼泽和水草沼泽地带,也栖息于开阔的河流、湖泊岸边及其邻近的沼泽草地,有时亦出现于农田地区,尤其是迁徙季节。但最喜欢的生境还是芦苇和水草沼泽以及湖滨沼泽地带。除繁殖期成对活动外,多呈家族群或小群活动,偶尔也见单独活动的。迁徙和越冬期间则多由数个或十多个家族群组成的大群活动,行动机警,很远见人就飞。
分布与数量　据资料记载,发现于豫东平原 ,本次调查发现于新县等县(市)。非繁殖季节共 198 只。

白鹤　*Grus leucogeranus*
地方名　黑袖鹤、西伯利亚白鹤、辽鹤
英文名　Siberian White Crane
栖息地及习性　栖息于开阔平原沼泽草地、苔原沼泽和大的湖泊岸边及浅水沼泽地带。

常单独、成对或呈家族群活动，迁徙季节和冬季则常常集成数十只，甚至上百只的大群，特别是在迁徙中途停息站和越冬地常集成大群。常在富有植物的水边浅水处觅食。每次采食时间20分钟左右。性胆小而机警，稍有动静，立刻起飞。

分布与数量　据资料记载，发现于豫东平原，本次调查发现于开封郊区、泌阳等县（市、区）。非繁殖季节396只。

蓑羽鹤　*Anthropoides virgo*

地方名　闺秀鹤

英文名　Demoiselle Crane

栖息地及习性　栖息于开阔平原草地、草甸沼泽、芦苇沼泽、苇塘、湖泊、河谷、半荒漠和高原湖泊草甸等各类生境中，有时亦到农田活动，特别是秋冬季节。栖息地海拔最高可达5 000 m左右。除繁殖期成对活动外，多呈家族群或小群活动。有时亦见单只活动的。常活动在水边浅水处或水域附近地势较高的羊草草甸上。性胆小而机警，善奔走。

分布与数量　本次调查未发现。从河南省野生动物资源调查成果审定会得知，1999年在孟津黄河省级湿地自然保护区发现1只蓑羽鹤。

骨顶鸡　*Fulica atra*

地方名　白骨顶、水骨顶、水老鸹

英文名　Coot

栖息地及习性　栖息于低山丘陵和平原草地，甚至荒漠与半荒漠地带的各类水域中。其中尤以富有芦苇、三棱草等水边挺水植物的湖泊、水库、水塘、苇塘、水渠、河湾和深水沼泽地带最为常见。除繁殖期外，常成群活动，特别是迁徙季节，常呈数十甚至上百只的大群，偶尔亦见单只和小群活动。有时亦和其他鸭类混群栖息和活动。善游泳和潜水。

分布与数量　据资料记载，分布于全省各地多水草的静水水域，本次调查分布区有：信阳市光山县、淮滨县、浉河区，商丘市睢县，驻马店市泌阳县，开封市尉氏县、开封市区，焦作市温县、孟州市，安阳市的林州市、汤阴县，南阳市南召县。非繁殖季节共调查到392只，其中光山县1只，淮滨县13只，信阳市浉河区1只，睢县30只，泌阳县15只，尉氏县1只，开封市区1只，温县98只，孟州市144只，林州市80只，汤阴县4只，南召县4只。

大鸨　*Otis tarda*

地方名　老鸨、野雁、羊须鸨、地鹔、鸡鹔

英文名　Great Bustard

栖息地及习性　栖息于开阔平原、草地和半荒漠地区，也出现于河流、湖泊沿岸和邻近干湿草地，特别是冬季和迁徙季节。常成群活动。善奔跑。行走或奔跑时，头和颈常常垂直竖立，性胆小，老远见人即飞。飞行高度不高。

分布与数量　据资料记载，分布于孟津、鸡公山国家级自然保护区、桐柏、罗山、开封柳园口省级湿地自然保护区、卢氏、西峡大鲵自然保护区、淅川县丹江口水库、汝南县宿鸭湖水库、豫北黄河故道湿地鸟类国家级自然保护区、中牟县万滩乡等地，本次专项调查见于孟津黄河省级湿地水禽自然保护区和卢氏县范里水库；样带调查发现于鲁山县和滑县。共观察到56只，其中孟津县52只，卢氏县4只。2003年3月28日在巩义市河洛镇双槐树滩观察到一群，共78只。

小鸨 *Otis tetrax*

英文名　Little Bustard

栖息地及习性　栖息于平原草地、牧场、开阔的麦田、谷地以及半荒漠地区。有时也出现在有稀疏树木和灌丛的平原草地和荒漠地区。常成群活动，特别是冬季。性胆小而机警，发觉有危险时立刻跑开或隐藏，常常远远地离开人群，起飞较易。飞行快而直，离地较高。

分布与数量　据资料记载，分布于鸡公山国家级自然保护区，本次调查发现于栾川县。非繁殖季节198只。

2.8 鸻形目 CHARADRIIFORMES

红腰杓鹬 *Numenius madagascariensis*

地方名　大杓鹬

英文名　Red-rumped Curlew

栖息地及习性　栖息于低山丘陵和平原地带的河流、湖泊、芦苇沼泽、水塘及其附近的湿草地和水稻田边，有时亦出现于林中小溪边及附近开阔湿地。迁徙季节和冬季也常出现于沿海沼泽、海滨、河口沙洲和附近的湖边草地及农田等地带。冬季则主要在海滨沙滩、泥地、河口沙洲活动，常单独或成松散的小群活动和觅食。但休息时或在夜间栖息地，常集成群。繁殖期间则成对活动。行动迟缓而宁静。

分布与数量　分布于南阳市淅川县老民岗水库。仅见到3只。

红脚鹬 *Tringa totanus*

地方名　赤足鹬、东方红腿、红腿泥岸札、红脚札、水札子

英文名　Common Redshank

栖息地及习性　栖息于沼泽、草地、河流、湖泊、水塘、沿海海滨、河口沙洲等水域或水域附近湿地上。平原、荒漠、半荒漠、高山、丘陵和高原等各类生境中的水域和湿地均有栖息。非繁殖期则主要在沿海沙滩和附近盐碱沼泽地带活动。少量在内陆湖泊、河流和沼泽与湿草地上活动和觅食。常单独或成小群活动。休息时则成群。性机警，飞翔力强。

分布与数量　分布于罗山县石山口水库以及淅川县的灌河、丹江河、太平水库、邹凹水库。共166只，其中罗山县26只，淅川县140只。

丘鹬 *Scolopax rusticola*

地方名　山鹬、山沙锥、大水札

英文名　Woodcock

栖息地及习性　栖息于阴暗潮湿、林下植物发达、落叶层较厚的阔叶林和混交林中，有时亦见于林间沼泽、湿草地和林缘灌丛地带。迁徙期间和冬季，亦见于开阔平原和低山丘陵地带的山坡灌丛、竹林、甘蔗田和农田地带。多夜间活动。白天常隐伏在林木或草丛中，夜晚和黄昏才到附近的湖畔、河边、稻田和沼泽上觅食。性孤独，常单独生活，不喜集群。少鸣叫，仅起飞时鸣叫。

分布与数量　分布于信阳市浉河区南湾水库和罗山县石山口水库。共6只。

中杓鹬 *Numenius phaeopus*

地方名　小油老罐子

英文名　Whimbrel

栖息地及习性　夏季栖息于北极和近北极苔原森林地带，通常在离林线不远的沼泽、苔原、湖泊与河岸草地活动。有时也出现在无树大平原。非繁殖期则多出现在沿海沙滩、海滨岩石、河口、沙洲、内陆草原、湿地、湖泊、沼泽、水塘、河流、农田等各类生境中，甚至出现在公园草地上。常单独或成小群活动和觅食，但在迁徙季节和栖息地则集成大群。行走时步履轻盈。

分布与数量　分布于郑州市中牟县的河南省中联养殖场及附近。共 30 只，均在中牟县发现。

铁嘴沙鸻　*Charadrius leschenaultii*

地方名　水札子、铁嘴鸻

英文名　Large Sand Plover

栖息地及习性　栖息于海滨沙滩、河口、内陆河流、湖泊岸边以及附近沼泽和草地上。常呈 2～3 只的小群活动，偶尔也集成大群，多喜欢在水边沙滩或泥泞地上边跑边觅食，特别喜欢海岸沙滩。有时出现在荒漠和盐碱草原地区以及山脚岩石平原一带。喜欢在地上奔跑，且奔跑迅速，行动极为谨慎小心。

分布与数量　据资料记载，分布于伏牛山区和豫东平原，本次调查发现于鲁山。共 198 只。

2.9 鹃形目 CUCULIFORMES

红翅凤头鹃　*Clamator coromandus*

英文名　Red-winged Crested Cuckoo

栖息地及习性　主要栖息于低山丘陵和山麓平原等开阔地带的疏林和灌木林中。也见活动于园林和宅旁树上。多单独或成对活动。常活跃于高而暴露的树枝间。飞行快速但不持久。鸣声清脆。

分布与数量　据资料记载，红翅凤头鹃分布于伏牛、大别山。本次调查发现于偃师、平顶山新华区、鲁山、信阳、固始、罗山、新县等县(市、区)。繁殖季节共 2 868 只。

小鸦鹃　*Centropus toulou*

地方名　小毛鸡

英文名　Lesser Crow Pheasant

栖息地及习性　栖息于低山丘陵和开阔的山脚平原地带的灌丛、草丛、果园和次生林中。常单独或成对活动。性机警而隐蔽，稍有惊动，立即奔入稠茂的灌木丛或草丛中。鸣叫声尖锐而清脆。

分布与数量　据资料记载，小鸦鹃分布于桐柏山区。本次调查发现于中牟、禹州、商丘、潢川、光山、罗山、新县等地。繁殖季节共 3 713 只。

鹰鹃　*Cuculus sparverioides*

地方名　鹰头杜鹃

英文名　Large Hawk Cuckoo

栖息地及习性　栖息于山地森林中，亦出现于山麓平原树林地带。常单独活动，多隐藏于树顶部枝叶间，或穿梭于树干间由一棵树飞到另一棵树上。飞行时先是快速拍翅飞翔，然后又滑翔。鸣声清脆响亮，分为3节。

分布与数量　据资料记载，鹰鹃分布于伏牛、大别、桐柏山区。本次调查发现于郏县、南召、西峡、潢川、固始、商城、罗山、新县。繁殖季节共2 845只。

八声杜鹃　*Cuculus merulinus*

地方名　八声喀咕

英文名　Plaintive Cuckoo

栖息地及习性　栖息于低山丘陵、草坡、山麓平原、耕地和村庄附近的树林与灌丛中，有时亦出现于果园、公园、庭园和路旁树上。单独或成对活动。常不断地在树枝间飞来飞去。繁殖期间喜欢鸣叫，鸣声尖锐、凄厉，开头慢而低，最后高而快，为八音一度。

分布与数量　据资料记载，八声杜鹃分布于伏牛山、大别山。本次调查发现于中牟、密县、栾川、汝阳、鲁山、延津、民权、夏邑、淮阳、南召、新县等地。繁殖季节共60 588只。

2.10　夜鹰目　CAPRIMULGIFORMES

普通夜鹰　*Caprimulgus indicus*

地方名　贴树皮、怪鸱

英文名　Indian Jungle Nightjar

栖息地及习性　主要栖息于海拔3 000 m以下的阔叶林和针阔叶混交林；也出现于针叶林、林缘疏林、灌丛和农田地区竹林和丛林内。单独或成对活动。夜行性，白天多蹲伏于林中草地上或卧伏在阴暗的树干上，故名“贴树皮”。黄昏和晚上才出来活动。尤以黄昏最为活跃。飞行快而无声。

分布与数量　据资料记载，分布于全省。本次调查发现于栾川、鲁山、郏县、滑县、卢氏、灵宝、确山、泌阳等县(市)。非繁殖季节共1 058只，繁殖季节共2 557只。

2.11　佛法僧目　CORACIIFORMES

白胸翡翠　*Halcyon smyrnensis*

英文名　White-breasted Kingfisher

栖息地及习性　栖息于山地森林和山脚平原河流、湖泊岸边，也出现于池塘、水库、沼泽和稻田等水域岸边。有时亦远离水域活动。常单独活动，多站在水边树木枯枝或石头上，有时亦站在电线上，常长时间地望着水面。直线飞行较快，常边飞边叫，叫声尖锐而响亮。

分布与数量　据资料记载，白胸翡翠分布于伏牛山区。本次调查发现于舞钢市油房山水库和石漫滩水库。非繁殖季节共23只。

栗头蜂虎　*Merops viridis*

地方名　蜂虎、红头吃蜂鸟

英文名　Chestnut-headed Bee-eater

栖息地及习性　栖息于林缘疏林、灌丛、草坡等开阔地方，也出现于农田、海岸、河谷和果园等地。常单独或小群活动。多在空中飞翔觅食。休息时多停在树上或电线上。

分布与数量　据资料记载，栗头蜂虎分布于大别、桐柏山区。本次调查发现于信阳、固始、罗山、新县。繁殖季节共 3 362 只。

三宝鸟 *Eurystomus orientalis*

地方名　老鸹翠、阔嘴鸟

英文名　Broad-billed Roller

栖息地及习性　主要栖息于针阔叶混交林和阔叶林缘路边及河谷两岸高大的乔木树上。常单独或成对栖息在树顶枯枝上,有时亦见三五成群在一起。常长时间地栖于树顶纹丝不动,有人走近时,则立刻飞去。亦频繁地在空中飞翔捕食,飞行姿势颠簸不定,时而急驱直上,时而急转直下,并不断发出单调而粗厉的“嘎嘎”声。有时亦在空中盘旋。

分布与数量　据资料记载,分布于全省。本次调查发现于荥阳、栾川、南召、西峡、新县等县(市)。非繁殖季节共 297 只,繁殖季节共 1 879 只。

2.12　䴕形目　PICIFORMES

姬啄木鸟 *Picumnus innominatus*

地方名　打木、啄木鸟

英文名　Specklde Piculet

栖息地及习性　栖息于海拔 2 000 m 以下的低山丘陵和山脚平原常绿或落叶阔叶林中,也出现于中山混交林和针叶林地带。尤其喜欢活动在开阔的疏林、竹林和林缘灌丛。常单独活动。多在地上或树枝上觅食,较少像其他啄木鸟那样在树干攀缘。

分布与数量　据资料记载,分布于伏牛山区。本次调查发现于荥阳、杞县、中牟、登封、新郑、栾川、嵩县、汝阳、鲁山、叶县、郏县、安阳、滑县、获嘉、原阳、修武、济源、卢氏、灵宝等县(市)。非繁殖季节共 64 872 只,繁殖季节共 137 420 只。

2.13　雀形目　PASSERIFORMES

云雀 *Alauda arvensis*

地方名　告天子、朝天柱、阿兰

英文名　Skylark

栖息地及习性　栖息于开阔的草原和平原地区,只在地面活动。有时骤然自地面垂直地冲向天空,载歌载鸣,然后直落于地面。

分布与数量　据资料记载,分布于全省。本次调查发现于郑州、安阳、开封、商丘、洛阳、平顶山、周口、驻马店、焦作、许昌、漯河、三门峡、信阳、南阳等省辖市的县(市、区)。非繁殖季节共 188 433 只,繁殖季节共 328 376 只。

画眉 *Garrulax canorus*

英文名　Hwamei

栖息地及习性　栖息于平原或山区的灌木丛、矮树丛中,性机警、胆怯,常单独或结成小群活动。在灌丛树枝间作短距离的窜跃移动。受惊动时,很快沿树干飞到地面并窜逃。擅长鸣唱,叫声多变,悠扬婉转,是一种有名的笼鸟。

分布与数量　据资料记载,分布于大别山区、桐柏山区、伏牛山区、太行山区。本次调查分布区同云雀(见上条)。非繁殖季节共 151 125 只,繁殖季节共 240 119 只。

蓝翅八色鸫 *Pitta nympha*

英文名　Lesser Blue-winged Pitta

栖息地及习性　栖息于热带雨林及温带森林中,单独或成对活动于林下阴湿处,其活动范围较广泛。常在地面或以喙掘土觅食。性情孤独,举动敏捷机警。

分布与数量　据资料记载,蓝翅八色鸫分布于大别山。本次调查发现于嵩县、叶县、济源、固始等县(市)。繁殖季节共 396 只。

黑枕黄鹂 *Oriolus chinensis*

地方名　黄鸟、黄莺、黄雀

英文名　Black-napped Oriole

栖息地及习性　栖息于低山、丘陵、平原的大树及疏林间。单独或三五成群在树上活动觅食。飞行极快,有倾身伸颈、环顾窥望的习性。繁殖期成对活动。

分布与数量　据资料记载,分布于全省。本次调查发现于郑州、开封、洛阳、平顶山、安阳、鹤壁、新乡、济源、濮阳、许昌、三门峡、商丘、周口、驻马店、南阳、信阳等省辖市的 65 个县(市、区)。繁殖季节共 223 582 只,非繁殖季节共 4 428 只。

红嘴山鸦 *Pyrrhocorax pyrrhocorax*

地方名　红嘴乌鸦、红嘴老鸦、山老鸦

英文名　Red-billed Chough

栖息地及习性　栖息于山地,有时也到平原。常几十只甚至数百只结群,停留在崖壁或回翔于山谷间。白天远离栖息地边飞边鸣,在山区阳草坡、山谷、农田等地啄食。夜晚在密林深处宿夜。

分布与数量　据资料记载,分布于全省。本次调查发现于焦作、济源、三门峡、商丘、南阳等省辖市的 21 个县(市、区)。繁殖季节共 115 259 只,非繁殖季节共 164 924 只。

红嘴相思鸟 *Leiothrix lutea*

地方名　红嘴绿观音

英文名　Red-billed Leiothrix

栖息地及习性　栖息于山地常绿阔叶林、常绿针阔叶混交林的灌丛和竹林中。有季节性垂直迁徙的特性。

分布与数量　据资料记载,分布于大别山区。本次调查发现于鲁山、济源、灵宝等地。繁殖季节共 2 274 只,非繁殖季节共 396 只。

寿带 *Terpsiphone paradisi*

地方名　长尾鹟、一枝花

英文名　Paradise Flycather

栖息地及习性　栖息于山地、丘陵、平原阔叶林、近河川的杨林、浓密灌丛、竹林。单独、成对或小群活动于高大乔木中下层,在树枝上跳跃、觅食。飞行轻悠飘逸,转向灵活。

分布与数量　据资料记载,分布于全省山区。本次调查发现于栾川、嵩县、伊川、叶县、孟县、济源、商丘、西峡、内乡、信阳、光山、固始、商城、罗山、新县等县(市)。繁殖季节共 18 345 只,非繁殖季节共 297 只。

第 3 节　兽类资源

河南省约有哺乳动物 80 种,分属于 8 目 21 科。其中,全省广布种有 17 种;广大平原农作区除野兔、黄鼬、猪獾等广布种外,以鼠类众多为特征;大多数哺乳类都集中分布于山区,伏牛山区有哺乳动物 67 种,大别、桐柏山区有 50 种,太行山区有 36 种。大多栖息于森林、灌丛内的各类生境。

3.1　灵长目　PRIMATES

猕猴　*Macaca mullatta* (Zimmarmann)
地方名　猴、猴子
英文名　Rhesus Mzcaque
栖息地及习性　栖息地山势较陡,多绝壁,植被主要为阔叶林或灌丛,山中有溪流,人类活动较少。白昼活动觅食,夜晚栖息在岩壁或树上。群栖性,每群数十只至百余只不等。行动敏捷,善攀缘跳跃,会泅水。杂食性,以野果、花、树叶、昆虫为食。靠近村落的猴群,亦常盗食玉米。一般于 11～12 月发情,次年 3～6 月产仔,妊娠期为 163 天左右。
分布与数量　据资料记载,分布于济源、辉县、修武、沁阳、博爱。本次调查发现于济源、辉县、沁阳、修武 4 县(市)。共 1 244 只,种群密度 0.266 938 只/km^2,其中,辉县市 131 只,修武县 144 只,济源市 969 只。具体地点为:辉县市八里沟 1 群 31 只,其余 2 群约 100 只;济源市五龙口 4 群约 220 只,九里沟 1 群约 29 只,愚公林场 1 群 10 只,黄楝树林场 3 群 230 只,沁河松山一带 3 群约 200 只,蟒河林场沙沟、角沟 2 群 210 只,水洪池 1 群 70 只;修武县影寺村 1 群 34 只,另有 1 群约 110 只。

3.2　鳞甲目　PHOLIDOTA

穿山甲　*Manis pentadactyla* Linnaeus
地方名　鲮鲤
英文名　Chinese Pongolin
栖息地及习性　栖息于山麓、丘陵或旷野的杂木潮湿地带,尤喜栖息于有小石混杂的泥地。在浓密的森林地带反而少见。掘洞而居,洞穴常筑于泥土地带。夜晚外出觅食。行动活跃,会爬树。以白蚁为主要食物,亦取食其他蚁、蚁的幼虫、蜜蜂、胡蜂或其他昆虫的幼虫。每年 4～5 月份发情交配,12 月至翌年 1 月分娩,每胎产 1～2 仔。
分布与数量　据资料记载,分布于伏牛山区。本次调查发现于卢氏县。非繁殖季节共 99 只,分布于山区副总体,种群密度 0.001 134 只/km^2。

3.3　食肉目　CARNIVORA

豺　*Cuon alpinus* Pallas
地方名　红狼、豺狗、棒子狗、红毛狗
英文名　Jackal(Wild Red Dog)

栖息地及习性　较喜栖于有森林、灌丛覆盖的山地和丘陵地带。一般集群活动,每群3～5只或数十只,有时亦单独活动。活动时间以晨昏为主。以捕食活动物为主,常以围攻方式猎捕大中型兽类,多为偶蹄类动物。除动物性食物外,有时也采食一些植物性食料。每年2～3月份发情交配,4～5月份分娩,每胎产3～6仔,多者达9仔。

分布与数量　本次调查未发现。

狼　*Canis lupus* Linnaeus

地方名　灰狼、混子、山混子

英文名　Wolf

栖息地及习性　栖息于森林内的栎林、落叶阔叶林,灌丛内的山地灌草丛、山地旱生落叶阔叶灌丛等。狼常成群结队生活,亦有独栖者。听觉、嗅觉和视觉相当发达。晨昏活动最为频繁。肉食性动物。狼每年繁殖一次,交配在冬末春初,每胎5～10仔。哺乳期4～6周,幼狼3周后开始外出活动。

分布与数量　据资料记载,分布于豫西山区、黄土台地及大别山地丘陵。本次调查发现于新安、栾川、洛宁、林州、焦作中站区、济源、禹州、渑池、卢氏、灵宝、确山、西峡、镇平、新县等县(市、区)。分布于山区副总体,非繁殖季节共593只,种群密度0.006 791只/km^2;繁殖季节共1 286只,种群密度0.014 728只/km^2。

赤狐　*Vulpes vulpes* Linnaeus

地方名　草狐、红狐、狐、狐狸

英文名　Red Fox

栖息地及习性　栖息于森林、草原、荒漠、高山、丘陵、平原。多居于土穴、树洞、岩缝或其他动物的弃洞中。一般昼伏夜出,白天多蜷伏于洞中,抱尾而卧。黄昏之后开始外出活动、觅食。食性杂,但以肉食性为主,鼠类是其日常主要食料,故赤狐是鼠类的主要天敌之一。赤狐于每年1～2月份交配,2～5月份分娩,每胎产3～5仔,多者可达13仔。

分布与数量　据资料记载,分布于全省低山丘陵地区。本次调查发现于新安、嵩县、叶县、林州、禹州、三门峡湖滨区、灵宝、确山、镇平等县(市、区)。非繁殖季节共593只,仅分布于山区副总体,种群密度0.003 551只/km^2;繁殖季节共1 574只,种群密度0.009 425只/km^2,其中,山区副总体1 384只,平原副总体190只。

豹猫　*Felis bengalensis* Kerr

地方名　狸猫、钱猫、野猫、石虎、山狸子、麻狸

英文名　Leopard Cat

栖息地及习性　多栖息于山地林区的山谷密林之中,一般远离干燥而近水。一般独栖或雌雄同居。常于夜间或晨昏外出活动。食物为鸟类、鼠类、蛙类等动物性料为主,亦食植物果实。于每年初春进入繁殖期,5月份左右分娩,每胎产2仔左右。

分布与数量　据资料记载,分布于全省山地丘陵。本次调查发现于新安、栾川、嵩县、洛宁、鲁山、舞钢、沁阳、陕县、灵宝、南召、西峡、信阳、光山、固始、商城等县(市)。分布于山区副总体。非繁殖季节共2 571只,种群密度0.029 444只/km^2;繁殖季节共2 077只,种群密度0.023 787只/km^2。

金猫 *Felis temmincki* Vigors & Horsfield

地方名 乌云豹、原猫、芝麻豹、红春豹

英文名 Asiatic golden cat

栖息地及习性 栖于各种森林中，也偶见于灌丛和草地。常单独生活，白天栖于树上洞穴内，夜间下地活动。主要以各种体形较大的啮齿动物为食，也捕食地面较大的雉科鸟类、野兔等动物。虽无固定的繁殖季节，但多在冬季发情、春季产仔，每胎2仔或3仔，产于树洞内。

分布与数量 本次调查未发现。

金钱豹 *Panthera pardus* Linnaeus

地方名 豹、老豹子、银钱豹、文豹

英文名 Leopard

栖息地及习性 栖息地一般为陡坡深山区，海拔300～1 500 m不等，地貌类型多样，植被以阔叶林或落叶阔叶混交林为主。全省分布区面积共8 794.6 km^2。独居生活，常夜间活动，白天在树上或岩洞休息。捕食各种有蹄类动物。于冬春季发情交配，4～5月产仔，每胎2～4仔，哺乳期约为3个月。

分布与数量 全省共有20个县（市、区）有金钱豹分布，具体地点为：济源市黄楝树林场、蟒河林场，辉县市南坪、关山，修武县西村乡，焦作市中站区桑原乡，博爱县长岭林区，沁阳市杨庄河，林州市城郊乡，栾川县老君山、熊耳山，嵩县五马寺林场、王莽寨林场，汝阳县付店乡，卢氏县狮子坪乡、朱阳关镇，灵宝市朱阳镇，陕县林场，鲁山县四棵树乡、二郎庙乡，南召县崔庄乡、桥端乡，内乡县宝天曼，西峡县木寨林场，淅川县毛堂乡和荆关林场，桐柏县陈庄林场，商城县金岗台林场。共40～68只，其中济源市3～6只，辉县市1～2只，修武县2～4只，焦作市中站区1～2只，博爱县1～2只，沁阳市3～6只，林州市1～2只，栾川县2～4只，嵩县3～6只，汝阳县1～2只，卢氏县5～8只，灵宝市2只，陕县1～2只，鲁山县2～3只，南召县2只，内乡县3～4只，西峡县3～5只，淅川县1～2只，桐柏县2只，商城县1～2只。种群密度0.006 1只/km^2左右。（详见第一部分第3章）

虎 *Panthera tigris* Linnaeus

地方名 老虎、大虫、白额虎

英文名 Tiger

栖息地及习性 虎为典型的山地林栖动物。常单独活动，只有在繁殖季节雌雄才在一起生活。无固定巢穴，多在山林间游荡寻食。能游泳，不会爬树。多黄昏活动，白天多潜伏休息，没有惊动则很少出来。捕食以蹄类动物为主。发情交配期一般在11月至翌年2月份，每胎1～5仔，通常2仔，母虎和幼仔在一起生活2～3年。

分布与数量 在河南省已绝迹多年，本次调查未发现，故本种未列入《河南省兽类名录》。

大灵猫 *Viverra zibetha* Linnaeus

地方名 九江狸、九节狸、麝香猫

英文名 Large Indian Civet

栖息地及习性 主要生活在高山深谷地区、林缘茂密的灌木丛或草丛生境。多单独活动，昼伏夜出。多以灌丛、草丛、土穴、岩洞、树洞作为巢穴。以动物性食物为主，包括小型脊椎动物及大型昆虫,也吃植物果实等。2 岁性成熟,多在早春发情,孕期 70～74 天,春末夏初产仔,每胎 2～4 仔,以 2 仔者居多。哺乳期 2 个月左右,3～4 月龄的幼兽开始独立生活。

分布与数量　据资料记载,分布于新县、商城、罗山、西峡、内乡、方城等县。本次调查未发现。

小灵猫　*Vicerricula indica* Desmarest

地方名　七节狸、香狸、斑灵猫、乌脚狸、草狸

英文名　Small Civet

栖息地及习性　多生活在浅山、丘陵台地、灌木丛、高草、山麓林缘、农耕地及村庄附近。巢穴位于乱石堆缝隙、墓穴、树洞、石洞、民房墙洞等处,洞口匀狭窄,有出口 2～3 个。为夜行性动物,白天隐藏于洞穴,黄昏后出来活动、觅食,午夜前活动频繁,凌晨返回洞穴休息。食性广而杂,以动物性食物为主,植物性食物为辅。一般每年 2～4 月份发情交配一次,也有两次者。5～6 月份分娩,每胎可产 4～5 仔。

分布与数量　据资料记载,分布于大别山区。本次调查未发现。

貉　*Nyctereutes procyonoides* Gray

地方名　狸、貉子

英文名　Racoon Dog

栖息地及习性　多栖息于河谷、丘陵、部分山地及靠近河川、溪流、湖沼附近的丛林中。穴居。洞穴多露天,或位于石缝、树洞处,并常利用其他动物的弃洞。昼伏夜出,白天一般隐匿于洞中,夜晚外出活动。食性较杂,主要取食小动物,包括啮齿类、小鸟等。每年 2～3 月份发情交配,5～6 月份分娩,每胎产 5～12 仔,多达 15 仔,但以 6～8 仔居多。

分布与数量　据资料记载,分布于大别山及伏牛山区。本次调查未发现。

水獭　*Lutra lutra* Linnaeus

地方名　獭、水猫

英文名　Common Otter

栖息地及习性　为半水栖兽类,主要生活在河流和湖泊等处,尤喜栖于水流缓慢、水中植物稀疏、清澈而鱼类较多的水域或河湾处。一般无固定的洞穴。昼伏夜出,白天隐匿于洞穴中,黄昏或天黑后开始出洞活动。在天气晴朗、月光明媚的夜晚,活动尤为频繁。以鱼类为主食。没有明显的繁殖季节,一年四季都有发情交配现象,但以春、夏繁殖为主。每胎产 1～4 仔,一般为 2 仔。哺乳期 2 个月左右。

分布与数量　据资料记载,分布于平原和山区的湿地。本次调查发现于新安、栾川、确山、罗山等县。非繁殖季节共 395 只,繁殖季节共 198 只。

黄喉貂　*Martes flavigula* Boddaert

地方名　青鼬、蜜狗、黄猺

英文名　Yellow-throated Marten

栖息地及习性　适应性强,对栖息地要求不十分严格。多栖于针阔叶混交林中,在沟谷林内亦较多见。常居于树洞、土穴或石缝中。白昼活动较多,但以晨昏为甚。有较强的爬树能力,可顺利捕捉在树间活动的动物。食物以动物性为主,食性较为广泛。除取食昆虫

外，亦食鱼、小鸟等。

分布与数量　据资料记载，分布于伏牛山区。本次调查发现于栾川、嵩县、宜阳、卢氏、淅川、光山等县。非繁殖季节共1 681只，繁殖季节共882只。

3.4　偶蹄目　ARTIODACTYLA

野猪　*Sus scrofa* Linnaeus

地方名　山猪

英文名　Wild boar

栖息地及习性　栖息于灌丛内的山地灌草丛、常绿针叶灌丛、山地中生落叶阔叶灌丛，森林内的温性松林、侧柏林、暖性松林、杉木林、阔叶落叶林、栎林、人工林，湿地内的季节性湿地，农田内的玉米地、稻田、麦田等。活动时间多在早上、黄昏和午夜。结群生活，跑动时队伍混乱，声响亦较大。

分布与数量　据资料记载，分布于全省山区。本次调查发现于洛阳、平顶山、焦作、济源、许昌、三门峡、驻马店、南阳、信阳等省辖市的山区县(市)。分布于山区副总体，非繁殖季节37 564只，种群密度0.430 199只/km^2；繁殖季节共51 847只，种群密度0.593 785只/km^2。

原麝　*Moschus moschiferus* Linnaeus

地方名　麝鹿、山驴子、獐子、香獐

英文名　Musk Deer

栖息地及习性　栖息于针叶林、针阔混交林、疏林、灌丛地带的岩石山地。栖息环境特点是：山体陡峭，基底较硬，林木密度适中，较少人为干扰。一般雌雄分居，营独居生活，雌兽常与幼麝在一起活动。晨昏活动频繁，活动路线相对固定。白昼多在隐蔽、干燥、温暖的地方休息。对栖息地留恋性强，经常在相对稳定的环境内栖息，受干扰离开后数日又可返回。植物食性，取食多种高等植物的嫩枝、叶、果及地衣、苔藓、蕨类、杂草等。常边走边吃，成年个体每日可食青草3 kg左右。于每年12月至翌年1月发情交配，于6～7月份分娩，每胎产1～2仔。

分布与数量　据资料记载，分布于大别山。本次调查发现于商城、桐柏等县(市)。共156只，其中商城县140只，桐柏县16只。分布区种群密度0.370 1只/km^2。

林麝　*Moschus berezowskii* Flerov

地方名　麝、麝香、獐子、香獐

英文名　Forest Musk Deer

栖息地及习性　栖息于海拔800 m以上岩石山体高大、险峻、陡峭的深山区，栖息地多为针阔混交林、阔叶林或灌丛。很少在植物过于茂密、基底松软、少岩石的地方活动。栖息地范围、活动路线、行进方向、排便位置和时间相对固定，不轻易改变。有季节性垂直迁移习性。夏季生活在凉爽的中高山地带，秋冬季节迁移至低山生活。晨昏活动频繁，白天多卧在光线暗而干燥的崖边、洞隙、灌丛或大树的基部休息。一般雌雄分居，独居生活。为植物食性，取食多种高等植物的嫩枝、叶、花、果及地衣、苔藓、蕨类、杂草等。成麝每昼夜吃草1 kg左右。于每年12月至翌年1月发情交配，于6～7月份分娩，每胎产1～2仔。

分布与数量　据资料记载，分布于伏牛山、太行山区。本次调查发现于济源、渑池、陕县、灵宝、卢氏、洛宁、栾川、嵩县、南召、淅川、西峡、内乡、汝阳、鲁山等县(市)。共 2 944 只，其中沁阳市 4 只，济源市 92 只，渑池县 24 只，陕县 74 只，灵宝市 103 只，卢氏县 466 只，洛宁县 130 只，栾川县 92 只，嵩县 389 只，南召县 404 只，淅川县 192 只，西峡县 563 只，内乡县 292 只，汝阳县 92 只，鲁山县 27 只。分布区种群密度 0.370 1 只/km^2。

狍　*Capreolus capreolus* Linnaeus

地方名　狍子、獐狍

英文名　Roe Deer

栖息地及习性　栖息于灌丛内的山地灌草丛、常绿针叶灌丛、山地中生落叶阔叶灌丛，森林内的温性松林、侧柏林、暖性松林、杉木林、阔叶落叶林、栎林、人工林，农田内的玉米地、稻田、麦田等。活动以清晨和黄昏为频繁。一般以灌木的嫩枝、芽、树皮等为食，亦食草类。每年 8～9 月份交配，于翌年 4～5 月份分娩，每胎产 1～3 仔，以 2 仔者居多。

分布与数量　据资料记载，分布于全省山区。本次调查发现于栾川、嵩县、汝阳、洛宁、鲁山、修武、灵宝、南召、西峡、淅川等县(市)。分布于山区副总体。非繁殖季节共 2 571 只，种群密度 0.029 445 只/km^2；繁殖季节共 4 153 只，种群密度 0.047 565 只/km^2。

斑羚　*Nemorhaedus goral* Hardwicke

地方名　山羊、青羊

英文名　Goral

栖息地及习性　栖息于山区的森林或灌丛内，也常在山顶的裸岩带、阳坡栖息。有较固定的栖息地。单独或成群活动。以乔灌木植物的幼枝嫩叶、青草等为食，夏、秋季亦捡食落地浆果。每年 9～10 月份发情交配，翌年 4～6 月份分娩，每胎产 1 仔，偶有 2 仔。

分布与数量　据资料记载，分布于全省山区。本次调查发现于栾川、嵩县、洛宁、修武、博爱、卢氏、灵宝、南召、西峡、内乡等县(市)。分布于山区副总体。非繁殖季节共 2 769 只，种群密度 0.031 710 只/km^2；繁殖季节共 3 857 只，种群密度 0.044 168 只/km^2。

鬣羚　*Capricornis sumatraensis* Bechstein

地方名　苏门羚、山羊、明鬃羚、山驴子

英文名　Serow

栖息地及习性　常栖息于高山岩崖等地方。行动灵活。多单独或 2～3 只一起活动。清晨觅食，喜吃菌类，到溪边饮水。食物多为鲜嫩多汁的草灌木植物，亦喜食落果、菌类。每年繁殖一次，9～10 月份发情交配，翌年 5～6 月份分娩，每胎产 1 仔。

分布与数量　据资料记载，分布于伏牛山区，本次调查发现于灵宝、南召等县(市)。分布于山区副总体。非繁殖季节共 198 只，种群密度 0.002 268 只/km^2；繁殖季节共 494 只，种群密度 0.005 658 只/km^2。

小麂　*Muntiacus reevesii* Ogilby

地方名　麂子、黄麂

英文名　Little Muntjae

栖息地及习性　栖息于山区、丘陵的森林或森林边缘的草丛中。喜独居生活，很少远离栖息处。性机警、胆小，听觉灵敏。以青草、树木的嫩叶、幼芽等为食。一般在冬季交配，妊娠期约6个月,每胎产1～2仔。

分布与数量　据资料记载,分布于大别山区、太行山区、伏牛山区。本次调查发现于栾川、鲁山、卢氏、灵宝、西峡、内乡、淅川、信阳、固始、商城、罗山、新县等县(市)。分布于山区副总体。非繁殖季节共3 461只,种群密度0.039 638只/km^2;繁殖季节共3 758只,种群密度0.043 035只/km^2。

3.5　兔形目　LAGOMORPHA

草兔　*Lepus capensis* Linnaeus

地方名　野兔、草原兔、蒙古兔、跳猫

英文名　Grass hare

栖息地及习性　主要栖息于河谷、山坡、林缘、农田、灌丛等隐蔽条件好、植被丰富的地方。无固定洞穴。以植物性食物为主,喜食青草、树皮和树木嫩枝叶、各种农作物青苗、蔬菜及各种植物种子。每年繁殖2～3胎,一般在冬季交配,翌年早春分娩,每胎产2～7仔,平均5～6仔。

分布与数量　据资料记载,分布于全省。本次调查发现于全省各县(市、区)。非繁殖季节共334 209只,种群密度2.001 251只/km^2,其中,山区副总体255 485只,平原副总体78 724只;繁殖季节共335 835只,种群密度2.010 988只/km^2,其中,山区副总体227 331只,平原副总体108 504只。

3.6　啮齿目　RODENTIA

复齿鼯鼠　*Trogopterus xanthipes* Milne-Edwards

地方名　飞鼠、飞虎、树标子、五灵脂、寒号鸟、寒号虫

英文名　Complex-toothed Flying Squirrel

栖息地及习性　栖息于森林内的温性松林、落叶阔叶林、栎林、侧柏林、人工林,灌丛内的山地灌草丛,农田内的玉米地、麦田。昼伏夜出,尤以清晨和黄昏活动频繁。白天隐匿于巢内睡觉。食物以松子、柏籽、植物茎叶、树皮等为主。每年隆冬发情交配,3月底至4月上旬分娩,每胎产1～3仔,哺乳期80～85天。

分布与数量　据资料记载,分布于全省山区。本次调查发现于栾川县。繁殖季节共99只。

小飞鼠　*Pteromys volans* Linnaeus

地方名　低泡飞鼠

英文名　Fling Squirrel

栖息地及习性　栖息于森林内的温性松林、落叶阔叶林、栎林、侧柏林、人工林,灌丛内的山地灌草丛,农田内的玉米地、麦田。夜间活动,日间藏身于洞穴中,以松子、浆果、树枝嫩芽、嫩皮等为食。每年繁殖1次,每胎产2～4仔。

分布与数量　据资料记载,小飞鼠分布于新县、商城、西峡、内乡、南召、卢氏、栾川、济源、辉县、沁阳、林州等山区县(市)。本次调查发现于栾川、嵩县、汝阳、洛宁、鲁山、陕县、卢氏、灵宝、南召等县(市)。非繁殖季节共5 933只,繁殖季节共4 252只。

豪猪 *Hystrix hodgsoni* Gray

地方名 刺猪、箭猪、灵猪

英文名 Crestless Himalayan Porcupines

栖息地及习性 栖息于森林内的温性松林、落叶阔叶林、栎林、侧柏林、人工林，灌丛内的山地灌草丛，农田内的玉米地、麦田。昼夜活动，但以夜间活动为主。在有月光的夜晚，很晚才出来活动。以植物的根、块根、果实等为食，亦盗食农作物、蔬菜、瓜果等。每年繁殖一次，冬季交配、怀孕，翌春分娩，每胎产 2～4 仔。

分布与数量 据资料记载，分布于伏牛、大别山区。本次调查发现，非繁殖季节共 1 187 只，种群密度 0.013 594 只/km^2；繁殖季节共 791 只，种群密度 0.009 059 只/km^2。

第 3 章　专项调查

第 1 节　水鸟资源

水鸟资源是野生动物资源的一部分，具有重要生态意义和社会经济价值。鉴于水鸟习性特殊，主要集中分布于各类湿地环境，用常规动物调查方法不能达到要求，而水鸟种类在河南省陆生野生动物资源调查与监测名录中又占相当比重的客观实际，我们根据原林业部和河南省林业厅野生动物资源调查办公室分别制定的《全国陆生野生动物资源调查与监测技术规程》和《河南省陆生野生动物资源调查与监测实施细则》的规定和要求，结合河南的具体情况，决定采用专项调查的办法开展全省水鸟资源调查，并编写了《河南省水鸟资源专项调查实施方案》报原林业部批准实施。之后由省林业厅组织，省陆生野生动物调查办公室具体负责，分冬夏季两次对全省 18 个省辖市的水鸟资源进行了调查。

1.1　水鸟区系

河南省在我国动物地理区划上属于古北界华北区和东洋界华中区，水鸟区系成分两者兼有。本次水鸟资源专项调查共观察到水鸟 104 种(含雀形目鸟类 7 种)，其区系成分以古北种占优势，共 62 种，占 59.6%；广布种次之，共 27 种，占 26%；东洋种较少，共 15 种，占 14.4%。骨顶鸡为华北区水鸟代表种，本次调查发现太行山区、伏牛山区、大别山区、桐柏山区以及豫东平原均有其分布。苍鹭、大白鹭、白鹭为华中区水鸟代表种，其中苍鹭在河南省动物区划中的黄土丘陵亚区、伏牛山北坡山地丘陵亚区、黄淮平原亚区、伏牛山南坡山地丘陵亚区、桐柏大别山地丘陵亚区均有发现。大白鹭在河南省也有广泛分布。大鸨为蒙新区代表种，本次调查在孟津黄河湿地保护区发现 52 只，卢氏县范里水库发现 4 只，2003 年 3 月 28 日在黄河湿地巩义市双槐树滩发现 1 群 78 只，是目前河南省发现的最大种群。

从居留情况看：留鸟 11 种，占 10.6%；冬候鸟 28 种，占 26.9%；夏候鸟 22 种，占 21.2%；旅鸟 42 种，占 40.4%；迷鸟 1 种，占 0.9%。由此可见，河南省夏候鸟和冬候鸟比例相差不大，迁徙水鸟占多数，共 93 种，占 89.4%。

1.2　水鸟资源状况

1.2.1　水鸟种类

本次实地调查共观察到水鸟 11 目 21 科 104 种(含雀形目 7 种)，种类数占湿地鸟类历史记录种数的 80%。各目、科历史记录和本次调查种类数对比见表 1-3-1。

河南省湿地鸟类历史记录过的种类，除鸡形目中的日本鹌鹑，鸭科中的小白额雁、白眼潜鸭、棉凫，鹭科中的绿鹭、黑冠虎斑鳽、紫背苇鳽、栗苇鳽、黑鳽、大麻鳽，鹰科中的赤腹鹰、金雕、乌雕、白腹山雕、白腹鹞，隼科中的燕隼、灰背隼、黄爪隼，鹤科中的丹顶鹤、白枕鹤、白鹤、蓑羽鹤，秧鸡科的白喉斑秧鸡和红胸田鸡，鹬科中的黑尾塍鹬、灰鹬、青脚鹬，燕鸻科的普通燕鸻，鸥科中的白翅浮鸥，戴胜科的戴胜等未观察到外，其余各科种类均全部发现，且鹳科的秃鹳、鹬科中的红腰杓鹬为河南省鸟类分布新记录，雨燕科的楼燕、翠鸟科的白胸翡翠、鹰科的鹗为河南省湿地鸟类新记录。

表 1-3-1　各目、科历史记录和本次调查种类数对比

目　别	历史记录	本次发现	科 别	历史记录	本次发现	科 别	历史记录	本次发现
䴙䴘目	3	3	䴙䴘科	3	3	鹮　科	1	1
鹈形目	3	3	鹈鹕科	2	2	鸻　科	6	6
鹳形目	19	14	鸬鹚科	1	1	鹬　科	11	8
雁形目	30	27	鹭　科	16	10	反嘴鹬科	1	3
隼形目	19	12	鹳　科	2	3	燕鸻科	1	0
鹤形目	15	9	鹮　科	1	1	雉　科	1	0
鸻形目	19	17	鸭　科	30	27	鸥　科	7	6
鸡形目	1	0	鹰　科	14	10	雨燕科	1	2
鸥形目	7	6	隼　科	5	2	翠鸟科	3	4
雨燕目	1	2	鹤　科	6	2	戴胜科	1	0
佛法僧目	4	4	秧鸡科	8	6			

1.2.2　水鸟分布

以科而论：分布最为广泛的是鸭科鸟类，除鹤壁市外，其余 17 个省辖市均有发现(其中漯河市发现有鸭科鸟，但未识别为何种类)；其次是鹭科水鸟，除漯河市和许昌市没有发现外，其余各省辖市均有发现。另外，䴙䴘科、鸻科、鹬科、翠鸟科在全省分布也较广泛。虽然鹈鸰科和鹬科水鸟在全省各类生境中的分布很广，但这次调查表现得并不典型。分布区较少的科是鹈鹕科、鹮科、鹳科等，仅洛阳、三门峡、南阳等少数省辖市有发现。从本次调查可以看出，在科的水平上，以鸭科和鹭科分布最为广泛，鹮科、鹳科、鹤科、鹮科、反嘴鹬科分布狭窄，在很大程度上是因为鸭科和鹭科的种类和数量均较多，而后者种类和数量均较少，也可能与后者的适宜栖息地减少有关。

就种而言：分布区较多的有苍鹭、池鹭、小䴙䴘、绿头鸭、斑嘴鸭、赤麻鸭、普通秋沙鸭、凤头麦鸡、白腰草鹬、普通翠鸟、冠鱼狗等。白琵鹭、鹗、大鸨等少数种类仅见于孟津湿地保护区等个别湿地，白鹈鹕、斑嘴鹈鹕、白鹳、黑鹳、秃鹳等也仅分布于南召白河、淅川丹江口等少数湿地。黄嘴白鹭主要集中分布在商城县鲇鱼山水库和三门峡库区保护区。大天鹅虽然分布点较多，但大群分布却较少，本次调查时，100 只以上的分布区也仅有三门峡库区一处，小天鹅只在孟津保护区发现一群。过去全省普遍分布的鸳鸯只在平顶山的石漫滩水库、昭平台水库等处见到，草鹭、银鸥、普通燕鸥等种类发现地点也较少，这在一定程度上反映了种类分布状况的变化。从这次调查结果看，全省 18 个省辖市分布种类最多

的是南阳市，最少的是鹤壁市，见表 1-3-2。

表 1-3-2　河南省各省辖市水鸟分布种数分目统计表

省辖市	合计	䴙䴘目	鹈形目	鹳形目	雁形目	隼形目	鹤形目	鸻形目	鸥形目	雨燕目	佛法僧目	雀形目
信阳市	45	2	1	9	13		4	8	3	1	2	2
驻马店市	23	1	1	5	12		1		3			
许昌市	4	1			2				1			
开封市	7			2	3	1	1					
南阳市	50	2	2	7	17	1	2	8	3	1	1	6
平顶山市	29	2	1	5	12		1	3			2	3
周口市	6			4	1			1				
商丘市	21	2		4	8		3	3			1	
洛阳市	36	2	1	8	12	2	2	3	5			1
三门峡市	48		3	9	17	10	2	1	2		3	1
漯河市	2			2								
濮阳市	3			2	1							
新乡市	10			3	4	1	1	1				
济源市	21	1	1	3	11		3		1		1	
鹤壁市	1	1										
安阳市	13	1		3	5		2		2			
焦作市	31	2		5	14	2	2		2		2	2
郑州市	15	2		3	5			1	2	1	1	

1.2.3　水鸟数量

全省水鸟调查共发现 91 704 只。其中鹭科鸟类最多，共 57 525 只，占总数的62.7%。其余个体数量达 1 000 只以上的科依次为：鸭科 24 587 只，占个体总数的 26.8%；䴙䴘科 4 072只，占 4.4%；鸥科 1 303 只，占 1.4%；鹬科 1 014 只，占 1.1%.。

前 10 种水鸟个体之和占水鸟总数的 74.9%，以池鹭最多，达 24 940 只，占总数的 27.2%。其余依次为：白鹭 17 748 只，夜鹭 4 771 只，赤麻鸭 4 606 只，小䴙䴘 3 832 只，豆雁 2 838 只，黄嘴白鹭 2 629 只，中白鹭 2 563 只，牛背鹭 2 350 只，绿头鸭 2 285 只，分别占个体总数的19.4%、5.2%、5.0%、4.2%、3.1%、2.9%、2.8%、2.6%、2.5%。

从各省辖市分布数量看,从多到少依次是:信阳市46 563只,占50.8%;郑州市11 869只,占12.9%;南阳市11 760只,占12.8%;平顶山市5 135只,占5.6%;三门峡市3 378只,占3.7%;驻马店市3 254只,占3.6%;焦作市2 892只,占3.2%;洛阳市2 513只,占2.7%;商丘市1 362只,占1.5%;其余9个市共有2 978只,占3.2%。

1.2.4 珍贵稀有水鸟

本次调查发现国家一级重点保护水鸟5种,即白鹳、黑鹳、玉带海雕、白头鹤、大鸨;国家二级重点保护水鸟21种,即角䴙䴘、白鹈鹕、斑嘴鹈鹕、黄嘴白鹭、白琵鹭、白额雁、大天鹅、小天鹅、鸳鸯、鸢、苍鹰、雀鹰、松雀鹰、大鵟、普通鵟、白尾鹞、鹊鹞、鹗、红脚隼、红隼和灰鹤;发现河南省重点保护水鸟10种,即凤头䴙䴘、苍鹭、草鹭、大白鹭、鸿雁、灰雁、中杓鹬、红脚鹬、丘鹬和白胸翡翠;列入中日候鸟保护协定的种类有草鹭等62种,列入中澳候鸟保护协定的种类有牛背鹭等19种;列入《濒危野生动植物种国际贸易公约》的水鸟共17种,其中列入其附录Ⅰ的2种,列入其附录Ⅱ的7种,列入其附录Ⅲ的8种。主要珍贵稀有水鸟分布及数量如下:

(1)白鹳:共23只,其中平顶山孤石滩水库1只,卢氏范里水库等14只,济源曲阳湖8只。

(2)黑鹳:共81只,其中孟津湿地保护区3只,平顶山孤石滩水库1只,卢氏范里水库等2只,济源曲阳湖2只,南阳市丹江口水库等73只。

(3)玉带海雕:共1只,发现于孟津湿地保护区。

(4)白头鹤:共1只,发现于汝州市安沟水库。

(5)大鸨:共56只,其中孟津湿地保护区52只,卢氏范里水库4只。

(6)白鹈鹕:共65只,其中卢氏范里水库2只,南阳冢岗庙水库、青石板水库、白河、松河等63只。

(7)斑嘴鹈鹕:共2只,分布于卢氏范里水库。

(8)黄嘴白鹭:共2 629只,其中南湾水库300只,鲇鱼山水库1 800只,石山口水库3只,孟津湿地保护区7只,三门峡库区500只,南阳市陡坡水库、高垃水库等19只。

(9)白琵鹭:共8只,分布于孟津湿地保护区。

(10)白额雁:共16只,其中孟津湿地保护区15只,泌阳板桥水库1只。

(11)大天鹅:共1 645只,其中安阳弓上水库等6只,平顶山白龟山水库等10只,三门峡库区等约1 619只,郑州市尖岗水库6只,信阳市石山口水库3只,南阳湍河1只。

(12)小天鹅:共105只,其中孟津湿地保护区102只,平顶山孤石滩水库1只,济源市曲阳湖2只。

(13)鸳鸯:共66只,分布于平顶山石漫滩水库等地16只,三门峡卢氏县范里水库等地30只,淅川灌河、滔河等地20只。

(14)灰鹤:共383只,分布于孟州黄河滩23只,安阳南谷洞水库等地15只,孟津湿地保护区253只,黄河故道保护区41只,三门峡库区保护区和木桐河28只,南阳市望花亭水库等地23只。

1.3 新记录种

这次水鸟资源调查共发现2种河南省鸟类分布新记录,即红腰杓鹬和秃鹳。前者发现于淅川老民岗水库,后者发现于卢氏老灌河。

1.4 水鸟生态类群

1.4.1 水面游禽类群

该水鸟类群主要分布于大中型水库,水面较大而深,如宿鸭湖水库、丹江口水库、鸭河口水库等。鸥形目水鸟在此类环境集群较常见,红嘴鸥、海鸥等多善飞翔,由于觅食需要,一部分个体在水面上空飞翔,寻机捕捉食物,一部分个体在水面游动。另外,鸊鷉科鸟类如小鸊鷉在此类环境也较常见,但集群不大,多在几只到十余只不等。其他水鸟如雁鸭类也进入这类环境活动,但多在小型水域,在大型水库中部水面几乎见不到雁类。

1.4.2 河流浅滩水鸟类群

栖息环境主要包括主河道及河滩、背河洼地、黄河故道、大中型水库库缘和小型水库等,特点是水浅、浅滩较多,挺水植物、藻类、苔藓类、鱼和低等动物丰富,能够吸引大量雁形目、鹳形目、鸻形目鸟类,大天鹅、赤麻鸭、针尾鸭、绿翅鸭、罗纹鸭、绿头鸭等水鸟整个冬季均在这些区域活动。雁鸭类的部分种类还可多种集群,如孟津保护区内有绿头鸭、斑嘴鸭、赤麻鸭集群,在省内其他水域也较为常见。本次调查还发现有多种集群现象的有大天鹅与绿头鸭、普通鸬鹚与绿头鸭、白琵鹭与苍鹭、黑鹳与苍鹭。这次发现的较大集群有:南湾水库鸟岛池鹭和白鹭均在10 000只以上;郑州纬一路等路段两侧法国梧桐树上栖息的池鹭群约在3 000只以上;三门峡库区保护区辛店段河滩大天鹅群800只左右;孟津保护区豆雁最大群800只左右,绿头鸭246只,斑嘴鸭223只,小天鹅102只,灰雁61只,灰鹤253只,大鸨52只;鲇鱼山水库鸟岛黄嘴白鹭集群约1 800只,普通鸬鹚群38只;白龟山水库赤麻鸭集群250只;宿鸭湖水库红嘴鸥集群300只。

1.5 水鸟市场情况

尽管近年来不断加强野生动物保护工作,但乱捕滥猎和倒买倒卖野生动物的现象仍然相当严重。表1-3-3是对信阳市有关水鸟销售窝点的调查统计。

在信阳市的3次市场调查,共发现销售野生水鸟达15种408只之多(其他野生动物未列入表),国家二级重点保护水鸟3种,省重点保护水鸟2种。据了解,经销野生动物的窝点大多数经销季节较长,几乎全年经销,虽然经销冬候鸟有淡旺季之分,但在淡季则收购其他野生动物,因此对资源破坏较严重。此类活动还是驱使非法狩猎者猎捕水鸟的一个重要因素,对水鸟及其他野生动物的生存威胁极大,应予特别关注。

1.6 问题与建议

1.6.1 调查对象和统计数字

这次调查的对象实际上超出了水鸟的范畴。根据《关于特别是作为水禽栖息地的国际重要湿地公约》陈述的水鸟种类,并不包括隼形目和雀形目种类。但我们在实地调查时发现许多隼形目和雀形目鸟类与水鸟在同一生境内活动,组成独特的生态群——湿地鸟类。因此,我们将隼形目鸟类作为水鸟的一部分调查,所称水鸟包括隼形目和雀形目的一些鸟类。

大多数水鸟集群较小,计数方便,误差很小。但大中型水库、长的河流(段)等处的水鸟可能存在遗漏或重数,但基本可以反映实际情况。

表 1-3-3 信阳市部分野生动物销售点储存水鸟情况表 (单位:只)

种 类	总计	第一次调查数量	第二次调查数量	第三次调查数量	来 源
苍 鹭	3		1	2	罗山、息县
大白鹭	4		2	2	罗山、信阳县
赤麻鸭	10	10			
针尾鸭	16		16		罗山县、信阳县
绿翅鸭	165		130	35	潢川、淮滨、信阳
罗纹鸭	10	10			
绿头鸭	71	50	21		罗山县、信阳县
斑嘴鸭	91	40	38	13	信阳、罗山、淮滨、息县
白眉鸭	2		2		淮滨县
琵嘴鸭	4			4	信阳县
红头潜鸭	2		2		信阳县
鸳 鸯	1		1		信阳
普通秋沙鸭	8		6	2	罗山、信阳、淮滨
普通鵟	20	3	13	4	信阳、息县、新县、罗山
大 鵟	1			1	信阳
合 计	408	113	232	63	

1.6.2 水鸟及其栖息地问题

(1)水鸟资源减少。在 20 世纪 80 年代中期,仅豫北黄河故道保护区一处就有水鸟 77 种,灰鹤千余只,豆雁和灰雁数千只,各种野鸭万余只。而本次调查全省 272 块湿地,发现水鸟 104 种,全部个体总数仅 91 704 只,豆雁和灰雁个体总和也不及当时上述一处的多,灰鹤也是如此。虽然缺少更多的历史数据,但从这一处湿地的水鸟资源变化已完全可以反映出全省水鸟资源减少的状况。

(2)水鸟栖息地环境恶化。除环球大气候影响外,主要是人为影响。如围垦、城市化、水土流失、水源短缺、地下水位下降、水污染等以及由此产生的湿地干枯、水生植被变化或枯死、湿地出现沙漠化或荒漠化迹象。如黄河故道保护区严重水资源短缺、地下水位下降,调查时湿地几乎消失殆尽;孟津保护区主要存在围垦、挖沙等人为影响;宿鸭湖水库严重水污染,调查时水体呈黑色;丹江口水库主要是水位下降,水面减少。

(3)人为破坏水鸟资源现象严重。包括两个方面,一是直接猎杀,如投毒、网捕、枪猎、下套等。丹江口水库、白墙水库、宿鸭湖水库都存在毒杀水鸟现象,孟津保护区因围垦者为防止农作物和鱼被水鸟取食用毒饵捕杀水鸟。三门峡库区黄河湿地保护区于 1999 年元月 1 日发生一起用毒饵毒杀大天鹅的特大案件,犯罪分子沿库区滩涂投放毒饵数十公斤,死伤大天鹅 44 只,其中死亡 27 只,毒死其他雁鸭类 36 只。二是非法利用,倒买倒卖。此问题在全省各地不同程度存在,各级管理部门虽采取各种措施予以打击,但难以杜绝。

1.6.3 保护对策

针对以上问题,应从五个方面采取措施加以保护,即必须加强水鸟栖息地保护,减少各种不利因素和人为影响,切实防治水污染,开展水鸟及栖息地科学研究,依法保护和管理水鸟及其栖息地。据此,我们提出以下三点建议:

(1)加强水鸟栖息地保护。从目前情况看,保护水鸟栖息地绝非一蹴而就之事。因为水鸟栖息地的所有权不同,有国有和集体;涉及管理部门多,有林业、水利、河道、土地、环保和地方政府等,具有现实社会经济背景,利益因素复杂。加之社会经济发展的负面影响,诸如工业生产带来的污染,滩地开发导致过度围垦,现代农业和工业对水资源需求量大增,随之而来的水资源短缺,以及管理人员和资金严重不足等具体问题,决定了水鸟栖息地保护问题必须长期坚持采用行政、法律和经济的手段逐步解决。从根本上说,水鸟栖息地保护取决于社会公众特别是决策者认识水平的提高和社会经济的整体进步。因此,发展经济和开展宣传教育是保护水鸟栖息地最有效和最根本的措施。

(2)开展科学研究。首先需要开展水鸟种类、种群数量、各种候鸟迁徙顺序、迁徙食性等内容研究,以便根据这些资料有的放矢地采取保护措施。

(3)加强水鸟季节性保护管理。由于大多数水鸟属于迁徙鸟类,所以除进行日常保护管理外,应特别重视冬季和夏季的水鸟保护工作。可以在冬、夏来临之前,利用每年 4 月份的“爱鸟周”和 10 月份全省野生动物保护宣传月活动,对水鸟栖息地周围居住的群众进行宣传。冬季大量冬候鸟迁来以后,以及初夏大量夏候鸟进入产卵和育雏期间,主管部门应定期到现场巡护,或指定群众监护员护鸟。为了发动群众爱鸟护鸟,主管部门可设立举报电话,采取有奖举报的办法调动群众护鸟积极性。对破坏水鸟资源的大要案,应像处理发生在三门峡库区湿地保护区毒杀大天鹅案件那样,严惩犯罪分子,在媒体公开曝光,以教育群众,震慑违法犯罪分子。在经营利用管理方面,应坚决取缔无证经营和超范围经营,打击倒买倒卖,堵住非法流通渠道。

第2节　白冠长尾雉资源

白冠长尾雉(*Syrmaticus reevesii*),又名地鸡,属鸡形目、雉科、长尾雉属,是我国特产珍贵鸟类之一,国家二级重点保护动物。河南省的白冠长尾雉主要分布于豫南大别山和桐柏山地区,伏牛山区也有零星分布,大别山分布区与桐柏山分布区现在已不相连接。因全省分布区狭窄而分散,采用常规数量调查的方法不能达到要求,故必须采用专项调查的方法开展白冠长尾雉资源调查。1999年3月,河南省林业调查规划院编写了《河南省白冠长尾雉资源调查方案》报全国陆生野生动物资源调查办公室,于1999年4月上旬组织分布区所在的信阳市、驻马店市和南阳市的技术人员开展省级培训。1999的4月中旬至6月上旬,在省调查办组织的有关专家指导下,对全省白冠长尾雉资源进行了调查。

2.1　座谈访问调查及结果

调查人员开展调查前,首先和分布区内的乡、村干部一起召开由熟悉白冠长尾雉的村民、狩猎爱好者和经常进山打柴、挖药人员参加的座谈会,了解该地的地形地貌、林地状况、区域面积、植物群落及白冠长尾雉大致分布数量,然后与他们一起到实地估计不同林分或不同分布类型区的白冠长尾雉的数量。将一个乡(镇、场)的各自然村或行政村分布面积和数量汇总,计算出该乡(镇、场)的密度,按照分布类型区划分的密度标准确定该乡(镇、场)的分布类型区。在新县的苏河乡、千斤乡、新集镇、沙窝镇,桐柏县的朱庄乡、大河镇等乡(镇),座谈访问调查其分布密度达到Ⅱ类型区,但由于这些乡(镇)的白冠长尾雉呈零星片状分布,实地很难见到实体,因此将这样的区域在设置样方调查时,按Ⅲ类型区标准进行调查。

座谈访问调查表明,白冠长尾雉在全省分布面积106 457 hm^2,共6 285只。其中信阳市分布面积71 429 hm^2,4 664只,分别占全省的67.1%和74.2%;驻马店市分布面积9 708 hm^2,219只,占全省的9.1%和3.5%;南阳市分布面积25 320 hm^2,1 402只,占全省的23.8%和22.3%。经过座谈访问调查,淅川县、内乡县、南召县、信阳市平桥区和浉河区未发现白冠长尾雉分布。各县白冠长尾雉分布面积、数量和密度详见表1-3-4。

2.2　样方调查及结果

全省按不同的分布类型区共设置样方23个,其中信阳市10个,驻马店市6个,南阳市7个。抽样强度全省为2.2%,信阳市为1.4%,驻马店市为6.2%,南阳市为2.8%。根据座谈访问的结果,将全省划分为三个分布类型区。因驻马店市的Ⅰ类型区面积很小,只有143 hm^2,所以将这部分归入Ⅱ类型区,其他不变。这三个类型区情况如下:

Ⅰ类型区:即集中分布区,白冠长尾雉分布数量多,群众反映比较常见。从林分情况看,有林相较好的松杉栎混交林或落叶阔叶林,林分生长好,成片面积大,有良好的隐蔽条件和生活环境。这些地区的山坡、山谷有零星小片农田,可为白冠长尾雉提供丰富的食物。另外,这些地区入山人员相对较少。在大别山区的Ⅰ类型区,多属海拔300～600 m的山区,在桐柏山区最高可达1 100 m。全省Ⅰ类型区包括的行政区域有:罗山县的董寨鸟类保护区，涩港镇、铁铺乡、山店乡、朱堂乡；新县林场（含连康山自然保护区）；商城县的金岗台自然保护区，长竹园乡、达权店乡；桐柏县的太白顶自然保护区、新集镇、程湾乡等。总面积24 226 hm^2。

表 1-3-4　河南省白冠长尾雉座谈访问调查统计表

行政区		类型区	面积（hm^2）	数量（只）	密度（只/hm^2）
全省		总计	106 457	6 285	0.059 0
信阳市	合计		71 429	4 664	0.065 3
	罗山县	小计	15 846	2 280	0.143 9
		Ⅰ	12 106	2 010	0.166 0
		Ⅱ	3 740	270	0.072 2
	新县	小计	41 879	1 514	0.036 2
		Ⅰ	2 000	220	0.110 0
		Ⅱ	27 771	999	0.035 9
		Ⅲ	12 108	295	0.024 4
	商城县	小计	11 450	755	0.065 9
		Ⅰ	6 050	482	0.079 7
		Ⅱ	2 100	78	0.037 1
		Ⅲ	3 300	195	0.059 1
	鸡公山自然保护区	小计	2 254	115	0.051 0
		Ⅱ	2 254	115	0.051 0
驻马店市	合计		9 708	219	0.022 6
	确山县	小计	7 231	108	0.015 0
		Ⅲ	7 231	108	0.015 0
	泌阳县	小计	2 477	111	0.044 8
		Ⅰ	143	15	0.105 0
		Ⅱ	764	69	0.090 2
		Ⅲ	1 570	27	0.017 2
南阳市	合计		25 320	1 402	0.055 4
	桐柏县	小计	19 320	1 184	0.061 3
		Ⅰ	4 070	638	0.156 8
		Ⅱ	1 620	136	0.084 0
		Ⅲ	13 630	410	0.030 1
	西峡县	小计	6 000	218	0.036 3
		Ⅲ	6 000	218	0.036 3

Ⅱ类型区：即白冠长尾雉分布较多区，当地群众反映有时可以见到，但数量不是太多。林分主要是一些马尾松纯林，也有一部分为针阔混交林和阔叶混交林。此类型区生态环境遭不同程度破坏，入山人员较多，缺乏保护措施。包括新县的田铺、卡房、周河、代咀、郭家河等乡；商城县的苏仙石乡；罗山县的彭新乡；鸡公山国家级自然保护区（该区林分状况和保护管理措施都较好，但游客太多，不利于白冠长尾雉的栖息，也归于此区）；泌阳县马道林场、马谷田镇；桐柏县的回龙乡等。总面积49 972 hm^2。

Ⅲ类型区：即零星分布区，当地群众反映极难见到，但偶尔也发现一两只，主要在小片林分中活动。该区林相残破,适宜栖息范围极小,进山活动人员多,多为低山丘陵区或海拔1 000 m以上的区域。Ⅲ类型区包括新县的陡山河乡、苏河乡、千斤乡、新集乡、沙窝镇、八里乡;商城县黄柏山林场;桐柏县的黄岗乡、朱庄乡、大河镇;西峡县的木寨林场、丁河镇、米坪镇、陈阳乡;确山县的竹沟镇、瓦岗乡、石滚河乡、胡庙乡、蚁蜂乡、三里河乡、任店镇、李新店乡、留庄镇、顺山店乡、新安店镇、薄山林场、乐山林场;泌阳县的板桥林场、黄山口乡、象河乡。总面积32 259 hm^2。

根据样方调查资料,经数据处理汇总,全省有白冠长尾雉5 730只,其中信阳市4 777只,驻马店市156只,南阳市797只。其中资源最为丰富的县为新县,有2 138只,其次为罗山县,有1 616只,最少的为确山县和西峡县,均为零星少量分布。详见表1-3-5。

表1-3-5 河南省白冠长尾雉样方调查统计表

<table>
<tr><th colspan="2">行政区</th><th>类型区</th><th>面积(hm^2)</th><th>数量(只)</th><th>密度(只/hm^2)</th></tr>
<tr><td colspan="2">全省</td><td>总计</td><td>106 457</td><td>5 730</td><td>0.053 8</td></tr>
<tr><td rowspan="15">信阳市</td><td colspan="2">合计</td><td>71 429</td><td>4 777</td><td>0.066 9</td></tr>
<tr><td rowspan="3">罗山县</td><td>小计</td><td>15 846</td><td>1 616</td><td>0.102 0</td></tr>
<tr><td>Ⅰ</td><td>12 106</td><td>1 392</td><td>0.115 0</td></tr>
<tr><td>Ⅱ</td><td>3 740</td><td>224</td><td>0.060 0</td></tr>
<tr><td rowspan="4">新县</td><td>小计</td><td>41 879</td><td>2 138</td><td>0.051 1</td></tr>
<tr><td>Ⅰ</td><td>2 000</td><td>230</td><td>0.115 0</td></tr>
<tr><td>Ⅱ</td><td>27 771</td><td>1 666</td><td>0.060 0</td></tr>
<tr><td>Ⅲ</td><td>12 108</td><td>242</td><td>0.020 0</td></tr>
<tr><td rowspan="4">商城县</td><td>小计</td><td>11 450</td><td>888</td><td>0.077 6</td></tr>
<tr><td>Ⅰ</td><td>6 050</td><td>696</td><td>0.115 0</td></tr>
<tr><td>Ⅱ</td><td>2 100</td><td>126</td><td>0.060 0</td></tr>
<tr><td>Ⅲ</td><td>3 300</td><td>66</td><td>0.020 0</td></tr>
<tr><td rowspan="2">鸡公山自然保护区</td><td>小计</td><td>2 254</td><td>135</td><td>0.060 0</td></tr>
<tr><td>Ⅱ</td><td>2 254</td><td>135</td><td>0.060 0</td></tr>
<tr><td rowspan="8">驻马店市</td><td colspan="2">合计</td><td>9 708</td><td>156</td><td>0.016 1</td></tr>
<tr><td rowspan="2">确山县</td><td>小计</td><td>7 231</td><td>63</td><td>0.008 7</td></tr>
<tr><td>Ⅲ</td><td>7 231</td><td>63</td><td>0.008 7</td></tr>
<tr><td rowspan="4">泌阳县</td><td>小计</td><td>2 477</td><td>93</td><td>0.037 5</td></tr>
<tr><td>Ⅰ</td><td>143</td><td>79</td><td>0.086 7</td></tr>
<tr><td>Ⅱ</td><td>764</td><td>14</td><td>0.086 7</td></tr>
<tr><td>Ⅲ</td><td>1 570</td><td>0</td><td>0</td></tr>
<tr><td rowspan="7">南阳市</td><td colspan="2">合计</td><td>25 320</td><td>797</td><td>0.031 5</td></tr>
<tr><td rowspan="4">桐柏县</td><td>小计</td><td>19 320</td><td>732</td><td>0.037 9</td></tr>
<tr><td>Ⅰ</td><td>4 070</td><td>488</td><td>0.119 9</td></tr>
<tr><td>Ⅱ</td><td>1 620</td><td>97</td><td>0.060 0</td></tr>
<tr><td>Ⅲ</td><td>13 630</td><td>147</td><td>0.010 8</td></tr>
<tr><td rowspan="2">西峡县</td><td>小计</td><td>6 000</td><td>65</td><td>0.010 8</td></tr>
<tr><td>Ⅲ</td><td>6 000</td><td>65</td><td>0.010 8</td></tr>
</table>

2.3 分布和数量变化情况分析

全省座谈访问调查结果和样方调查结果基本一致,个别县的两种调查结果有一定差距,可能是座谈访问时估计误差偏大造成的。从各方面因素分析,可以认为样方调查的结果更真实,数据更可靠。

根据1989年对豫南大别山区白冠长尾雉自然生态环境与数量调查资料,信阳市(原信阳地区)Ⅰ类型区面积23 842 hm^2,Ⅱ类型区29 975 hm^2,Ⅲ类型区15 261 hm^2,总面积69 078 hm^2。目前信阳市Ⅰ类型区面积比10年前减少3 686 hm^2,Ⅱ类型区则增加5 890 hm^2,Ⅲ类型区增加147 hm^2,总面积增加2 351 hm^2。驻马店市和南阳市由于历史上没有做过专项调查,分布情况不甚清楚,但总的来看,全省分布略有变化。

从资源量来看,大别山区1989年的样方调查结果为3 832只,现在增加到4 777只,种群数量增长24.7%。其中罗山县种群数量现已增加到1 616只,比10年前增加26.1%;新县种群数量现增加到2 138只,比10年前增加15.8%;商城县种群数量增加到888只,比10年前增加40.7%;鸡公山自然保护区也由10年前的85只增加到135只。驻马店市和南阳市因缺乏资料,资源量变化情况不详。

2.4 科研与保护管理现状

2.4.1 科研状况

科学研究是有效保护资源和实现合理开发利用的重要手段。目前此项工作多在自然保护区进行,有白冠长尾雉分布的董寨国家级自然保护区、新县连康山自然保护区、商城金岗台自然保护区、鸡公山国家级自然保护区、桐柏太白顶自然保护区都成立了科研机构,组织科技人员参加科研工作,并建立标本室、资料室,特别是罗山董寨国家级自然保护区,建区前就成立了科研组,进行益鸟招引、良种繁育、森林病虫害防治等研究,并获得了丰硕成果。建区后不断完善机构设置并加强管理,充实人员,使科研工作得到了持续发展。先后开展了豫南大别山区白冠长尾雉的自然生态环境与数量调查、白冠长尾雉的生态观察、人工驯养繁殖等项目研究,查清了豫南大别山区鸟类资源的分布和白冠长尾雉储存数量,建立了初具规模的人工饲养繁殖种群。该保护区还编写了《人工益鸟招引实践》、《益鸟保护与招引》等科普读物和专著,承担了原林业部科技攻关项目《白冠长尾雉人工饲养繁殖研究》课题。在河南师大的协助下,经过保护区科技人员6年刻苦攻关,基本解决了人工饲养繁殖的技术难点,育雏成活率由60%提高到80%以上,该项目获得1994年河南省林业科技进步二等奖,河南省科技进步三等奖。这项科技成果填补了国际空白,使罗山国家级自然保护区成为白冠长尾雉人工饲养繁殖基地。到目前,经主管部门批准,已为北京、上海等地提供两批人工饲养的白冠长尾雉,标志着河南省白冠长尾雉迁地保护取得了突破性进展。

科研工作存在的主要问题:经费严重不足;科技力量薄弱,科研人员知识陈旧;科研设备落后等。

2.4.2 保护管理状况

河南省白冠长尾雉保护管理工作所取得的成绩表现在以下几个方面:第一是建立了

保护区。为了保护白冠长尾雉及其他生物资源,在专家考察论证的基础上,1982 年经河南省人民政府批准,在白冠长尾雉主要分布区建立了鸡公山、罗山董寨、新县连康山、商城金岗台、桐柏太白顶等 5 个自然保护区,总面积 59 613 hm^2,占全省白冠长尾雉分布面积的 86.3%。这些保护区的建立有力地促进了全省白冠长尾雉保护工作。第二是提高了保护管理水平。多年来各自然保护区采取"派出去,引进来"的办法,将一批技术骨干或业务领导干部送华东师范大学等高等院校学习深造,还邀请省内外专家教授进行技术指导,并与他们开展科研合作,使白冠长尾雉保护管理工作逐步做到了科学化和规范化。第三是管理机构不断健全。近年来,白冠长尾雉分布区的各级林业部门都建立了保护管理机构,其中信阳市林业局和南阳市林业局设置了有人员编制的、专门的野生动植物管理科(站)。县区没设专门机构的也都指定林政或公安等部门专人管理,基本形成了省、省辖市、县(区)、乡(镇)四级管理的体系。如信阳市从市、县(区)到乡林业工作站从事保护管理工作的就有 486 人,县以下共设 49 个站(保护站、林业工作站)、191 个保护点、16 个检查站。渐趋完善的保护管理体系为白冠长尾雉资源保护和合理利用创造了较好的条件。

保护管理方面存在的主要问题:区域内人口密度过大,经济落后,多属老区或贫困地区,群众进山活动多,管理难度大;白冠长尾雉主要分布区特别是几个自然保护区交通不便、通讯落后,有的根本不具备基本的交通和通讯条件,保护管理工作不能有效开展;职工文化素质偏低,保护管理工作水平有待提高等。

2.5 保护管理建议

(1)开展宣传教育,提高人们保护自然的认识,争取全社会都来关心和支持自然保护事业,彻底清除"野生无主,谁猎谁有"的旧的传统观念,树立保护野生动物光荣的新风尚。

(2)加强以白冠长尾雉为中心的鸟类科研工作,在白冠长尾雉驯化、饲养、繁殖等方面已取得的科研成果基础上,尽快建立白冠长尾雉繁育中心等科研机构。以董寨鸟类自然保护区为依托,继续开展鸟类项目的研究与对外技术合作,促进自然保护区经营管理和科研工作。

(3)加大保护经费的投入。白冠长尾雉主要分布于大别、桐柏山区,这里地处我国自然分区的过渡地带,动植物资源丰富,只有在资金上加大对这一地区自然保护的支持,才能使各项措施落到实处。

(4)加强技术培训,提高职工素质。对现有自然保护区管理人员和科技人员,应分期分批进行不同层次和不同专业的技术培训,以提高保护管理水平和科研能力。

第 3 节　金钱豹资源

金钱豹(*Panthera pardus*)在动物分类学上和狮、虎同属猫科,能游泳,善爬树,是一种机警而又凶猛的大型食肉兽。自从华南虎于 20 世纪 60 年代中期在河南省野外绝迹后,金钱豹就取而代之处于本地区森林生态系统食物链的最顶级,作为森林生态环境的指示物种,其生态学意义十分重大。

20 世纪 70 年代以前,金钱豹在我国广泛分布,以后,由于猎民随意猎取,数量大幅度减少。70年代末至80年代初虽然采取了限制猎捕的保护措施,仍未能遏制其数量下滑势头。鉴于此,1988年金钱豹被国家列为严禁猎捕的一级重点保护动物。国际上《濒危动植物种国际贸易公约》(CITES)把它列入其附录Ⅰ(经成员国大会通过,1997年9月18日生效)中予以保护。

历史上,金钱豹曾广泛分布于太行山、伏牛山、桐柏山和大别山等山区及丘陵地带。随着乱捕滥猎和环境变迁,金钱豹在全省逐步呈濒危状态。为避免金钱豹在河南省野外绝灭,并为采取有效保护措施提供科学依据,1997~1999年,在河南省林业厅野生动植物保护处的组织和协调下,河南省林业勘察设计院对全省金钱豹的分布、数量及生存状况进行了首次全面、系统的专业调查。

3.1 调查结果

3.1.1 种类、分布和数量

金钱豹在我国有三个亚种:长江以南的为华南豹,长江以北的为华北豹,分布在吉林、黑龙江的为东北豹。河南省分布的即为华北豹。据本次调查,金钱豹在河南省仅分布于太行山、伏牛山、桐柏山和大别山区的深山区,活动面积8 794.6 km^2,数量约54只(40~68只),详见表1-3-6。

表1-3-6 河南省金钱豹资源调查统计表

山系	面积(km^2)	调查项目				估计数量(只)
		实体(只)	足迹(条)	粪便(堆)	食迹(处)	
全省合计	8 794.6	46	23	3	17	40~68
太行山区	723.2	18	7	1	11	12~24
伏牛山区	7 867.5	26	15	2	6	25~40
桐柏、大别山区	203.9	2	1			3~4

太行山区金钱豹资源:分布区包括济源市、辉县市、修武县、中站区、博爱县、沁阳市和林州市,共7个县(市、区)。活动范围主要在豫晋两省交界的深山区,活动面积约723.2 km^2(仅包括河南省境内部分,下同),分布于9个活动小区,估计有12~24只。

伏牛山区金钱豹资源:伏牛山区共11个县(市)有金钱豹分布,分布区包括栾川县、嵩县、汝阳县、卢氏县、灵宝市、陕县、南召县、内乡县、西峡县、淅川县、鲁山县。活动范围主要在洛阳市、南阳市和平顶山市三市交界以及豫陕两省交界的深山区,活动面积7 867.5 km^2,分14个活动小区,估计有25~40只。

大别、桐柏山区金钱豹资源:大别山区仅在商城县发现有金钱豹分布,活动范围为豫皖两省交界处的金刚台自然保护区一带,活动面积约62.1 km^2,数量估计为1~2只。桐柏山区仅在豫鄂两省交界处的太白顶自然保护区内发现有金钱豹分布,活动面积141.8 km^2,估计有2只金钱豹。

3.1.2 资源动态分析

由于以前未进行过系统调查,只能依据一些间接指标和本次调查结果反映资源动态变化情况。

资源量变化：据调查，20 世纪 60 年代以前，金钱豹曾广泛分布于河南省内各大山系及丘陵地区，数量较多；60～70 年代，其分布区逐步退至浅山区，数量锐减；80 年代初，其分布区已完全退缩至深山区，资源总量仍呈缩减趋势。这种下降趋势在有关单位的收购统计数据中有所体现。据统计，20 世纪 50～80 年代初河南省各有关部门共收购豹皮 3 250余张。其中 1951～1969 年、1970～1974 年、1975～1979 年、1980～1982 年年平均收购豹皮分别为 121 张、94 张、65 张、53 张，显示资源蕴藏量在急剧减少(见表 1-3-7)。

表 1-3-7　河南省金钱豹皮收购量各阶段年平均数统计表

收购年(年)	1951～1954	1955～1959	1960～1964	1965～1969	1970～1974	1975～1979	1980～1982
收购量(张)	136	140	46	165	94	65	53

1983 年至本次调查前，由于法律规定禁止买卖金钱豹及其产品，皮毛交易转入地下，缺乏收购统计资料，同时又因未进行野外调查，故较详细的分阶段变化趋势无法了解。根据 20 世纪 80 年代初的收购资料(年平均收购豹皮 53 张)和本次调查结果(54 只)，按照猎捕量远小于蕴藏量的一般规律进行推论，这一阶段河南省的资源总量仍在大幅度减少。

资源分布变化：以 1973～1982 年的收购资料和这次调查数据相比较发现，金钱豹资源在河南省内的分布格局发生了很大变化。1982 年以前伏牛山区金钱豹数量最多，大别山区次之，太行山区最少；最新调查数据显示伏牛山区金钱豹数量仍为最多，太行山区金钱豹数量增长较快，位列第二，大别、桐柏山区金钱豹数量下降幅度最大，已濒临灭绝，详见表 1-3-8。

表 1-3-8　金钱豹在河南省内各区分布情况比较表

山系	1973～1982 年收购情况		本次调查情况	
	年平均收购量(张)	比例(%)	分布数量(只)	比例(%)
太行山区	0.5	0.9	18	33.3
伏牛山区	28.3	52.4	32	59.3
桐柏、大别山区	25.2	46.7	4	7.4

3.2　问题与建议

3.2.1　存在问题

生境片段化：人类的频繁活动如耕作、采伐、筑路、运输、修渠、开矿等，以及与之相伴的人工设施如居民区、工矿区、公路、大型人工渠等导致了金钱豹生境的片断化。片断化的生境限制了金钱豹的活动范围，影响到取食、饮水、隐蔽和繁殖等基本生命活动，造成栖息地内部生态环境质量下降，降低了栖息地保护金钱豹的生态功能，这是金钱豹适宜栖息地面积急剧减小、资源量锐减的根本原因。这种情况在大别山区表现得比较突出。大别山区虽然自然条件(气候、植被、水源等)比伏牛山和太行山优越，但因山势较缓，易于开发,人为活动比前两处都强烈,生境片段化更严重,这种情况在植被覆盖度较高时很容易被人们忽视。

猎捕:金钱豹被列为国家二级保护动物的1981年,由于具体的保护措施基本没有落实,至1982年猎民仍在猎取,外贸等部门还可以收购。因此,猎捕情况以国家采取实质性保护措施后(1983年)的调查情况为主进行分析。猎捕包括以金钱豹为目标的偷猎、以其他动物为目标的误捕以及意外捕获(主要指捡获的不明死因尸体或不具备独立生活能力的幼体)。据统计,1983~1999年全省共猎捕22只,其中偷猎8只(枪杀1只,炸死5只,毒杀2只),占总猎捕量的36.4%;误捕6只(铗套),占27.2%;意外捕获8只,占36.4%。猎捕情况详见表1-3-9。

表1-3-9 河南省1983~1999年猎捕金钱豹数量统计表

猎捕方式	合计(只)	1983~1989年(只)	1990~1994年(只)	1995~1999年(只)
	22	9	5	8
枪杀	1		1	
炸死	5		1	4
毒杀	2	1		1
铗套	6	2	1	3
其他	8	6	2	

注:其他方式包括不明死因的尸体和幼体等。

根据访问调查,偷猎的主要原因是金钱豹在食物缺乏时有危害部分家畜(牛、羊等)的行为,群众采取非法手段进行报复,很少以盈利为目的。公安机关收缴全部猎枪后,部分群众为获取草兔、野猪等猎物随意布设铗套等非法猎捕工具,金钱豹经常误入其中,非死即伤,后果十分严重。

破坏植被:金钱豹能适应多种生境,如森林、灌丛、草原等,作为凶猛、矫健、捕食技术全面的大型食肉动物,对植被的直接依赖程度并不高。然而,金钱豹需要一定量的草食动物和杂食动物来维持生命。植被的破坏导致部分草食动物和杂食动物减少,间接限制了金钱豹的生存数量。

3.2.2 保护管理建议

针对金钱豹资源现状,结合河南省的实际情况,从合理保护和科学管理野生动物的角度出发,提出以下保护管理对策:

(1)深入、全面宣传野生动物保护法。近年来,在野生动物保护工作者和林业公安联合行动中,对猎捕金钱豹等野生动物的犯罪行为进行了严厉打击,并结合案例大力宣传,极大地震慑了犯罪分子,提高了干部群众野生动物保护的意识和自觉性,以盈利为目的的偷猎行为已被完全制止。但是报复性偷猎和误捕现象却屡次发生,反映出我们的宣传和保护工作存在漏洞。应向广大群众宣传报复性偷猎和使用非法猎捕工具(铗套等)均属违法行为,同时应做好遭受野生动物侵害的群众的思想工作,并给予适当补偿,对使用非法猎捕工具的人应依法处理,防患于未然。

(2)完善落实补偿政策,鼓励群众参与保护。《中华人民共和国野生动物保护法》和《中华人民共和国陆生野生动物保护实施条例》均规定:“因保护国家和地方重点保护野生动物,造成农作物或者其他损失的,由当地政府给予补偿”。建议尽快制定具体的补偿办法,对当事人给予必要的物质补偿和精神鼓励,消除群众对保护工作的对立情绪,积极参与保护工作。

(3)栖息地的保护和恢复。在金钱豹分布区和分布区之间的断带区优先布置、尽早安排天然林保护和退耕还林等重点林业生态工程,切实保护并逐步恢复金钱豹栖息生境的面积和质量;鼓励部分群众向经济条件较好的金钱豹分布区外移民,减轻区内环境压力;凡在分布区内开展的工程建设都应依法做好环境评估,充分考虑到工程对金钱豹可能产生的影响,采取措施避免或减轻不利影响,如绕开核心分布区、减小噪声、设置生物通道等。

第4节　麝类资源

4.1　生物学特性

河南麝属(*Moschus*)动物有林麝和原麝两种,生物学特性相似。

4.1.1　繁殖与发育

麝是季节性发情动物,性周期平均15天,每次发情持续24～36小时,整个种群交配期约一个多月,妊娠期180天左右,每胎多2仔,哺乳期3个月。资料表明,发情季节与地理位置有一定关系,而且不同种麝发情季节也略有不同。比如东北的原麝,每年10月至次年2月为母麝发情季节,而山西省的原麝则为每年12月至翌年1月。麝的体成熟比性成熟时间晚,性成熟时间比经济成熟时间晚。具体时间是经济成熟时间(指麝香成熟)12～15个月龄,性成熟时间14～18个月龄,体成熟时间30～35个月龄。在野生状态,密度较小时,个别一周岁雌麝能怀孕,生单胎仔。据饲养繁殖统计,2周岁以上每胎多为双仔,双胎率高达83.02%,甚至可达85.37%。这说明,体成熟后才能利用经济成熟,尽管经济成熟要比体成熟早得多。因为经济成熟后,麝的生殖系统和其他器官发育均没停止,这时进行生产则会影响其后的生长发育,直至影响后期经济效益,这是在饲养麝以获取麝香为经济目的或对野外种群管理时所必须遵循的重要生物学特性。

野麝哺乳期45～50天。饲养条件下的几个繁殖力指标为,配怀率83.05%～87.23%,仔麝成活率61.25%～80.65%,繁殖成活率83.05%～106.38%。

4.1.2　采食方式与食性

麝属于反刍兽类,草食性。采食方式为采食性啃摘,类似于山羊,一面行进一面采食。但与之不同的是反刍次数较多。取食种类中以豆科、菊科、毛茛科、蔷薇科、禾本科、十字花科、桑科、胡桃科等高等植物为主,另外也吃真菌类、地衣类、苔藓类和蕨类植物。文献记载和调查资料表明,麝采食植物可达300多种,隶属60～70个科别,可见其广食性。圈养时,可食蔬菜瓜果等。每次不足量取食一种食物(郝映红,等.庞泉沟自然保护区原麝的生态研究.生态学报,1991,10(6):19～18),但根据我们对养麝场的观察,在散养条件下也可用较单一的食物充饥,可能是驯化的结果。

麝的食物中有大量的中草药成分。据中国科学院青藏高原综合科学考察队所获标本解剖，胃内有贝母存在；另据在山西庞泉沟自然保护区的调查，在发现采食的82种植物和菌类中，就有18种中草药，约占食物种类的18%。虽然麝对这些食物的进食量很小，但中草药成分增强了麝的抗病能力。

4.1.3 栖息环境与活动规律

麝的栖息地特征表现为岩石山体高大、险峻、陡峭。因麝的侧蹄长而发达，增强了主蹄下踏的接触面积，使其能在悬崖上窜跳或攀上陡峭的山峰。麝很少在植物过于茂密、基底松软、少岩石的地方活动。决定麝的密度的因素主要有三个，即植被类型、林木密度及基底硬度。不同种麝选择类似的栖息地植被类型。如广西林麝在纯松林的针叶林内不如灌丛多的杂木林内密度大，山西原麝也以针叶林为主的针阔混交林为隐蔽场所。选择针阔混交林作为其栖息地与其不耐高温的习性有一定的关系，因为针阔混交林的林木密度适中，有利于觅食和避敌时逃遁。另一方面，针阔混交林不像阔叶落叶林那样冬季落叶后过于暴露，而纯常绿针叶林在冬季又不能很好地通透阳光。栖息地基底硬度越大，越有利于麝的跳跃，跳跃是麝主要的运动方式，这种运动方式造就了它特别健壮的后肢。在麝的天敌经常出没的地区，如果基底松软，则增加了避敌的难度，对其生存无疑是不利的。

麝每天从4时或5时起活动到早晨结束，黄昏时再次活动到夜晚10时左右。活动范围因栖息地条件略有差异，通常每只原麝活动范围10～18 hm^2，并以摩擦臀尾部的方式将自身的腺体涂擦在路旁的树干、木桩或岩石突出处，以示其领域，这也是在野外常见到麝摩擦臀部的原因。在交配季节麝具有集群性。在密度较低的情况下发情的母麝和公麝的聚积，主要靠腺体实现。麝的领域性是随幼麝性成熟而逐渐建立起来的，在性成熟的过程中，尾腺亦开始逐渐分泌排泄物。之后便在其巡行或取食的路径旁树桩上留下具有腥臭气味的蜡状物质，这就是领域的标志。活动有季节变化，喜居空气干燥、阳光充足的地方。夏季栖于高山阴坡，秋季随着天渐寒冷，则返居避风向阳地带。麝的适应性迁移并不影响它的恋巢性，对习惯了的生活区从不轻易离开，遇到人为干扰或其他敌害暂时离开后，不久就又回原区，猎人称之为“舍命不舍山”。麝的日常活动有较固定的巡行路线，路线上分布着若干主巢和临时巢，主巢一般有4个之多，每个主巢有2个出入通道，在躲避敌害时可迅速从某一主巢隐蔽地逃至另一主巢，而害敌尚无察觉。周而复始地往返行走形成很清楚的麝道。这种避敌行为实有“狡兔三窟”之妙。

麝还有在固定处所排便的习性，由于多次在一处排便，可堆积成小堆。粪便形状似羊粪但比之小。雄麝和雌麝粪便形状也有区别。雄性的粪便表面黑色、光滑、明亮而且具麝香味；雌性的粪便褐黑色，表面不甚光滑，无麝香味。林区猎人均有如上看法。但也有人持不同意见。据我们在养麝场的观察，虽然粪便的颜色和光泽与动物所食食物种类和消化系统状况有关，但雌雄麝粪便的区别是存在的。

4.1.4 麝香及其分泌

麝香是麝香囊内麝香腺的分泌物，俗称脐子，中药名元寸。麝香囊是扩大的包皮腺，位于紧贴阴茎开口的前方。麝香腺有排泄管，腺体为管泡状，属于外分泌腺。麝香的化学成分复杂，最具生理活性的物质是麝香酮和雄甾烷类，另外还有麝香吡啶、脂肪酸、22种C－C脂肪酸的胆固醇脂、10种C－C脂肪醇、氨基酸、肽类、尿素、铵盐、金属离子和水溶性物质。林麝的最初泌香反应时间为10～13个月龄，第一次麝香成熟时间为12～15个月龄。毛壳香鲜重平均 29.66 g,干重减半。据四川养麝所统计,麝活体取香时间一般在17 年以上。关于雄麝泌香机能是持续性分泌或是周期性分泌的问题,有两种观点。一种是雄麝泌香期为年周期性,一年一次,历时约一个月,时间集中在 5~7 月,在泌香盛期外不产麝香。另一种认为雄麝是常年泌香,也就是说不存在周期性,泌香是持续完成的。这说明泌香机理不甚清楚,因此加强泌香机理研究已成为一大课题。生理学研究表明,麝香分泌与雄麝体内雄性激素分泌有必然联系,并受雄性激素的调节和控制。对麝注射 LRH(下丘脑促黄体释放激素)、LH(垂体促黄体素)等,也能促其泌香。从麝香与雄性激素关系研究分析,我们认为泌香周期性理论更有说服力。

4.2 种类和分布

4.2.1 种类

河南现有原麝(*Moschus mochiferus*)和林麝(*Moschus herezovskii*)两种。据《哺乳动物分类名录》(1991)记载,河南省有马麝分布。在这次调查中,我们特作一问题留意收集有否马麝分布的资料或标本等,从各地的标本、照片以及其他材料看,河南并无马麝分布。之所以载有马麝,可能系原麝的误记。又据《豫西中部地区自然条件与自然资源》(1983)记载,河南伏牛山区有 *Moschus moschlferus*,即原麝。这次调查时,我们在豫西访问了许多猎人,均没发现原麝特征的麝。相反,我们在位于伏牛山南坡的内乡宝天曼国家级自然保护区标本室见到了林麝标本,该标本 1985 年采于该保护区,为一成体,除毛色略有变化外,保存完好;另外 1993 年在位于伏牛山北侧的崤山的渑池县,摄到偷猎者于本地捕获的数只麝的死体照片,也系林麝。这两处发现的林麝,地理位置均处于豫西地区。所以豫西中部地区有 *Moschus moschlferus* 记载,若非同物异名或者把麝属动物只按一种而论,估计是有误的。大别山区有原麝的分布已众所周知(安徽的原麝分布在金寨、霍山、岳西、六安、舒城 5 县,而金寨县与河南省商城原麝分布区毗连,安徽佛子岭养麝场所在的霍山县也是近邻),故这一山系分布的是原麝。据我们调查,河南省林麝与四川林麝有一定差异,后者毛色较前者淡。林麝毛色也因个体而有较大变化。这种现象也被林区许多老猎人所认识。据他们描述,獐子(即林麝)有三种,分别称为"黑青"、"甘草黄"和"老苍白","黑青"即以棕褐色为主的色泽,"甘草黄"即淡黄褐色,"老苍白"即乳灰色。笔者曾出示在四川养麝所拍摄的林麝照片,对方竟不假思索地称之为"甘草黄"。此虽系这个行当的通俗命名,似乎也反映了林麝的毛色变异情况,值得进一步探讨。

4.2.2 分布

河南省麝的分布区,以豫西山区为大,黄河以北的太行山和豫南大别桐柏山次之。前两片为林麝分布区,后片为原麝分布区。

原麝分布:原麝现在仅产于信阳市的商城县和南阳市的桐柏县。商城县仅在东南山区的苏仙石和长竹园两乡,以及金刚台和黄柏山两国营林场。桐柏县只在鸿仪河乡和国营陈庄林场有分布。两县之间从东至西相隔罗山、光山、新县和信阳 4 县。显然在河南桐柏这片已成孤岛,加之数量少、密度小,按当前的趋势,如不采取断然措施,绝迹几乎不可避免。河南大别山区的固始、光山、新县、罗山、信阳 5 县均无分布。《固始县外贸志》和《固始县中药材资源普查》均无麝皮和麝香收购的记载,说明该县早已无麝。光山和新县的情况大体如此，1936 年《光山县志》（当时光山县辖现在新县的部分山地）记载药类 102 种，无麝香记载。再早可查宁波天一阁收藏的明代嘉靖二十四年（公元 1545 年）的《光山县志》，此志仅记载有苍术、桔梗等 20 多种地产中草药，也无麝香记载。1957 年信阳地区药材公司对新县野生药材资源全面普查；1959 年新县派药农、地产收购员配合河南省野生植物资源普查队新乡师范学院分队，对新县深山区中草药资源进行了调查；1971 年又一次组成中草药普查专业队历时一年，查出中草药 862 种，其中动物类药材 53 种，均无麝和麝香的记载。在新县我们还调查了该县计经委所属的信阳羚羊山制药厂。这个厂以前曾生产过"虎骨麝香止痛膏"，因虎骨禁用，改产"麝香止痛膏"和"麝香追风膏"。据厂知情者介绍，所需麝香全部从外地购进，历来如此，从没在当地收购过，偶而遇有携一两个毛壳者，也是外地流入或假药骗子。可见，光山、新县一带自明代以来就没有原麝的分布了。罗山和信阳两县在 20 世纪 80 年代中期的中药资源普查及新中国成立后的畜产品收购资料中均无麝香或皮张记录。

确山县山区为桐柏山的余脉，这里曾经分布有原麝。清代乾隆十一年（公元 1746 年）该县周之湖纂修的《确山县志》记有獐子，1956～1982 年确山县的收购药材品种无麝香。1983 年 3 月编写的《确山县林业区划》和 1984 年 12 月出版的《确山县医药志》中也无獐子。但是从确山县外贸局退休畜产收购员处得知，20 世纪 60 年代以前，有的年份能收到一两张獐子皮。这说明直到 60 年代确山县还是有原麝分布的。原来的分布区主要在薄山水库以南的山区，60 年代国家在这里建立打靶场，70 年代靶场规模更大，落弹区面积达 6 700 hm^2。据了解这是该县原麝绝迹的主要原因之一。

林麝的分布：林麝的分布区最大，总面积 7 956 km^2，占全省麝分布区的 95%，其中豫西山区 7 698 km^2，豫北太行山 258 km^2，各县分布情况详见表 1-3-10。

4.3 数量及变化

4.3.1 逻辑斯蒂种群模型

由于河南省麝分布区面积大，又很分散，数量调查的任务繁重。因此，我们拟利用部分县（市）的麝香收购及其他方面的资料，力求较准确计算和描述麝的数量和种群消长情况。

在我国经济体制改革以前，各行业具有较大的计划性，与麝利用有关的外贸、医药部门每年都有指定的计划任务。如计划收购若干万张的野生动物皮张或一定量的地产中草药等。这些部分为了完成任务，组织了多种形式的收购工作。据对外贸和医药部分的了解，他们大体采取自设收购点和与供销社签定收购合同的办法。具体做法是：甲方（医药公司或外贸局）主收，乙方供销社代购，甲方付乙方代购手续费。医药公司和供销社签定合同时，规定野生药材手续费的收取按 8%，家种药材按 4%，麝香按野生类对待。乙方保证质量，收购产品交给国家。各县的供销社收购点分布在每个乡，较大的村落设双代点，可以说代购单位加上自设的收购点遍布全县各个产区，因此收购是较全的。如南阳地区淅川县，县医药公司和供销社就是以这种形式合作的。当时淅川县供销社系统的代购点达 357 个之多（其中供销社 76 个，双代点 281 个）。网点不及的毗邻区，国合双方协商，也委托少数个体户串乡收购，这些个体户相当于流动的收购点。那时群众猎到麝后，一般都将皮张和麝香拿到供销社或医药公司卖掉,虽然当时的价格相当便宜,但因为没有其他的渠道获得经济利益,只有交给国家。麝香的用处很大,有时猎到带香麝要留一部分香自用,量也很小。因此,这些收购数字比较准确地反映了当时麝资源的利用量。我们利用表1-3-11中数据建立逻辑斯蒂种群模型。

表 1-3-10 河南省麝属动物分布表

山系	县(市)别及具体位置	面积(km^2)	种类	数量(只)
中条山	沁阳县:白松自然保护区	10	林麝	4
	济源市:黄楝树、蟒河、愚公三国营林场及附近群营林区	248	林麝	92
崤山	渑池县:韶山、黄顶山一带	64	林麝	24
	陕县:姚店林场、店子乡	200	林麝	74
	灵宝市:东至寺河,西至柿子园,南至园艺场,北至陕县交界	279	林麝	103
熊耳山	卢氏县:除城关乡外的18个乡	1 258	林麝	466
	洛宁县:县南山区	352	林麝	130
伏牛山	栾川县:县南与西峡县交界处的陶湾乡至庙子乡区域	249	林麝	92
	嵩县:旧县、大章、纸房、黄庄以南山区	1 052	林麝	389
	南召:乔端、马市坪、板山坪3个乡	1 092	林麝	404
	淅川县:荆紫关、西簧、毛堂3个乡	520	林麝	192
	西峡县:丁河、蛇尾、二郎坪一线西北12个乡镇	1 520	林麝	563
	内乡县:七里坪、夏馆、板厂及万沟林场	790	林麝	292
外方山	汝阳县:付店、王坪、靳村以南山区	249	林麝	92
	鲁山县:石人山及其周围二郎庙乡	73	林麝	27
大别山	商城县:东南部山区的苏仙石、长竹园两乡及金刚台、黄柏山国营林场	379	原麝	140
桐柏山	桐柏县:鸿仪河乡、陈庄林场	42	原麝	16
全省合计		8 377		3 100

表 1-3-11 4县麝香历年收购数量统计表 (单位:g)

县别	年份									
	1974	1975	1976	1977	1978	1979	1980	1981	1982	1983
卢氏县(W_1)	5	4	0	2	3	1	4	4	0	382
西峡县(W_2)	313	563	250	63	94	3 300	1 500	100	212	104
淅川县(W_3)	500	550	750	750	700	1 200	2 300	1 528	883	416
内乡县(W_4)	200	100	100	50	50	200	100	0	144	50
合计	1 018	1 217	1 100	865	847	4 701	3 904	1 632	1 239	952

据我们对收购人员的访问,以上收购数据,绝大部分为毛壳香重量,有极少量不带壳的,可以忽略不计,而且这 4 个县均是林麝香。林麝毛壳香鲜重 7 钱到 1 两 2 钱(16 两为 500 g),平均为 29.68 g,干重 14.84 g,这和我们在分布区各县药材公司和收购部门调查的平均重量基本一致。另据戴卫国等(雄麝年龄与其泌香量的关系.动物学杂志,1991,26(6):45~48)对四川米亚罗养麝场林麝泌香量的研究,平均泌香量为 14.84 g 的林麝其平均年龄为 5.5 岁,5.5 岁雄麝的有效取香率为 95%。又据捕猎雄麝约占总捕猎量的 1/3 和标准捕取率 14%(吴名川.广西林麝生态考察和资源的消长.动物学杂志,1990,25(3):51;郑永烈,等.陕西省经济鸟兽的蕴藏量.野生动物,1984(6):5~7),可得如下关系式:

$$m_i = \frac{\sum W_i}{14.84}$$

式中:m_i 为第 i 年度利用的毛壳香数,即取香的雄麝数;$\sum W_i$ 为第 i 年度卢氏、西峡、淅川、内乡 4 县的总计收购麝香质量,g;14.84 为平均每枚毛壳香质量,g。

$$M_i = \frac{m_i}{0.95}$$

式中:M_i 为第 i 年度总计捕猎的雄麝数;0.95 为有效取香率。

$$G_i = \frac{M_i}{1/3}$$

式中:G_i 为第 i 年度总计捕猎的林麝数;1/3 为被捕猎雄麝占总捕猎量的比例。

$$x_i = \frac{G_i}{0.14}$$

式中:x_i 为第 i 年度蕴藏量;0.14 为标准捕获率。

用上面关系式处理表 1-3-11,可整理成表 1-3-12。

表 1-3-12　4 县麝香收购量统计处理表

项目	年份									
	1974	1975	1976	1977	1978	1979	1980	1981	1982	1983
$\sum W_i$(g)	1 018	1 217	1 100	865	847	4 701	3 904	1 632	1 239	952
m_i(枚)	69	82	74	58	57	317	263	110	83	64
M_i(只)	73	86	78	61	60	334	277	116	87	67
G_i(只)	219	258	234	183	180	1 002	831	348	261	201
x_i(千只)	1.564	1.843	1.671	1.307	1.285	7.157	5.936	2.486	1.864	1.436

根据生物的种群增长符合于下式的规律:

$$\frac{dx}{dt} = F(x) = rx(1-\frac{x}{K}) \quad ①$$

式中：r 为固有增长率；x 为种群量；K 为环境负载容量。

因此无需用多项式去逼近，只需用非线性回归即可。式①是描述动物种群消长情况的极好的种群模型，将式①的微分方程两边积分，经多次推导得

$$x(t)=\frac{K}{1+ce^{-rt}} \quad ②$$

式中 r = 参加繁殖雌麝所占比例×产仔率×成活率 $-\frac{2}{2\times \text{平均生态寿命}+1}$

$$=50\%\times 161.9\%\times 73.3\%-\frac{2}{2\times 10+1}=0.498$$

将 r 值代入式②得

$$x(t)=\frac{K}{1+ce^{-0.498t}} \quad ③$$

为了将这个方程式化为直线关系 $y=a+bz$，令 $y=\frac{1}{x(t)}$，$z=e^{-0.498t}$，则式③化为 $y=\frac{1}{K}+\frac{c}{K}z$。然后将表 1-3-12 整理成表 1-3-13。可得 $a=\frac{1}{K}=0.4772$，$K=2.096$；$b=\frac{c}{K}=0.3219$，$c=0.6746$，代入式③得逻辑斯蒂种群模型

$$x(t)=\frac{2.096}{1+0.6746e^{-0.498t}} \quad ④$$

表 1-3-13 逻辑斯蒂方程线性处理表

t	1	2	3	4	5	6	7	8	9	10
z	0.607 7	0.369 4	0.224 5	0.136 4	0.082 9	0.050 4	0.030 6	0.018 6	0.011 3	0.006 9
y	0.639 4	0.542 6	0.598 4	0.765 1	0.778 2	0.139 7	0.168 5	0.402 3	0.536 5	0.696 4

4.3.2 种群动态

据研究，在种群受到绝对保护从而使麝的利用维持较大的持续收获量的条件下，可狩猎量为总蕴藏量的 20%。式④模型是利用 1974～1983 年间的收购数字建立的，这期间是野生动物遭到较大破坏的时期。例如卢氏县 1981 年就收购麝皮 116 张。因此，我们估计利用量不会低于蕴藏量的 10%。当把这个模型看作受到收获率 $h(t)=0.1x$ 影响的逻辑斯蒂方程，纯比例增长率等于 0.498 时，有

$$F(x)=rx(1-\frac{x}{K})$$
$$h(t)=0.1x$$

为了求出该方程组中的 z 值，把已知变量 t 的值代入式④，即

$$x(t)=\frac{2.096}{1+0.6746e^{-0.498\times 19}}=2.096(\text{千只})$$

将 $x(t)$ 值代入上述方程组，即

$$F(x)=0.498x(1-\frac{x}{2.096})$$

$$h(t) = 0.2096$$

并把这个方程组用图表示,可得方程组的解

$$x_1 = 1.513(\text{千只})$$

$$x_2 = 0.583(\text{千只})$$

由图 1-3-1 可以看出,这两个种群蕴藏量数字就是动态的逻辑斯蒂模型所表现的两个种群平衡点。种群量 x_2 是不稳定的平衡点,保持现有捕获压力下,当蕴藏量小于 x_2 或大于 x_1 时,资源呈下降趋势;当蕴藏量大于 x_2 小于 x_1 时,资源将呈增长趋势。因此按照模型④,卢氏、西峡、淅川、内乡 4 县麝资源量达到最大之后,由于受环境破坏和非法猎捕的影响,其蕴藏量值将向 1.513 千只趋进,最后达到 1.513 千只而趋于稳定。

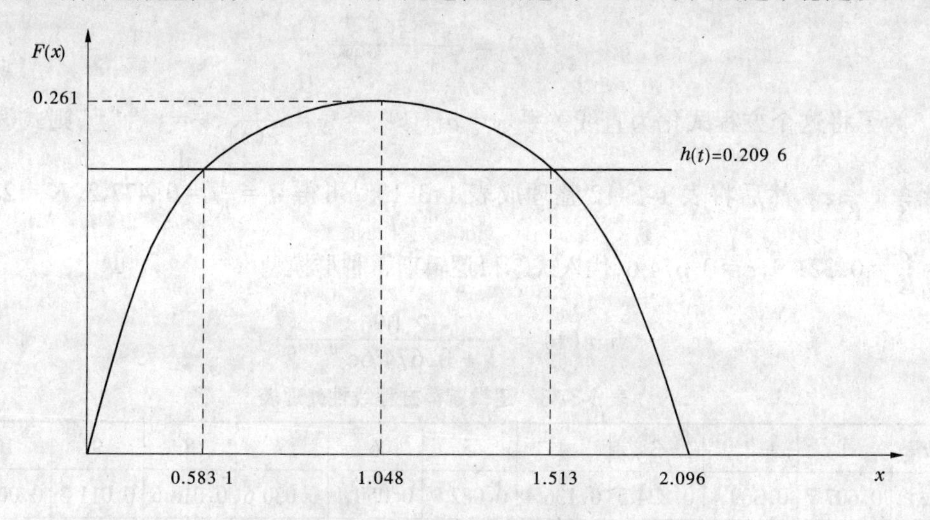

图 1-3-1 具有恒定收获率 h 的逻辑斯蒂模型曲线图

根据表 1-3-10 中卢氏、西峡、淅川、内乡 4 县林麝分布面积,用 $x=1.513$ 千只,可得密度等于 0.370 1 只/km^2,不考虑林麝和原麝分布密度差异。根据推算,全省约有3 100只麝,其中原麝 156 只,林麝 2 944 只。各县(市)资源量的估计值详见表 1-3-10。

4.4 饲养利用

历史上河南养麝只有两例,一为洛阳地区嵩县五马寺林场,另一例为信阳地区信阳县谭家河公社。五马寺林场于 1974 年在杨树岭大木通沟口兴建鹿场,并在鹿场侧另建獐圈一所,房 4 间,投资 2 万余元。该场到洛阳地区医药站鹿场接回獐子 4 头,其中雄麝 1 头,雌麝 3 头。因饲养技术不过关,致使麝全部死亡(摘自《嵩县医药志》)。

信阳县养麝场前身称谭家河"五·七"药场,位于谭家河公社李畈大队玉皇顶,占地面积 200 多 hm^2,于 1969 年 4 月 1 日正式建成,系信阳县农村合作医疗系统的县社共同建设的药场。该场有草房 16 间,职工干部 64 人,其中有县医药公司下放的 8 人。1973 年该场与李畈大队签订合同以 4 000 元买下药场地皮,同年成立养麝组,经费由省、地、县科委拨给。1976 年 4 月经信阳县委决定改"五·七"药场为"信阳县药场",并纳入卫生财政计划。当时有国家干部 2 人,医生 1 人,职工 70 人。1973 年 9 月从栾川买回 8 只麝(雄 3

只,均3岁;雌5只,2～5岁)。1973～1983年10年间共取香596 g。饲养场到1985年只剩下2只麝,饲养繁殖情况见表1-3-14。

表1-3-14 信阳县养麝场饲养繁殖情况表（单位:只）

项目		年度										
		1973	1974	1975	1976	1977	1978	1979	1980	1981	1982	1983
存栏数		8	8	10	26	52	40	30	27	25	19	10
成麝	雄	3	3	3	10	13	11	8	7	5	5	4
	雌	5	5	5	16	17	8	11	9	7	5	2
幼麝	雄			1		16	8	7	5	6	4	1
	雌			1		6	13	4	6	7	5	3

注:摘自《信阳县医药志》。

河南省利用麝及其产品直接进行生产经营的只有位于信阳地区新县的信阳羚羊山制药厂。该厂以前生产“虎骨麝香止痛膏”,虎骨禁用后改产“麝香止痛贴膏”和“麝香追风膏”。据介绍,该厂以前每年消耗麝香10 kg左右,近年也可达5 kg,但都是从外地购进。

4.5 问题与建议

4.5.1 环境恶化

首先是森林的破坏。如明代太行山沁河流域,沁阳县境内的一些山脉森林还甚为繁茂,济源县王屋山区也是绿竹与古柏一望无际;豫西伊洛河流域,唐代尚有“周秦几何变,伊洛水犹清”之美名,宋时有“引洛入汴”工程,说明这些地区森林植被还较好。但遗憾的是被先人们称之为“清洛”的洛河,宋代以后就名不符实了。沁河流域到明代中叶森林就受到严重破坏,河水更是“泾水一石,其泥数斗”。而豫南大别山,据1971年的《河南日报》编者按:自东双河到武胜关铁路两侧10余km内,被砍伐林木要想恢复起来,起码需要30年。环境恶化的程度可想而知,麝分布区缩小和资源下降自不待言。

其次,气候变化、自然灾害、社会经济活动等,都会对环境造成不利影响,从而影响麝的生存发展。如信阳县谭家河公社养麝场,1977年农历5月后,天气炎热,常有麝发生死亡。5月15日夜,闷热,雷雨交加,有4雄1雌死亡。这些现象虽然发生在养麝场,但由此推断野生麝也会受到不同程度的侵害。还有灵宝小秦岭地区开发金矿,从业人数曾达4万余人,可谓“百家成群,千夫为邻,逐之不可,禁之不从”,因此导致此区麝几乎绝迹。

4.5.2 过度捕猎

捕猎过度是麝种群消长的重要原因。历史证明,种群消长受政府部门对野生动物管理政策影响极大。解放初期,当时山区野猪和狼等为患严重,地方政府号召组织狩猎队,将狩猎作为农村的一项重要工作来抓,对捕猎能手给以表彰和奖励。比如卢氏县,当时县里规定每打死一个山豖(山猪)奖小麦150 kg,这极大地调动了狩猎者的积极性,此期野生动物资源受到很大破坏。20世纪50年代至60年代中期,农民转入合作社,政府的狩猎奖励政策终止,狩猎者减少,动物数量有所恢复,1965年的麝香收购量为最高年份,就有力地说明了这一点。文化大革命时期又是一个破坏高峰，据《卢氏县林业志》记载："六十至七十年代，西峡县、内乡县一带的狩猎者经常在卢氏各山上以绳套香獐，历时十几年，大大地破坏了卢氏珍贵的野兽资源"。"文革"后至20世纪90年代中期，虽然林业部门采取了多种保护措施，但由于此期大量猎枪流入社会，许多原来的土枪换成了单筒或双筒猎枪，据估计仅西峡县就有各种猎枪1万支以上，所以对麝等野生动物资源的破坏仍然是有禁不止。1986年6月对卢氏县狮子坪乡所辖11个村的调查表明，村村有自愿结合的狩猎组，狩猎人员达200余人，持枪猎手70余人，饲养猎犬60余只。据不完全统计，1984年冬至1986年春仅狮子坪乡打野猪就达200头以上。1991年春节期间，在渑池县韶山就发生一起多人围猎林麝，打死4只的重大案件，使渑池县分布于韶山、黄顶山两处残存的林麝群破坏了1/8。近年来，保护野生动物的宣传工作不断深入，但效果有限。在某县林业志上还把打猎能手以功臣标榜，印着"以记入史册，供后人效仿"的文字，即使是尊重历史，那么"供后人效仿"也是值得商榷的。这至少说明，野生动物保护的必要性还没被广大群众所认识，甚至部分文化人这方面的知识也是相当可怜的。我们在调查时常会碰到有人问：保护野生动物岂不是连老鼠也要保护吗？这是一种把对保护的理解狭义化了的典型认识。保护不意味着不能利用，但过度利用会导致种群渐趋灭绝。因此，保护包含着科学管理。

4.5.3 种群模型与管理措施

河南省麝的种群综合栖息环境密度能够达到0.50只/km^2，与其他省份相比是较高的，但并不意味着全省麝资源状况是令人乐观的。这是因为卢氏、西峡、淅川、内乡4县的林麝数量，正好处于小于K值和大于x_1之间。在建立模型过程中已有说明，即种群在大于x_1时资源量将趋小，所以上面4县麝的数量将向种群平衡点x_1趋近，也就是说种群呈递减趋势。况且种群还受到捕获率的压力，如果捕获率超过0.261，种群即有灭绝的危险。

那么当前管理部门应该选择什么样的管理目标呢？显然，首先是能够获得最大持续产量。虽然麝作为国家重点保护动物，不宜追求单纯的经济利益。但把获得最大持续产量当作管理目标，其一可获得经济效益，其二也可减轻不法分子乱捕滥猎对提高种群数量的压力。再看逻辑斯蒂方程：

$$F(x) = rx(1 - \frac{x}{K}) \text{ 即 } F(x) = 0.498x(1 - \frac{x}{2.096})$$

由函数的极值理论可知，此函数有极大值。当$x = 1.048$时，极大值$F(x) = 0.261$千只。这个极大值便是我们期望获得的最大持续产量。鉴于更新资源管理的首要而基本的原则就是：持续产量取决于更新资源的存储水平。所以，提高资源蕴藏量是提高最大持续产量的最重要手段，从这个意义上说恢复濒危动物的数量，就是提高产量。我们在模型里提出环境容量$K = 2.096$千只，如果单从模型来理解，应该是种群数量不会超过2.096千只水平的。但那是根据过去一段时间的利用情况确定的，有一定的环境基础。如果我们提高麝栖息地的环境质量，则K值会相应地增大，所以保护栖息环境和保护麝本身同等重要。

第 4 章　野生动物资源保护管理与利用状况

第 1 节　野生动物资源利用状况

1.1　野生动物产品加工及贸易状况

1.1.1　野生动物产品加工业

调查显示,河南省野生动物及产品加工地主要位于濮阳市清丰县、平顶山市郏县、开封市兰考县、漯河市区、三门峡市区、新乡市区、商丘市宁陵县等地。大多是对本饲养场(公司)的野生动物及产品进行加工,如将毛皮动物加工成毛皮原料,将药用动物进行炮制或用其他方法加工成中药材,将肉用动物加工成肉食品等。从全省看,加工规模较小。主要加工对象有:果子狸、兰狐、银狐、貉、猪獾、狗獾、草兔、梅花鹿、马鹿、海狸鼠、鸵鸟、七彩山鸡、鹌鹑、雉鸡、乌梢蛇、王锦蛇、莱花烙铁头、腹蛇等。加工数量较大的单位,如兰考特种动物养殖场,年加工 20 000 只兔,加工 2 000 条蛇,新乡中原养鹿场年加工鹿茸 26 kg,清丰县高林养狐场年加工狐皮 2 500 张,其他饲养场(公司)加工数都较小。

1.1.2　野生动物产品国内贸易

1997 年全省野生动物及其产品国内贸易涉及濮阳市、平顶山市、开封市、漯河市、南阳市、三门峡市、新乡市、洛阳市、商丘市、郑州市等 10 个省辖市,贸易对象 48 种,贸易额 737.02 万元。

1.1.3　野生动物产品国际贸易

据河南省林业厅野生动植物保护处 1989 年以来进出口档案记录,全省野生动物及其产品出口贸易较少,贸易额仅 201 525 美元,而进口贸易则没有一宗记录。出口动物及其产品种类有豹猫皮、狸腿材料褥子、参茸三鞭补酒、麝香消痔栓、特质蝮蛇酒、黑眉锦蛇皮坯、乌蛇干等,主要向意大利、日本、新加坡、马来西亚、泰国、香港等国家和地区出口。主要出口单位有河南长城(集团)公司、河南省畜产进出口公司、河南省医药保健品进出口公司、中国医药保健品进出口公司河南分公司等。

1.2　野生动物驯养业

河南省兼南北气候之长,生态环境多样,适宜养殖野生动物的种类很多,但养殖的种类和数量起伏较大。从 20 世纪 50 年代起,先后养殖过土圆、蝎子、蚯蚓、蜈蚣、蜗牛、鳖、鹌鹑、梅花鹿、马鹿、麝、水貂、艾虎、貉、海狸鼠、麝鼠等。60 年代初开始养鹿事业后,全省共建较大的养鹿场 17 处,各市地公园也都有养殖。1977～1982 年养鹿发展到高峰,每年省内收购鹿茸 600～800 多 kg。后因销售问题,1985 年只剩汤阴、禹县 2 个鹿场。60 年代初,曾于荥阳、西峡建立野生动物饲养场,主养海狸鼠,1964 年后停办。70 年代末以后,不少单位和专业户饲养大鲵、长尾雉、水貂、欧州艾虎、东北貉、麝鼠、兰狐、灵猫、果子狸等。1973年河南省引进种水貂200余只，1979～1980年为饲养高峰期，全省发展到27万余只，每年留种12.5万只。后因饲料紧张，技术水平跟不上，1985年全省只有5 000～6 000只，主要分布于洛阳、南阳、开封、商丘等地。1981年引入欧州艾虎，其繁殖率高，每年2胎，每胎平均11只。但因毛色变异大，皮张质量差，两年后全部淘汰。1985年后陆续引进东北貉在信阳、西峡、范县、夏邑等处饲养。1995年开始引进非洲鸵鸟，现在三门峡、新乡、濮阳等地有养殖。

1.2.1 救护中心、饲养场、动物园建设现状

据本次调查，全省共有177家饲养单位(另有1个救护中心)，以贸易为饲养目的的131家，科研2家，其余44家以展(演)出为主。以贸易为饲养目的的饲养单位大部分是小规模的个体饲养单位，只有少部分饲养单位具有一定饲养规模，而且集中饲养鸵鸟、梅花鹿、马鹿、兰狐、银狐等少数种类，如三门峡利贝加鸵鸟公司、濮阳高林养狐场、新乡中原养鹿场等，分别养殖鸵鸟450只，狐1 000只，梅花鹿100多只。以展出为目的的饲养单位绝大部分为洛阳市孟津县的个体展演团，另一部分为动物园。全省省辖市级城市建立动物园或公园中动物园的有平顶山动物园、濮阳动物园、鹤壁园林处、周口公园、驻马店南海公园、南阳动物园、信阳 浉河动物园、洛阳市王城公园、安阳市洹水公园、郑州市动物园，以郑州市动物园饲养的种类最多，馆舍建设规模最大，技术条件较好，目前已形成以动物展览为主的大型动物园。县级城市建立动物园的只有南阳市内乡公园，饲养近10种动物。

全省有野生动物救护中心1处。河南省野生动物救护中心成立于1996年，编制30人，位于郑州市北郊，占地18 hm^2，有技术人员多名，成立7年已救护多种国家重点保护动物。信阳市野生动物救护中心为信阳市林业局所属，但因没有纳入地方财政预算，救护条件差，难以开展救护工作。

1.2.2 饲养动物状况

全省饲养动物种类共153种，其中以科教为饲养目的的主要有大鲵、白冠长尾雉、猕猴等3种，以贸易为饲养目的的主要有东北钳蝎、牛蛙、鳖、乌梢蛇、王锦蛇、蝮蛇、鸵鸟、鹌鹑、雉鸡、七彩山鸡、珍珠鸡、虎皮鹦鹉、鸳鸯、猪獾、狗獾、果子狸、兰狐、银狐、貉、水貂、马鹿、梅花鹿、海狸鼠、旱獭等26种，其余124种均为各动物园及展演团所饲养。

截至1997年底，全省各地饲养的主要珍贵动物种类及数量如下：大鲵1 638条，杨子鳄18条，巨蜥78条，丹顶鹤5只，白枕鹤8只，灰鹤18只，白腹锦鸡33只，白颈长尾雉3只，白冠长尾雉77只，大天鹅8只，鸳鸯217只，华南虎5只，东北虎34只，金钱豹17只，云豹2只，非洲狮17只，美洲狮1只，黑熊28只，棕熊4只，麋鹿9只，梅花鹿1 208只，马鹿282只，金丝猴1只，黑叶猴1只，猕猴392只，亚洲象3只；饲养的主要经济动物种类及数量如下：牛蛙40 004只，蛇(包括王锦蛇、乌梢蛇、蝮蛇等)27 464条，雉鸡615只，七彩山鸡3 147只，鹌鹑550只，鸵鸟2 435只，兰狐8 413只，银狐1 477只，貉259只，果子狸811只，水貂60只，海狸鼠24 093只。

第 2 节　野生动物资源保护管理

2.1　管理体制及机构建设

2.1.1　管理体制

野生动物保护管理体制是自新中国成立后逐步建立起来的。1958 年 2 月,国务院责成林业部统管全国狩猎事业。根据林业部关于保护野生珍稀动物的指示,河南省林业厅、卫生厅、商业厅等单位,于 1960 年联合发出组织狩猎捕鼠的通知,要求在开展狩猎活动的同时,必须保护幼兽和珍稀野生动物资源。1961 年河南省林业厅制定了《河南省狩猎暂行管理办法(草案)》,贯彻中央提出的"护、养、猎并举"方针,规定要积极保护益鸟、益兽及其巢穴,对珍贵稀有或特产鸟兽如白冠长尾雉、鹿等禁止猎捕,对金鸡、水獭等要严格控制猎取量。文化大革命前的三四年间,每届狩猎季节,河南省林业厅、外贸局等单位,均采取措施落实《河南省狩猎暂行管理办法(草案)》,强调保护禁猎、限猎对象。20 世纪 80 年代初,河南省人民政府在批建 16 个自然保护区的同时,还于 1982 年 5 月发布了《关于保护野生珍稀动、植物的布告》,布告中规定了国家重点保护动物 18 种,对农林牧等生产有益和河南省内稀有动物 21 种。

1989 年 3 月 1 日《中华人民共和国野生动物保护法》颁布实施,明确了野生动物资源属于国家所有,县级以上人民政府林业、渔业行政部门分别主管本行政区域内陆生、水生野生动物的保护管理工作,公安、工商行政管理、海关、医药、卫生、邮政、运输等有关部门协同野生动物行政主管部门做好野生动物保护管理工作。随着法律法规的出台及各级政府对保护野生动物工作的重视,河南省野生动物保护管理体制的组织结构发生了较大的变化,目前已基本上形成了以省、省辖市、县(市、区)、乡(镇)4 级林业行政主管部门,国家级自然保护区、省级自然保护区和县级自然保护区三级保护基地等为框架的保护管理组织体系。保护管理机制也依法逐步建立起来。按照有关法律法规的规定,对国家重点保护野生动物和有益的或者有重要经济、科学研究价值的陆生野生动物,由县级以上人民政府林业行政主管部门按照《中华人民共和国野生动物保护法》进行管理;对省重点保护动物按照《河南省实施〈中华人民共和国野生动物保护法〉办法》进行管理。1994 年《国家工商行政管理局关于授予县级以上陆生野生动物行政主管部门行政处罚权的函》,授予全国县以上(含县级)陆生野生动物行政主管部门对集贸市场以外违法经营国家或地方重点保护陆生野生动物及其产品行为的依法处罚权,同时有关规章规定林业行政主管部门和工商行政管理机关对查处违法经营国家或者地方重点保护陆生野生动物及其产品的行为都负有职责。

2.1.2　管理机构

河南省林业厅是河南省野生动物保护管理工作的主管部门,设置有"野生动植物保护处"和"野生动物救护中心",河南省部分省辖市设置了野生动植物保护科(站)。三门峡、信阳、平顶山、焦作、济源、安阳、南阳等省辖市成立了专门的野生动植物管理机构,其余省辖市指定了专门的管理机构或配备了专职工作人员。信阳市还成立了野生动物救护中心;三门峡市和开封市分别成立了“三门峡库区湿地自然保护区管理局”和“开封柳园口湿地自然保护区管理站”。县级林业主管部门也全部将野生动植物保护管理纳入职责范围,不同程度地开展了工作。全省乡(镇)林业工作站按照林业部文件精神,增挂了“野生动物保护管理站”牌子,强化了乡级林业工作站的野生动物保护管理职能。全省目前共有省辖市保护管理机构18个,县(市、区)保护管理机构158个,乡(镇)林业工作站也都普遍建立了野生动物保护管理工作站。

2.1.3 队伍建设

全省保护管理队伍有所壮大。现有保护管理人员961人,其中省林业厅野生动植物保护处5人,各省辖市野生动植物保护管理科(站)88人,县(市、区)保护管理人员868人。保护管理人员的文化程度普遍较高,县(市、区)管理部门人员大学本科108人,占12.4%,大学专科232人,占26.7%;中等专业毕业342人,占39.4%;高中以下186人,占21.5%。近年来,经过保护管理实践,特别是在野生动物资源调查和救护工作中,各级管理人员对野生动物保护管理的专业知识和法律法规有了更多的了解。1997年以来,各级野生动物保护管理部门还开展了管理人员执法考试,各地还采取培训、在职学习、脱产进修等形式提高管理人员的专业水平和执法水平,使全省野生动物保护工作者整体素质有了较大提高。

2.2 法制建设

2.2.1 法律法规

自1989年《中华人民共和国野生动物保护法》和国务院《中华人民共和国陆生野生动物保护实施条例》等法律法规相继颁布实施以来,河南省也制定了相应的地方法规、规章和规范性文件,如《河南省重点保护野生动物名录》、《关于保护珍贵稀有野生动植物的布告》、《河南省森林和野生动物类型自然保护区管理细则》、《关于加强珍稀野生动物保护的通知》、《河南省实施〈中华人民共和国野生动物保护法〉办法》等。河南省林业厅还和有关厅局联合转发或制定了《河南省国家保护的有益的或者有重要经济、科学研究价值的陆生野生动物名录》、《关于发布〈陆生野生动物资源保护管理费收费办法〉的通知》、《关于陆生野生动物刑事案件的管辖及其立案标准的规定》等重要文件。这些法律、法规、规章和规范性文件的出台,使河南省野生动植物保护管理工作基本上实现了有法可依、有章可循。目前,亟待制定捕捉、猎捕或经营利用河南省重点保护野生动物及其产品和国家保护的有益的或者有重要经济价值、科学研究价值的陆生野生动物及其产品的资源保护管理费收费标准。

2.2.2 执法状况

在法律法规的遵守方面,河南省各级人民政府和野生动物行政主管部门积极行使法律法规赋予的职责,大力开展保护野生动物的宣传教育,严格猎捕管理、驯养繁殖管理和经营利用管理,实行“特许猎捕证”和“狩猎证”制度、《国家重点保护野生动物驯养繁殖许可证》和《河南省重点保护野生动物驯养繁殖许可证》制度、《陆生野生动物或其产品出省运输证明》制度以及野生动物及其产品进出口审批制度。全省广大群众的法律意识也有较大提高。

在法律的制裁方面，河南省把严厉打击乱捕滥猎和非法倒卖珍稀野生动物的犯罪活动作为重点，针对违法犯罪分子的作案特点，制定行动方案，采取部门日常管理、突击行动和多部门行动相结合的方式，联合公安、工商等部门，集中开展了保护野生动物执法检查，对城乡宾馆、饭店、集贸市场等单位进行了清理整顿，查处了大批案件。在野生动物的驯养繁殖、野生动物及其产品的经营利用，特别是野生动物在流通领域的管理等方面做了大量工作，收到了明显效果。例如，1997 年结合全国性“严打”斗争，河南省各级野生动物行政管理部门及林业公安执法人员共查处破坏野生动物资源较大案件 68 起，查获非法捕杀、运输、收购、贩卖的青蛙 2 万余只、蛇近 200 kg、黄缘盒龟 1 只、巨蜥 1 只、猫头鹰 49 只、小麂 326 只、狍子 22 只、青羊 9 只、果子狸 44 只、黑熊 3 只、猕猴 6 只、豹猫 1 只、东北虎 3 只、非洲狮 3 只、金钱豹 1 只、大熊猫皮 1 张，有力地打击了违法犯罪活动，震慑了犯罪分子。

2.3 保护区建设

截至 2001 年 6 月，全省共建有 22 个自然保护区，其中渔政部门管理 4 个大鲵保护区，环保部门管理 2 个自然保护区，其余 16 个自然保护区为林业部门管理。全省自然保护区总面积 35.00 万 hm^2，占全省总土地面积的 2.1%。其中林业部门所属面积 31.29 万 hm^2，环保部门所属面积 3.37 万 hm^2，渔政部门所属面积 0.34 万 hm^2，分别占全省土地面积的 1.87%、0.20% 和 0.03%。

全省有国家级自然保护区 6 个，省级自然保护区 13 个，县级自然保护区 3 个。其中有 2 个国家级保护区、5 个省级保护区、3 个县级保护区位于伏牛山区；2 个国家级保护区、2 个省级保护区位于在大别山区；1 个省级保护区位于桐柏山区；1 个国家级保护区位于太行山区；1 个国家级保护区、5 个省级保护区位于黄河和黄淮平原。

2.4 禁猎区建设

2000 年 3 月 2 日，河南省林业厅在豫林护[2000]29 号文《关于确定禁猎区域及有关问题的通知》中，公布了首批确定的河南省禁猎区域名单，共 26 个县(市、区)，同时规定禁猎区还包括名单以外的自然保护区、森林公园、国有林场、黄河滩区、水库、湿地、城镇市区以及城市郊区、部队营区及军事禁区、风景名胜游览区等。另外通知还规定了在禁猎区内禁止使用的猎捕工具和猎捕方法。首批确定的禁猎区域名单如下：栾川县、嵩县、汝阳县、宜阳县、洛宁县、登封市、林州市、辉县市、卢氏县、陕县、渑池县、灵宝市、鲁山县、确山县、泌阳县、南召县、西峡县、内乡县、淅川县、桐柏县、信阳市平桥区、信阳市 浉河区、商城县、罗山县、新县、济源市。

2.5 宣传教育

野生动物保护是一项社会性、公益性很强的事业，需要整个社会和全体公民的参与及支持。因此，全省各级野生动物行政主管部门都把提高全民的野生动物保护意识作为保护管理工作的重要内容，动员社会各方面力量，采取多种形式，生动活泼地宣传野生动物保护方针、政策和知识。各级野生动物行政主管部门和野生动物保护协会还充分利用一年一度的“爱鸟周”和“野生动物保护宣传月”活动,大张旗鼓地向广大群众进行宣传。据不完全统计,仅1997年“爱鸟周”和“野生动物保护宣传月”期间,利用电视播放广告、公告等有关野生动物保护知识达100天(次),在报纸、电台发表稿件70多篇,办板报321个版面、专栏46个,图片展出1 616张(幅),展出标本、实物130件(只),悬挂横幅121处,贴标语2 650条,散发各类宣传材料17万张,接待咨询3 682人(次),受教育65万人(次)。整个社会对保护野生动物的认识有了一定的提高,为搞好野生动物保护提供了良好的社会环境。

2.6 科学研究

20世纪80年代以来河南省先后开展了有关野生动物的专题研究和综合科学考察,取得了以下主要成绩。

2.6.1 科研成果

完成了有关部门下达的科研课题任务,其中一部分获得省(部)、地(市)级科技进步成果奖。如由河南省林业勘察设计院、河南师范大学等单位开展的豫南大别山白冠长尾雉资源数量和生态环境调查,获河南省林业厅科技成果三等奖,白冠长尾雉人工饲养繁殖技术研究先后获河南省林业厅科技成果二等奖、河南省科技成果三等奖,太行山猕猴资源调查获河南省科技成果三等奖,猕猴人工饲养繁殖技术研究获河南省林业厅科技成果二等奖等。河南省植保植检站组织的河南省农业害鼠科研攻关协作组,就河南省农田主要害鼠的发生消长规律、预测预报和防治技术进行研究,先后有4项内容获省、部级科技成果奖。河南省卫生防疫站开展的卫生灭鼠除害研究,取得了一批科研成果。由河南省教委和国家自然科学基金会支助,河南师范大学有关专家完成了河南虎凤蝶的研究、河南珍稀蝶类的自然增殖与人工繁育研究、白冠长尾雉受精生物学研究、太行山猕猴分类学研究、热带与温带猕猴种群取食与繁殖生态行为研究等科研项目。这些科研成果的取得,为河南省珍稀野生动物保护及有害野生动物的控制提供了技术保证。

2.6.2 论文论著

近年来,河南省林业厅等单位组织有关专家对省内自然保护区以及山区、河流开展综合科学考察,总结过去的研究成果,出版和发表了一系列专著和论文。如《河南鱼类志》(1984)、《河南省志·动物志》(1992)、《河南昆虫名录》(1993)、《伏牛山自然保护区科学考察集》(1994)、《宝天曼自然保护区科学考察集》(1994)、《鸡公山自然保护区科学考察集》(1994)、《豫北黄河故道湿地鸟类自然保护区科学考察与研究》(1995)、《董寨鸟类自然保护区科学考察集》(1996)、《太行山自然保护区科学考察集》(1996)、《河南啮齿动物志》(1997)、《河南湿地》(1997)、《河南珍稀濒危动物》(2000)、《河南黄河湿地自然保护区科学考察集》(2001)等。另外还在省内外各类刊物和学术会议上发表或宣读大批论文,仅发表有关猕猴方面的学术论文就达60篇之多,编写了10余个区域性或全省性的野生动物调查报告。

第5章 评价与建议

第1节 重点野生动物栖息地状况评价

河南省野生动物的栖息地可分森林、灌丛、湿地、农田、城市及乡村共5大类型,许多珍稀濒危动物,如白鹳、黑鹳、玉带海雕、大鸨等,其栖息地多为湿地生境。如1997年冬季在丹江口水库发现15只黑鹳越冬,1995～1998年连续4年在孟津黄河省级湿地水禽自然保护区发现大鸨越冬种群,最大种群52只,1998年分别在商城县鲇鱼山水库和信阳南湾水库发现黄嘴白鹭繁殖种群约1 800只和300只。金钱豹主要栖息于伏牛山和太行山区的森林和灌丛类型生境,猕猴集中分布于太行山区,以济源市数量最多,白冠长尾雉主要栖息于大别山和桐柏山的森林类型生境,红腹锦鸡集中分布于伏牛山区。河南省特有种商城肥鲵只栖息于商城县山区溪流。

1.1 主要栖息地类型及面积

由于河南省的野生动物资源,特别是资源动物主要集中分布于森林和湿地环境,因此森林和湿地是全省野生动物最重要的生境类型。

据河南省第三次森林资源连续清查数据,全省有林地合计17 527 km^2,疏林地2 783 km^2,灌木林地1 840 km^2。未成林造林地758 km^2,苗圃地80 km^2,荒山荒地等无林地15 024 km^2。而就森林的重要部分林分来看,全省林分以阔叶林为主,面积9 954 km^2,针叶林面积3 151 km^2,分别占林分面积的76.0%和24.0%。在阔叶林中,栎类林是河南省的优势阔叶林,面积6 229 km^2,占阔叶林的62.0%;在针叶林中,马尾松林是河南省的优势针叶林,面积2 019 km^2,占针叶林面积的64.1%。全省天然林林分面积8 921 km^2,人工林林分面积4 071 km^2,飞播林分面积113 km^2,分别占林分面积的68.1%、31.1%和0.8%。全省用材林面积的龄组结构是,山区副总体以幼龄林为主,平原副总体以中龄林为主。山区幼龄林面积5 505 km^2,占山区用材林面积的69.5%;中龄林面积2 065 km^2,占26.1%。平原中龄林面积226 km^2,占平原用材林面积的53.8%;幼龄林面积130 km^2,占31.0%。

另据河南省湿地资源调查数据,全省共有湿地1 108 707 hm^2,其中天然湿地489 528 hm^2,水稻田443 510 hm^2,其他人工湿地175 669 hm^2。全省除水稻田以外的湿地共有665 197 hm^2,其中100 hm^2以下的湿地总面积有41 068 hm^2,100 hm^2以上的湿地总面积有624 129 hm^2。在100 hm^2以上的湿地中,河流47 272 hm^2,沼泽6 914 hm^2,湖泊2 587 hm^2,库塘141 907 hm^2。

1.2 栖息地质量评价

由森林资源现状分析可知,全省林分以少数树种为主,山区天然林虽占相当比例,但大部分处于幼龄林阶段。同时，由于受木材市场及政府政策影响，全省林分优势树种林面积比例也发生变化，如近年来马尾松林、油松林、杉木林等得到发展，而杨树林、泡桐林等面积减少。这些因素对野生动物栖息有一定的负面影响。但随着全省森林林龄的增长，森林生态环境将渐趋适宜多类型野生动物的繁衍。另据资料，20 世纪 90 年代初，全省林分、经济林、竹林、疏林、灌木林、未成林造林地等生境类型面积均比 80 年代末期有所增加，这将促进河南省野生动物资源的发展。

全省湿地生境虽然类型较多，分布广泛，并有一定数量的重要湿地，但湿地生境质量呈下降趋势，主要表现在围垦、城市化、水土流失、水源短缺、地下水位下降、水污染等，以及由此产生的湿地干枯、水生或湿生植被发生变化或枯死，湿地出现沙漠化或荒漠化迹象。如本次调查时，豫北黄河故道湿地鸟类保护区严重水资源短缺和地下水位下降；孟津黄河省级湿地水禽自然保护区存在围垦、挖沙等人为影响；驻马店市宿鸭湖水库水污染严重，水体几呈黑色；南阳市丹江口水库水位下降，水面减少。据统计，全省 1 496 块湿地中，受人为活动不良影响的有 458 块，面积 4 668 km^2，占全省湿地面积的 70.0%。其中受水土流失影响的湿地面积 2 872.5 km^2，占全省湿地面积的 43%；受水源短缺影响的湿地面积 2 234.7 km^2，占全省湿地面积的 34%；受围垦影响的湿地面积 1 941 km^2，占全省湿地面积的 29%；受有机污染影响的湿地面积 1 389.5 km^2，占全省湿地面积的 21%。这些影响湿地质量的因素，同样会对河南省湿地动物资源产生不利影响。

1.3 提高栖息地质量措施

1.3.1 加强森林和湿地资源保护管理工作

一是应加强各级党政部门对森林和湿地资源管理的领导，提高领导干部的生态意识，增强责任感，建立健全森林和湿地资源管理机构；二是要将森林和湿地等野生动物生境保护纳入地方政府经济发展规划，使在开展各项开发建设的同时真正考虑其对野生动物的影响；三是强化生境保护的法律监督，依法控制森林资源消耗，减少人为活动对湿地的不良影响；四是加强森林和湿地类型自然保护区建设，按照全省自然保护区发展规划要求，加快保护区建设速度，提高对现有保护区的管理水平，促进部分野生动物生境质量好转；五是加大对主要生境保护的资金投入，制定生境保护的积极政策；六是建立生境保护管理信息网络，以发挥管理部门的服务职能和管理职能，促进信息流动，有利相互交流，减少资源浪费。

1.3.2 加快各项重大生态工程建设速度

在山区，扩大野生动物适宜生境并提高生境质量，要与即将实施和正在实施的黄河和淮河防护林工程建设、天然林保护工程建设、长江防护林体系工程建设结合起来，继续大力开展植树造林和消灭荒山工作；在平原，要加强黄淮平原的湿地保护，推广节水农业技术，并真正实现平原绿化高级达标。

第2节　野生动物资源现状评价

2.1　影响资源动态变化的主要因素

2.1.1　栖息环境变化

野生动物栖息环境是由许多环境因子构成的,但最重要的因子之一就是植被。而森林植被蕴藏动物资源的种类和数量最丰富。对河南省来说,森林的变化直接影响全省的动物资源消长。森林是众多野生动物最复杂的、多层的、立体的生活环境,能满足动物个体觅食、隐蔽、休眠等维持生存的必要条件,亦能为动物个体提供种类延续的繁殖条件。麝、狍、麂、青羊、野兔等一些草食动物,白天常隐蔽在阔叶林中休息,夜晚到草地、苗圃等处觅食(其他夜行性兽类也有类似的日周期活动)。在河南省,原始森林已极少,残存的天然次生林也由于过量消耗而导致不同程度破坏,砍伐后的天然次生林通常被种类单一的人工针叶林或人工阔叶林替代,缺乏下草和灌木。再者,全省森林中的林分林龄偏小,大多处于幼龄林阶段,林龄结构单一使河南省森林难以形成完善的结构和功能,从而影响动物资源特别是兽类资源的消长。

对鸟类来说,较好的植被条件可为其提供食饵和营巢繁殖条件。森林的外景观、地形、水源等健全的森林生态系统是鸟类选择栖息地的重要条件。森林的树种、树龄、林层结构直接影响林内的温度、湿度、光照和鸟类的食物量。因此,树种单一、林龄偏小的人工林对鸟类生存繁殖不利。本次调查时。在野外看到的鸟类大多是一些栖居于林缘、小树林、灌丛和草地的种类,如麻雀、黄眉鹀、三道眉草鹀、赤胸鹀、金翅等。这种现象大体说明了这个问题。

两栖爬行动物相对于鸟兽来说,对环境的依赖程度更高,更直接受气候条件的限制。近年来,由于气候异常,不少河流、山溪、坑塘干枯,加之全省普遍水污染严重,这是影响两栖爬行动物数量变动的主要原因。

2.1.2　人为破坏野生动物资源

包括两个方面,其一是直接猎(捕)杀,如投毒、设网、下套、枪猎等。近年来对鸟类的乱捕滥猎方法,主要是采用网捕和投毒。网捕种类主要有斑鸠、金翅及其他观赏鸟类和猛禽;投毒捕猎种类主要是绿头鸭、斑嘴鸭、赤麻鸭等水鸟,本次水鸟调查时,在丹江口水库、白墙水库、宿鸭湖水库等地都发现有投毒猎捕水鸟的现象。在孟津黄河省级湿地自然保护区,因围垦者为防止农作物和鱼被水鸟取食,用毒饵捕杀水鸟。三门峡黄河库区省级湿地自然保护区于1999年元月1日发生一起用毒饵毒杀大天鹅的特大案件,犯罪分子沿库区滩涂投放毒饵数十公斤,毒死毒伤大天鹅44只,其中死亡27只,毒死其他雁鸭类36只。对兽类的人为破坏主要采用下套和枪猎的方法,有的还使用炸药,不仅破坏普通种类,而且对一些珍稀兽类威胁也很大。对全省金钱豹资源专项调查表明,全省仅20世纪90年代就猎(捕)杀18只金钱豹,约占全省现有金钱豹数量的近1/2,其中,活捕8只,毒药毒死1只,炸药炸死5只,猎杀方式不明及死因不明的4只。其二是非法利用,倒买倒卖。每年夏、冬季各地都查处非法收购、运输和倒卖青蛙、蛇类、雉鸡、果子狸等野生动物,这些非法利用活动对资源的消耗很大。

2.1.3 政府对野生动物资源保护管理的政策

猎捕并非是资源减少的必然因素,从某种意义上讲,政府的野生动物保护管理政策对资源变动影响也很大。如河南省对草兔的利用,虽然20世纪50年代年猎捕草兔数量近100万只,但到60年代初,全省草兔年猎捕量反而比50年代有大量增加,达298万只。这虽然有其他方面的原因,但猎捕适度是原因之一。怎样做到猎捕适度?实践证明,最有力的措施是政府制定野生动物资源管理政策。由于现阶段我国野生动物保护法规定对野生动物实行分级管理,对国家重点保护野生动物、省重点保护野生动物和一般保护野生动物的管理权限和具体管理措施不同,保护级别越高,政策对利用该动物资源的限制就越多,经过一段时间之后,有些种类可能数量将恢复到一个较高的水平,而有些种类可能将下降到一个较低的水平,这时必须对保护级别作出适当调整,使之符合实际管理的需要。根据本次调查,河南省狼的数量呈下降趋势,而狼在河南省既不是省重点保护种类,也非一般保护种类,长此下去该种类在河南省将有濒危的危险,需要考虑采取措施加以保护。

2.2 资源现状分析评价

2.2.1 资源种类组成现状分析

根据本次调查和过去调查研究成果,全省共记录陆生脊椎动物522种(详见附录一:河南省陆生野生脊椎动物名录),其中两栖动物20种,占全国两栖动物种数的6.6%;爬行动物38种,占全国爬行动物种数的9.2%;鸟类385种,占全国鸟类种数的32.4%;兽类79种,占全国兽类的14.9%。无论就种的数量,科的数量,还是目的数量,全省均以鸟类占绝对优势,表1-5-1是河南省陆生脊椎动物各纲及纲以下分类阶元统计,表中鸟类目、科、种数量分别占全省陆生脊椎动物目、科、种数量的56.7%、60%和73.8%,说明河南省鸟类资源在种类组成方面相对比较丰富。

表1-5-1 河南省陆生脊椎动物分类阶元数量统计表

纲别	目前记录数量					
	目数	比例(%)	科数	比例(%)	种数	比例(%)
合计	30	100	90	100	522	100
两栖纲	2	6.7	7	7.8	20	3.8
爬行纲	3	10.0	8	8.9	38	7.3
鸟纲	17	56.7	54	60.0	385	73.8
哺乳纲	8	26.6	21	23.3	79	15.1

本次调查共发现陆生野生脊椎动物354种。其中两栖动物2目6科16种,爬行动物3目7科27种,鸟类17目46科268种,哺乳动物8目18科43种。

全省陆生脊椎动物有相当比例的“单型属”(这里仅就河南省而言),如两栖纲中的巴鲵属、肥鲵属、极北鲵属、大鲵属、蝾螈属、狭口蛙属、姬蛙属等在河南省均只有1个种。全省“单型科”(仅就河南省而言)有:两栖纲隐鳃鲵科、蝾螈科,爬行纲鳖科、壁虎科,鸟纲鸬鹢科、三趾鹑科、雉鸻科、彩鹬科、燕鸻科、夜鹰科、蜂虎科、佛法僧科、戴胜科、八色鸫科、黄鹂科、鳾鹟科、攀雀科、太阳鸟科，哺乳纲猴科、鲮鲤科、鼠兔科、兔科、豪猪科、猪科共24个科在河南省也只有1属1种。这些“单型属”和“单型科”所具有的省内种属惟一的特点，反映了河南省陆生脊椎动物资源种类组成具有一定的脆弱性。

河南省野生动物资源种类组成脆弱性的另一个特点表现在珍稀濒危动物种类较多(见表1-5-2)。全省的国家和省重点保护动物种类数占全省动物总种数的24.3%，兽类中国家和省重点保护种数占全省兽类总种数的30.4%，鸟类占25.5%，两栖类占20%，爬行类占2.6%。这些数据意味着河南省几乎每4种陆生脊椎动物就有1种受到国家和省重点保护，说明河南省野生动物资源种类组成非常脆弱。

表1-5-2　河南省陆生脊椎动物种数与重点保护动物种数对比表

纲别	全省种数	重点保护动物种数				
		总计	占该纲总种数(%)	国家一级	国家二级	省重点
合计	522	127	24.3	13	79	35
两栖纲	20	4	20.0	0	2	2
爬行纲	38	1	2.6	0	0	1
鸟纲	385	98	25.5	11	64	23
哺乳纲	79	24	30.4	2	13	9

2.2.2　资源数量现状分析

就河南省确定的调查对象来看，除两栖爬行动物、哺乳动物和鸟类部分种类外，其野外资源数量存在明显的季节差异，鸊鷉目中角鸊鷉、凤头鸊鷉、白鹈鹕、斑嘴鹈鹕、普通鸬鹚，鹳形目中苍鹭、草鹭、大白鹭、白鹳、黑鹳、白琵鹭，雁形目中绝大多数种类，鹤形目和鸻形目的所有种，在繁殖季节没有发现。在本次调查到的全省12种国家一级重点保护野生动物，野外每种平均数量为232只，44种国家二级重点保护野生动物(鸟、兽)的野外每种平均数量为10 377只，31种省重点保护野生动物(鸟、兽)的野外每种平均数量为19 648只。

2.3　存在问题

根据全省资源现状分析，我们认为主要存在以下问题：

(1)资源量偏小。表现为大多数种类种群数量不大，珍稀濒危种类所占比例高等。引起资源量偏小的原因有两个方面：一是生境质量不高。生境质量决定其对野生动物资源的容纳量。比如森林类型生境对野生动物的容纳量，要远比农田生境对野生动物的容纳量大。较好的生境质量还包括生境的多样性，多样的生境相互交错，有利于更多种类的野生动物栖息，可提高资源种类的组成。二是猎取量大。在猎取压力严重的情况下可以使被猎取的动物种群减少到远低于生境容纳量的水平之下，其收获的经济效益远少于在持续产量水平上的效益,持续产量水平可将被猎捕种群维持在该生境的容纳量水平上。但目前野生动物保护法规对猎捕作了严格的限制,所以猎捕不是引起资源偏小的主要原因。

(2)资源过于集中在某些区域。全省野生动物资源主要集中分布在深山区及少量重要湿地上,特别是集中在现有的自然保护区上。出现这种结果的原因是多方面的,其中人口的增长与经济开发是重要原因。随着人们对野生动物资源需求的不断增加,社会各界已经意识到,无法利用绝对保护区来满足社会日益增长的经济利益需求。因此,由于资源过于集中在某些区域,使资源利用与资源培育这对矛盾愈加突出。

(3)孤岛状生境的种类较多。最明显的种类有太行山区的猕猴和豫南的白冠长尾雉。这两个种不仅与省外分布区已形成一定的隔离,同时省内分布区也渐趋萎缩,形成不相连接的块状。其他种类,如商城肥鲵、黄缘盒龟等,情况也是如此。

2.4 解决措施

2.4.1 加强野生动物资源保护管理

保护管理是促进野生动物资源增长的综合措施,它包括法律的、行政的和经济的多种保护管理手段,对实现"加强资源保护、积极驯养繁殖、合理开发利用"的方针,具有不可缺少的作用。加强资源保护管理的关键是落实法律法规和政策,对野生动物资源严格进行保护管理、猎捕管理、经营利用管理和栖息地管理,达到培育资源、减少消耗、持续利用的目的。

2.4.2 改善生态环境

为了提高野生动物资源量,必须改善全省生态环境。改善生态环境既可提高野生动物生境质量,又可提高人类生活环境质量。按照第5章1.3提高野生动物生境质量的措施,培育野生动物资源。

为了解决资源过于集中的问题,还需在建立保护区方面做更多的工作。必须在搞好现有各类保护区的基础上,发挥地方建设保护区的积极性,多部门合作推动地方保护区的建设,尤其是县级保护区和乡村保护小区的建设,以弥补全省自然保护区建设的不足。

2.4.3 开展迁地保护

迁地保护已被证实是一种保护濒危物种的有效方法。迁地保护包括建立动物园、救护中心或野生动物繁殖场。这些繁育机构通过对人工种群的研究,已积累了野生动物管理的经验。这些经验可用于野外的物种保护。动物园能够掌握的一些方法和管理技术,如诱导排卵、人工受精等,以及各种兽医学传统办法,对那些已呈孤岛状生境的物种具有一定的实用价值。因迁地保护所建立的人工繁育种群往往过于滞后,大多在物种接近绝灭边缘的时候才匆忙给予考虑,所以克服这一缺点,降低绝灭危险的办法,必须是在野生种群尚存一定个体的情况下,建立起来支持性的人工种群。

河南省野生动物迁地保护已有一定基础,各地建立了不少动物园(动物繁育区、救护中心)、野生动物繁育场,对一些雉类、鹤类、雁鸭类等湿地动物开展了繁育研究,建立了一定数量的人工种群,如郑州动物园的人工白枕鹤种群,董寨保护区建立的人工白冠长尾雉种群等。但动物园或野生动物繁育场往往只是饲养那些具有较高经济价值或观赏价值的物种,本地种群特别是本地濒危种则不足,加之动物园和湿地动物不是同一个主管部门,政府赋予动物园的最主要职能也不是物种保护,这就消弱了动物园迁地保护的作用。因此,必须对全省迁地保护机构和迁地保护对象做全面规划,以便充分发挥迁地保护机构的作用,使河南省迁地保护能够得到健康发展。

第3节　野生动物资源利用状况评价

3.1　资源利用评价

野生动物资源具有较大的经济效益和社会、生态效益。总体而言,野生动物资源利用可以概括为以下两个方面。

3.1.1　从单一利用其直接价值转变为直接价值和间接价值并用

野生动物资源直接价值与资源消费者所直接接受的享受和满足有关,能相对容易地被观察和测算,通常给它们指定价格。直接价值包括消耗性利用价值和生产性利用价值。例如,过去许多地方群众猎捕野生动物资源后,自已将猎物消费掉,并不拿到市场上交换,就属于消耗利用价值;另一部分猎物,如动物毛皮、羽毛、麝香、野生动物肉等参与市场交换,对国民经济可能产生重大影响,则属于生产性利用价值。在改革开放之前,野生动物资源利用大多属于直接价值利用。据统计,河南省从1973年到1982年仅利用野生毛皮资源,平均每年创造生产性利用价值145.3万元,这在当时经济相对落后的条件下,效益是相当可观的。

野生动物资源的间接价值涉及到生态系统的功能,一般不出现在财会体系中,但当进行计算时,其价值可能远高于直接价值,包括非消耗性利用价值和选择价值。例如,近年来利用野生动物及其他自然资源开展旅游越来越受到各地政府部门的重视,并且已经形成所在地方的经济增长点。另外,人们也逐渐认识到保护物种的重要性,正如世界自然宪章中所言:“生命的每种形式都是独特的,不管它对人类的价值如何,都应当受到尊重”。这些现象表明对野生动物的利用已经从单一利用其直接价值转变为直接价值和间接价值并用。

3.1.2　由国家指导利用转变为根据市场需求利用

计划经济时代野生动物的饲养、产品加工利用以及狩猎活动,都是根据国家收购什么,群众就饲养和猎取什么,然后出售给国家,而现在全凭市场调节来引导群众驯养繁殖和加工利用。由于前些年毛皮制品价格较高,全省大量饲养银狐、兰狐、东北貉等毛皮动物。近几年,由于市场需求多元化,河南省内养殖的动物种类也趋于多样化,仅以贸易为饲养目的的主要饲养种类就达26种之多,以展览为目的的达124种,由此带动全省野生动物及其产品的国内贸易品种数量和贸易额的大幅度提高,仅1997年国内贸易对象达48种野生动物,贸易额737.02万元,是改革开放前年贸易额的5倍。洛阳市孟津县个体野生动物展演团体的发展也是较典型的事例,截至本次调查为止,该县仅剩30余个展演团体,而20世纪80年代这个县展演团可达100多家。他们大多以家庭为单位,携展演的野生动物在省内外巡回展演,规模虽小,但收入颇丰,年收入在数万元,其中的一部分家庭成为数十万元的富裕户,这在还不十分富裕的当地农村是很了不起的。

3.2 存在的问题

3.2.1 驯养业存在的问题

(1)缺乏强有力的行业管理服务体系。如前所述,河南省经济野生动物养殖场由多行业、多部门所建,除个体养殖场外,有农业、林业、旅游等部门建立的养殖场,各系统的养殖场相对独立,没有行业统一管理。各养殖场所需的原材料、饲料以及产品销售均由养殖场单独操办,缺乏统一的服务机构。在毛皮、鹿茸等产品销售活动中亦是各自为政,往往出现相互压价的内耗性竞争,严重损害了全局利益。由于管理不到位,还造成个别饲养单位和个人以驯养为名,收购或猎捕野外资源充当饲养繁殖的子代,对野外资源造成极大威胁。

(2)饲养管理粗犷,机械化程度较低,劳动效率低。调查表明,河南省的野生动物养殖场多数饲养管理水平低,经营管理不完善,饲养管理制度不健全,或者虽建立了饲养管理制度但有名无实不执行。饲养管理粗放,最严重者连动物丢失或死亡都不知道。各养殖场几乎都是手工操作,很少用机械代替繁重的手工劳动,饲料加工亦全用人力。因此,生产效率较低,饲养成本高。从解决多数人就业而言是有利的,但从经济学角度考虑,劳动效率低则很不合理。

(3)饲料营养不合理。有不少养殖场,对所有饲养的动物是有啥喂啥,例如貉全喂玉米面稀饭,饲料品种单一,营养不全价,生产成绩差。也有相反的情况,即饲料营养水平过高,什么好就喂什么,不管动物是否需要,是否浪费,毫无科学依据地喂高蛋白饲料,这种情况虽然较少,但对生产所造成的危害也是不容忽视的。

(4)饲养管理人员素质较低,科技意识差。河南省内养殖场的行政管理人员大多数未受过专业教育,对野生动物接触较少,一边摸索一边干,饲养人员文化水平更低。因此,很难实行科学管理。养殖场科技意识差,平时不重视防病治病及合理的饲养、管理,往往造成全群患病,疫病流行时才“临时抱佛脚”,四处请专家医治。这种“亡羊补牢”的做法已给河南省野生动物养殖造成了巨大经济损失。

(5)不注意选种及良种培育。20世纪60年代,河南省一些国营饲养场对水貂一年选种3次,产仔时进行初选(窝选),分窝时进行复选,屠宰取皮前进行精选。根据种貂标准,将不符合种貂条件的个体均作皮兽于冬季屠宰取皮,只有符合条件的种貂才对外调拨销售,而且所销售的种貂均带有谱系。但这种制度未坚持下来,其他野生动物养殖也是如此,尤其是养殖热情高,种兽缺乏时,把皮兽作种兽出售的现象时有发生,甚至是“产下的仔都是种”,质量再低劣也有人买。为了短期效益,繁殖时也不选种了,兽场连谱系也没有,更谈不上培育品种。由于兽场谱系乱,随意配种,近交退化现象严重。

(6)未形成养殖、产品深加工及销售体系。河南省经济野生动物养殖多以出售初级产品为主要经营内容,毛皮兽场出售原料生皮,养鹿场出售鹿茸,有的甚至以售“种”、“炒种”、“倒种”赚钱。这种状况严重制约着全省野生动物养殖业的健康发展,一旦市场毛皮、鹿茸等原料产品滞销,养殖场必然遭致经济打击,连锁效应则是养殖业危困,养殖场倒闭,养殖数量锐减。一旦原料市场转好,毛皮、鹿茸供不应求,为了满足市场需要,又掀起了养殖热潮,肆意“炒种”、“倒种”,这样恶性循环的结果是使一些本应大力开展养殖的动物得不到发展，甚至有被扼杀的危险。例如，河南省目前所养的海狸鼠就面临这样的厄运。

3.2.2 猎捕和其他经营利用问题

主要是乱捕滥猎、非法收购和加工利用等。例如，金钱豹和猕猴的乱捕滥猎现象就比较严重。据不完全统计，从20世纪70年代至1999年，全省共猎捕(杀)金钱豹26只，其中活捕9只，毒死3只，炸死5只，猎杀方式不明及死因不明的9只。这些猎捕(杀)活动均无特许猎捕证。另据统计，1986～1998年河南太行山地区猎捕猕猴次数达11次，共捕500多只(其中一小部分经主管部门批准)。其中辉县市回龙一群猕猴被捕过3次，约70余只；济源市黄楝树林场一群被捕过3次，约110只，九里沟一群被捕过1次，30只；济源市与沁阳市交界处沁河猴群被捕2次，100多只，五龙口猴群被捕2次，200多只。旅游部门利用猕猴开展旅游，对野生猕猴资源也产生了极大威胁。目前，河南省太行山区的几处旅游区共圈养和半驯养猕猴近300只，严重影响了猕猴的正常活动、生长发育和繁殖。

3.3 合理开发利用建议

3.3.1 加强行业管理，建立行业管理及服务组织

河南省应借鉴国外先进的管理经验，成立全省野生动物养殖和经营利用联合组织，协助林业行政主管部门，努力做好以下工作：

(1)为全省野生动物养殖(户)和经营利用单位(个人)提供技术咨询、信息咨询；

(2)根据需要举办饲养种兽(种禽)及其产品展评会及调剂会；

(3)举办野生动物开发利用产品的展销订货会；

(4)提供医疗及卫生防疫服务；

(5)参与行业的经济贸易；

(6)组织科学研究及试验工作；

(7)推广新技术及科研成果；

(8)创办1～2个示范试验养殖场，作为科学研究和技术培训的科研教学基地；

(9)协调有关部门，争取建立配合饲料加工销售体系、经济野生动物生产资料供销体系、野生动物产品生产销售体系及疫病防治体系等。

3.3.2 建立良种基地，遏制“炒种”、“倒种”现象

选择若干经济实力强和技术条件好的饲养场，由主管部门组织有关技术人员，建立种用野生动物谱系档案。经审定合格的，由主管部门通过行业组织向全省公布，指导全省求购者购买。

3.3.3 建立产品深加工的养殖开发型企业或联合体

如前所述，以往河南省养殖经济野生动物多是出售生皮、鹿茸等原材料，效益相对低下，而且受市场行情的制约，风险高，如能在省内选建几个养殖加工开发型企业，建立养殖—研究—加工开发—销售的经营体系，形成科、工、贸，产、供、销良性经营体系，则可获得更高的经济效益，减少企业风险，还能促进全省养殖业的健康发展，避免养殖业大起大落给养殖场(户)造成经济损失，以产品深加工促进养殖业的健康持续发展。

3.3.4 加大执法力度，打击非法猎捕，取缔非法驯养活动

严格执法是减少偷猎的有效措施，对乱捕滥猎活动，必须坚决依法打击。对旅游部门

非法利用猕猴开展旅游问题，应视具体情况处理，具备驯养条件的，必须促其办理驯养繁殖许可证，接受管理；不具备驯养条件的，应强制性将猕猴放归原栖息地。

第4节　保护管理现状评价

4.1　现状评价

4.1.1　全省依法管理的局面基本形成

多年来，全省野生动物管理工作者坚持运用法律手段加强管理，使野生动物保护初步走上了法制化轨道。在调查研究和对各种问题、现象深入分析的基础上，建立了较为完善的法规和制度体系。有一支比较稳定、精干且素质较高的行政执法队伍，能坚持依法办事，按规定程序审批、发放有关许可证。并采取各种措施，开展了野生动物管理执法活动，严厉打击了破坏野生动物资源的违法犯罪行为。对猎捕、驯养繁殖、经营利用野生动物及其产品的发证工作，进行了清理整顿。在野生动物集中分布的县(市、区)，查处了非法设置收购点收购野生动物及其产品的单位和个人。全省野生动物主管部门还把非法猎杀和经营利用、倒卖野生动物的违法犯罪活动，列入专项斗争内容，进行了专门治理，惩处了一批违法犯罪分子。仅1999年全省就查处案件多起，如栾川县非法猎捕、收购、出售大鲵案，三门峡市毒杀大天鹅案，济源市非法猎捕金钱豹案等，犯罪分子均受到了刑事处罚。

4.1.2　全省保护管理基础建设有所加强

(1)全省18个省辖市均建立有野生动物保护管理或兼负野生动物保护管理之责的科(站)，158个县(市、区)建立有保护管理股(站)，全省共有管理人员961人；成立了省级救护机构；保护基地建设成效比较显著，1994年以来全省林业系统新建两个国家级自然保护区，3个省级湿地保护区。全省野生动物保护管理基础设施建设得到加强。

(2)开展了全省野生动物保护管理基础性调查，为保护管理提供了基础资料。

(3)初步建立和完善了保护管理体系、救护繁育体系和科研体系。

4.1.3　保护管理经费投入基本上有保证

从1993年开始，野生动物保护管理经费列入了河南省级财政预算，改变了过去保护工作无经费无人员的状况。

4.2　存在的问题

4.2.1　法律法规的配套政策不完善

(1)野生动物保护管理费的收取缺乏具体标准。河南省野生动物管理的一个最突出的问题，就是对依法经营利用重点保护的野生动物和有益或者有重要经济、科学研究价值的陆生野生动物(简称一般保护动物)的单位的个人收取野生动物保护管理经费没有具体规定。1995年《河南省实施〈中华人民共和国野生动物保护法〉办法》实施后，虽然河南省林业厅曾会同财政厅、物价局下发了关于收取野生动物保护管理费的文件，但该文对具体收费标准未做规定，影响了全省野生动物保护管理费收取工作。

(2)河南省重点保护野生动物名录需做适当调整。一些在省内数量较少的种类，如狼等,应列入名录。不应列入河南省重点保护野生动物名录的种类,如黄喉貂(与《中华人民共和国野生动物保护法》第九条第二款及国函[1988]144号文不符),应从名录中删除。

(3)对未经批准猎捕少量非国家重点保护野生动物的处罚不明确。《中华人民共和国陆生野生动物保护实施条例》第四十一条规定"未经批准猎捕少量非国家重点保护野生动物的由公安机关依照《中华人民共和国治安管理处罚条例》的规定处罚。"但治安管理处罚条例并未对这种情况如何处罚做具体规定,而这种情况在实际管理中经常遇到。

(4)亟待制定《河南省重点保护野生动物立案标准》和《河南省因保护国家和省重点保护野生动物所受损失补偿办法》。

4.2.2 管理有待规范,非保护动物管理需要加强

尽管全省各地野生动物保护管理的工作都有起色,但普遍问题是管理欠规范,管理深度不够。比如驯养繁殖许可证发放工作,发证前管理部门对申请驯养者的驯养条件考察不够,一般凭借其下一级主管部门的说明材料来考察其驯养条件;发证以后缺少对驯养单位饲养繁殖和经营情况的了解,即使有的管理部门不定期地到现场调查,但没有制度化,容易被不法者钻空子。掌握驯养、经营单位购进或出售野生动物及其产品情况不详,使许多管理措施无从落实,比如保护管理费就收不上来或者漏收。管理不规范还导致非法购进、出售野生动物及其产品现象禁而不止,偷拉私运现象时有发生。

对利用既非国家重点保护又非省重点保护野生动物的管理也需加强。现在群众普遍认为不是保护动物就可以猎捕。尽管管理者认为这些野生动物也应纳入管理范围,但一旦发生猎捕非保护动物的事情又很难处理。

4.2.3 管理体制不顺

自然保护区涉及管理体制问题比较突出。从林业部门所属的国家级和省级自然保护区来看,林业主管部门只是在业务上对自然保护区进行指导。省内的国家级保护区,国家林业局没有人事管理权;省级保护区,省林业厅也没有人事管理权。在这种情况下,很难使地方在经济开发活动中考虑保护区的利益,甚至违反国家和河南省有关自然保护区管理政策,而林业主管部门很难制止。近年来,河南省鲁山石人山省级自然保护区和桐柏太白顶省级自然保护区都发生过类似问题,虽经省林业厅设法协调,但效果并不十分理想。

4.3 强化保护管理措施

(1)河南省林业厅应拟定河南省重点保护野生动物和一般保护野生动物的保护管理费收费标准和办法,报请省政府协调,会同省财政厅和省物价局制定后实施。

(2)河南省林业厅应组织省内外有关专家,根据这次野生动物资源调查的结果和各方面情况,进行全面论证,对是否调整河南省重点保护野生动物名录做出结论。在决定调整的情况下,应同时制定调整方案。

(3)对未经批准猎捕少量非国家重点保护野生动物的处罚,可依照《河南省实施〈中华人民共和国野生动物保护法〉办法》第二十九条和第三十条的规定做出行政处罚。

(4)积极会同公安部门制定《河南省重点保护野生动物立案标准》,尽快起草《河南省因保护国家和省重点保护野生动物所受损失补偿办法》,力争列入立法计划。

(5)规范管理需要从以下四个方面着手:第一,主管部门应组织基层管理人员进行地

区之间的交流，学习先进地区管理经验。第二，应加强对管理人员业务知识和专业知识的培训。实践证明专业人员配合管理人员进行执法检查，是管理者与专业人员知识互补，在管理实践中相互学习的好办法。第三，应在这次野生动物调查的基础上，建立本辖区的野生动物驯养繁殖、经营利用情况档案，制定规范管理的具体措施。第四，树立管理即服务的思想，加强管理人员职业道德教育，促进廉政工作。

对非保护动物的管理问题，应在今后工作中及时纳入日常管理，适当限制非保护动物的狩猎范围和数量，制止非保护动物及其产品的无序狩猎、运输和贸易活动。

(6)自然保护区的管理体制问题比较复杂，需要在体制改革过程中逐步解决。自然保护区与地方经济开发出现的矛盾，说到底是保护区无法满足地方社会日益增长的商品需求。这就需要我们建立联系自然保护区与其周围地区关系的新途径，必须通过诸如教育、收入共享、参与决策、保护区相邻地区的补偿性开发以及在保护区目标相一致的情况下允许利用资源等方面的措施，从而取得地方的支持。

第5节 野生动物资源监测方案

5.1 监测样地与单位监测点选择原则

河南省陆生野生动物资源监测样地与单位监测点选择应遵循如下原则：第一，山区副总体和平原副总体均按原调查样地10%在不同生境中选择监测样地；第二，应选择距自然保护区、科研系统的生态定位监测点或专项调查监测样地较近的监测样地；第三，具有代表性且便于工作开展。

5.2 监测样地与单位监测点分布

5.2.1 常规监测样地分布

全省共设常规监测样带238条，其中分布于山区副总体178条，平原副总体60条。在山区副总体的178条样地中，太行山区设45条，大别山区设40条，桐柏山区设10条，伏牛山区设83条，分别占25.3%、22.5%、5.6%、46.6%；在平原副总体的60条监测样地中，黄河以北布设20条，黄淮之间布设30条，淮南平原布设4条，南阳盆地布设6条。每条监测样带上布设4个样线，全省共设监测样线952条，其中山区副总体712条，平原副总体240条。

5.2.2 专项监测样地分布

水鸟资源监测样地分布：水鸟监测样地是从水鸟专项调查的272处湿地中选择的19处湿地，具有充分的动物地理代表性和水鸟资源分布代表性。具体监测地点见《河南省水鸟资源调查报告》。

白冠长尾雉资源监测样地分布：从这次全省白冠长尾雉专项调查23个样方中选择9个样方作为监测样地，其中Ⅰ类型区有样方5个，Ⅱ类型区有样方2个，Ⅲ类型区有样方2个。具体地点：罗山县董寨保护区2个样方，铁铺乡1个样方，彭新乡1个样方；桐柏县太白顶自然保护区2个样方，回龙乡1个样方，朱庄乡1个样方，大河镇1个样方。

金钱豹资源监测样地分布:尽快建立健全河南省野生动物资源监测体系,对金钱豹资源实施动态监测,及时发现新情况、新问题。针对调查与监测、栖息地保护、养殖、伤病个体救护等技术,组织科研院所、救护、养殖等单位联合开展科学研究,采取相应对策,以便科学保护和管理好这一珍贵资源。监测时根据访问材料和金钱豹的活动痕迹确定监测点数量和位置。

麝资源监测样地分布:在河南内乡宝天曼国家级自然保护区和太行山国家级自然保护区各选择 2 处监测点。

猕猴资源监测样地分布:在河南太行山国家级自然保护区的济源和辉县两地选择 4 群猕猴监测。

5.2.3 单位监测点分布

饲养状况监测点分布:饲养状况监测样地即各驯养繁殖场。

运输监测样地分布:在信阳市、南阳市、三门峡市、郑州市、开封市选择 5~10 个木材检查站作为监测点。

野生动物收购、经销及利用状况监测点分布:根据本次调查结果,河南省涉及该监测内容的单位绝大多数为驯养繁殖场,另洛阳市新安县和栾川县共有 5 个收购部收购野生动物及产品,因此监测点主要为驯养繁殖场和新安、栾川两县的 5 个收购部。

贸易集散地监测点分布:选择 10 个贸易市场作为监测点,其中信阳市 2 个,驻马店市 1 个,汝南县 1 个,南阳市 2 个,济源市 1 个,焦作市 1 个,郑州市 2 个。

国际贸易监测点分布:定期到国家濒危野生动植物种进出口管理办公室(北京)及其北京办事处、河南省林业厅野生动植物保护处收集进出口资料。

管理机构监测点:省及省辖市、县(市、区)级所有野生动物管理机构。

5.3 监测对象

只对国家要求监测的物种进行监测,其他种类根据需要而定。

5.4 监测方法

5.4.1 原则

能够较全面系统地反映监测样地及其他监测对象的情况。

5.4.2 常规监测方法

采用与样带调查和样线调查相同的方法进行种群动态监测,详见第一部分第 1 章 2.3.1。

5.4.3 专项监测方法

水鸟资源监测方法,白冠长尾雉资源监测方法,金钱豹资源监测方法,猕猴资源监测方法,麝资源监测方法,饲养状况监测方法,野生动物收购、经销、利用状况监测方法,管理机构监测方法参见第一部分第 1 章 2.3.2。其余各专项监测方法如下:

运输监测方法:每年到运输监测点收集一次关于野生动物及其产品运输情况的资料。

猎捕状况监测方法:因河南省目前还没有狩猎区(场),无法进行猎物调查,所以只进行问卷调查,猎物监测可参考贸易集散地监测结果。即每年向有关人员发出问卷,调查发现狩猎动物的时间、地点、数量等。

贸易集散地监测方法：每两个月到选定的贸易市场一次，调查野生动物及其产品交易的动物种类、货物类型、数量、金额和来源等。

国际贸易监测方法：定期到国家野生动物进出口管理部门收集资料。

5.4.4 数据处理方法

常规监测数据处理：详见第一部分第1章2.4.1。

专项监测数据处理：详见第一部分第1章2.4.2。

数据汇总：详见第一部分第1章2.4.3和2.4.4。

5.5 监测时间

根据原林业部《全国陆生野生动物资源调查与监测技术规程》和《河南省陆生野生动物资源调查与监测实施细则》的要求按时监测。

5.6 保障措施

5.6.1 组织保障

建立河南省陆生野生动物资源监测网络，包括河南省陆生野生动物资源监测总站、各省辖市陆生野生动物监测站和陆生野生动物监测点三部分。省监测总站业务上受国家监测中心指导，组织上受省林业厅领导；各省辖市监测站业务上受省总站指导，组织上受所在省辖市林业(农林)局领导；监测点的监测工作由所在省辖市监测站负责。

5.6.2 资金保障

监测资金由国家下拨监测专项经费和省、省辖市自筹监测经费两部分组成。省、省辖市监测站事业经费争取列入本级财政预算。

5.6.3 技术及人员保障

以《全国陆生野生动物资源调查与监测技术规程》、《河南省陆生野生动物资源调查与监测实施细则》等技术文件和本次调查布设的监测点以及购置的仪器、设备等为技术支撑，充分发挥参加本次调查的河南省野生动植物调查办公室的技术人员、各省辖市人员以及有关专家的技术优势，保障监测工作顺利开展。

第二部分　河南省全国重点保护野生植物资源调查

1997年原林业部下发了“关于部署全国重点保护野生植物资源调查工作的通知”(林护通字[1997]79号),要求有关省(自治区)林业行政主管部门根据《全国重点保护野生植物资源调查大纲》和《全国重点保护野生植物资源调查技术规程》尽快制订本省(自治区)野生植物资源调查工作方案和技术实施细则。1997年河南省根据《大纲》和《技术规程》的规定,结合实际情况,编写了《河南省重点保护野生植物资源调查工作方案及技术实施细则》,于1997年8月上报原林业部,同年11月按照原林业部保护司和规划院资源监测中心提出的修改意见对《实施细则》进行了修订。为了做好这次调查的技术准备和组织发动工作,按照原林业部的要求,河南省于1999年1月成立了重点保护野生植物资源调查领导小组、技术组及专家顾问组,调查领导小组全面负责本次调查工作,由河南省林业厅副厅长李德臣同志担任调查领导小组组长;聘请河南农业大学卢炯林、叶永忠、苏金乐教授及河南省林业勘察设计院总工、高级工程师赵体顺组成专家顾问组为全省野生植物资源调查提供技术咨询、审核各种技术文件并对重大技术问题进行指导和监督。于1999年4月至10月开展外业调查,2000年5月又进行了补充调查。

调查的主要任务是查清河南省重点保护野生植物资源现状,建立资源数据库;对资源进行评价,提出系统、准确的保护植物资源调查报告和图表资料;在资源调查的同时建立野生植物监测网络。调查内容包括栽培植物、贸易植物、重点保护野生植物。栽培植物调查有金钱松、厚朴、凹叶厚朴、杜仲、黄檗、毛红椿、人参7个物种;贸易植物调查有青檀、杜仲、水曲柳、厚朴4个物种;重点保护野生植物调查有15个物种,调查共涉及21个物种、14个群落。采用的调查方法有样方法、核实法和访问估计法,其中采用样方法调查的物种有刺五加、杜仲、核桃楸、连香树、水曲柳、香果树、楠木;采用核实法调查的物种有大果青杆、红豆杉、金钱松、秦岭冷杉、水青树、大别山五针松、水曲柳;采用访问估计法调查的物种有秤锤树、红豆树。

第1章　调查情况综述

第1节　植物资源概况

1.1　植物区系

1.1.1　植物区系成分

河南处于北亚热带与南暖温带的过渡地带,植物种类丰富。据统计河南维管植物计有 197 科 1 142 属 4 473 种及变种,约占全国植物总种数的 10%。其中蕨类植物 29 科 70 属 205 种及变种,占全国蕨类植物总科数的 55%,总属数的 30%,总种数的 10%;裸子植物 10 科 28 属 74 种及变种,占全国裸子植物总科数的 80%,总属数的 70%,总种数的 20%;被子植物 158 科 1 044 属 4 194 种及变种,占全国被子植物总科数的 54%,总属数的 35%,总种数的 18%。

1.1.2 植物区系分类

受气候和地形的影响,河南的植物表现出南北不同地带的过渡性和自高山到平原不同环境的复杂性,形成了特有的分布特征。根据自然条件和植物分布特征,河南的植被区可分为北亚热带常绿、落叶阔叶林带和暖温带落叶阔叶林带。在这两个带中又可分为:大别、桐柏山地、丘陵常绿、落叶阔叶林区;伏南山地、丘陵、盆地常绿、落叶阔叶林区;伏牛山北坡、太行山地、丘陵、台地落叶阔叶林区和黄淮平原栽培植被区。

黄淮海平原栽培植被区西起京广铁路,南至淮河,北、东至省界。全区地势平坦,由西往东逐渐降低,海拔 100~40 m,是由黄河、淮河冲积而成的平原。该区自然植被全被破坏。主要农用物有小麦、玉米、高粱、谷子、红薯、棉花、芝麻、大豆等。田间杂草以禾本科、菊科、藜科等为多;沙区有碱蓬、刺槐等沙性植物;盐碱地区有碱蓬、猪毛菜、节节草、虫实等碱性植物。

伏牛山北坡、太行山地、丘陵、台地落叶阔叶林区西至省界,东与黄淮平原栽培植物区为界,南与北亚热带常绿落叶阔叶林带相接。其地形复杂,南部的伏牛山主脉及其以北的崤山、熊耳山、外方山、太行山等都是较高的山岭。黄河流贯其中,呈南北高、中间低的形势。本区的植被,在深山区是以落叶栎类、油松等为主的天然次生林,是本次植物调查的重点区域;浅山低山区大多是旱生型的灌丛和草甸;河川、丘陵和台地为农田。

大别、桐柏山地、丘陵常绿、落叶阔叶林区北邻淮河,东、南两侧至省界,西接南阳盆地栽培植物区。主要包括桐柏山南部、大别山北部、南阳盆地东侧丘陵地带和淮南平原。本区植被以针叶树、常绿阔叶、落叶阔叶混交林为主。

伏南山地、丘陵、盆地常绿、落叶阔叶林区位于河南的西南部,西、南至省界,北邻伏牛山北坡太行山地丘陵落叶阔叶林区,东接大别桐柏山地丘陵常绿阔叶林区。区内地形较为复杂。西部、北部、东部为伏牛山南坡山地丘陵,中间为向南开阔的南阳盆地。本区植被具有明显的垂直分布特征。1 800 m 以上的山脊分布着铁杉、太白冷杉、华山松和马桑、绣线菊等灌丛;在海拔 1 400~1 800 m 处,以锐齿栎林、锐齿栎与华山松混交林以及栓皮栎林为主,其次为锐齿栎和栓皮栎混交林,灌丛有胡枝子、连翘、白羊草等;800~1 400 m 山区,为锐齿栎和栓皮栎混交林;800 m 以下的山区生长着马尾松、杉木、乌桕、油桐、板栗等;低山丘陵地区生长着大量的栓皮栎、麻栎,其中灌丛植物有荆条、酸枣、马桑、山楂等。南阳盆地自然植被早被破坏,主要农作物有小麦、玉米、谷子、红薯、棉花、芝麻等,是河南主要的粮棉油产区之一。

1.2 植被类型

河南植被特征明显,为北亚热带和南暖温带的过渡型并以暖温带为主。由于地形、山川、河流复杂,气候、海拔及小地形不同,地域之间植被差异显著,垂直分布带谱较明显。

河南植被分为自然植被和栽培植被两大类型,9个植被型25个群系纲181个群系。

1.2.1 自然植被

(1)针叶林植被型。该植被型在河南各山区均有分布,包括:

①落叶针叶林群系纲。包括落叶松林、水杉林、落羽杉林3个群系。

②常绿针叶林群系纲。由太白冷杉林、秦岭冷杉林、油松林、白皮松林、华山松林、黄山松林、侧柏林、柳杉林、铁杉林、杉木林、马尾松林11个群系组成。

③针阔叶混交林群系纲。包括马尾松林、栓皮栎林、华山松林、锐齿栎林。

(2)阔叶林植被型。该型植被广布于河南,又可分为:

①落叶阔叶林群系纲。由山杨林、白桦林、红桦林、坚桦林、千金榆林、锐齿栎林、栓皮栎林、短柄枹林、麻栎林、槲栎林、辽东栎林、石灰树林、茅栗板栗林、漆树林、黄连木林、黄檀林、化香林、江南桤木林、枫杨林、枫香林、香果树林、榆树林、毛白杨林、旱柳林、刺槐林、泡桐林26个群系组成。

②落叶、常绿栎类混交林群系纲。包括栓皮栎、青冈栎林,栓皮栎、岩栎林,黄檀子林,黄檀子、鹅耳栎林4个群系。

③山顶常绿阔叶矮曲林群系纲。包括太白杜鹃林、河南杜鹃林2个群系。

(3)竹林植被型。河南竹林多为人工栽培,可分为:

①单轴型竹林群系纲。由毛竹林、桂竹林、刚竹林、淡竹林、水竹林5个群系组成。

②合轴型竹林群系纲。包括华桔竹林、箭竹林2个群系。

③复轴型竹林群系纲。仅有阔叶箬竹林1个群系。

(4)灌丛和灌草丛植被型,可分为常绿灌丛、落叶灌丛和灌草丛3个群系纲33个群系。

(5)草甸植被型,可分为典型草甸、湿生草甸、盐生草甸和沙生草甸4个群系纲29个群系。

(6)沼泽植被和水生植被型,可分为沼泽植被和水生植被2个群系纲30个群系。

1.2.2 栽培植被

(1)草本栽培植被。包括旱地作物、水田作物、蔬菜作物3个群系纲12个群系。

(2)木本栽培植被。包括常绿经济林、落叶经济林2个群系纲22个群系。

(3)草本、木本间作植被。包括农林间作植被、农果间作植被2个群系纲3个群系。

第2节 调查简史

河南植物的研究记载最早可追溯到春秋(公元前6世纪)的《诗经》,它记载植物132种,其中河南有40多种;汉初的《尔雅》记载木本植物86种,主要分布在黄河中下游一带;宋欧阳修的《洛阳牡丹记》提及牡丹24种;还有《齐民要术》、《本草纲目》等对河南植物都有零散描述,较为详细的描述主要在近代。

19世纪初,美国人L. H. Bailey曾到河南省鸡公山、确山一带采集标本,于1920年发表《中国植物》(Plantae Chinensis)专志,其中记载河南木本植物40余种;1936年北平大学农学院白彩教授在该院《农学》刊载有"豫南森林植物的调查与采制"共记载豫南木本植物

184 种;1942 年河南大学森林系李达才、栗耀岐、葛明裕等人对嵩山进行勘察,并刊印出《嵩山勘察报告》,共记载嵩山植物 269 种;1943 年时华民编写了《伏牛山之木本植物》,记载伏牛山分布的木本植物 62 科 202 种。

新中国成立后,河南省有关部门先后组织了多次较大规模的植物资源调查,如1951~1955 年河南省农林厅组织的河南树种与分布的调查;1958 年河南省商业厅组织的"深山探宝"、野生经济植物调查;1959~1960 年河南省科学技术委员会组织的全省自然区划普查和野生经济植物普查;1981 年河南省林业厅组织的自然保护区区划等调查;1982 年河南省林业厅嵩山植物资源调查;此外,河南农业大学林学系师生也开展了一些专项调查研究,如河南泡桐、竹类、松类、落叶松类、杨类、猕猴桃、木兰等专题科研调查,为澄清河南植物种类资源积累了实践资料。1955 年时华民、丁宝章编写了《河南植物名录》,共记载维管植物 1 709 种;1959 年苌哲新、卢炯林编写了《河南桐柏山木本植物名录》记载了桐柏山木本植物 350 种及变种,同年整编了《河南木本植物名录》,记有木本植物 784 种及变种、变形;1978 年王遂义、高增义等编写了《河南木本植物识别》一书,共记载木本植物 662 种及变种;1991 年卢炯林、史淑兰、苏金乐等编写的《河南树木》共记载河南木本植物 107 科 1 564 种、变种及变形,其中属河南自然分布的 1 180 种、变种及变形,属栽培的 384 种、变种及变形。此外,丁宝章、王遂义等编写了《河南植物志》第一、二册;1993 年叶永忠编写了《嵩山植物志》;1996 张俊朴编写了《濮阳植物志》;1988~1990 年卢炯林、王磬基编写的《河南古树志》和《河南珍稀濒危保护植物》等。以上材料为本次植物调查提供了基础性资料。

第 3 节　调查方法

3.1　调查对象、内容与范围

3.1.1　调查对象

河南省本次调查共涉及到 21 个物种,其中栽培调查有 7 个物种,分别为金钱松、厚朴、凹叶厚朴、杜仲、黄檗、毛红椿、人参;贸易调查有青檀、杜仲、水曲柳、厚朴 4 个物种;重点保护野生植物调查有 15 种,涉及 14 个群落,采用样方法调查的物种有刺五加、杜仲、核桃楸、连香树、水曲柳、香果树、楠木;采用核实法调查的物种有大果青杆、红豆杉、金钱松、秦岭冷杉、大别山五针松、水青树;采用访问估计法调查的物种有秤锤树、红豆树。

3.1.2　调查内容

调查内容包括:确定目的物种的分布范围、面积,目的物种所处的群落及生境状况,确定物种现存数量及用材树种的蓄积量,社会经济情况,栽培、利用及贸易状况,管理研究状况,影响资源变化的主要因子等。

3.1.3　调查范围

本次栽培、贸易调查在全省范围内进行;野生重点保护植物调查的范围是全省的山区部分,尤其是深山密林区,重点调查地区有:固始县、新县、商城县、罗山县、光山县、信阳市浉河区鸡公山自然保护区、桐柏县、西峡县、内乡宝天曼自然保护区、淅川县、南召乔端林场、栾川县、嵩县、卢氏县、灵宝河西林场、辉县林场、济源市、鲁山石人山林场、洛宁县、林州市。

3.2 调查程序

野生植物资源调查不同于森林资源调查和植物群落调查,其所调查目的物种的大致分布区(前人已有调查研究)是已知的,要充分利用现有资料(植物志、植物红皮书、树木志、标本等),了解掌握目的物种的分布地点并标绘在1:5万地形图上,再赴实地踏查、访问,确定目的物种所处群落、分布范围及样方设置地点,然后进行典型抽样调查。具体程序如图2-1-1。

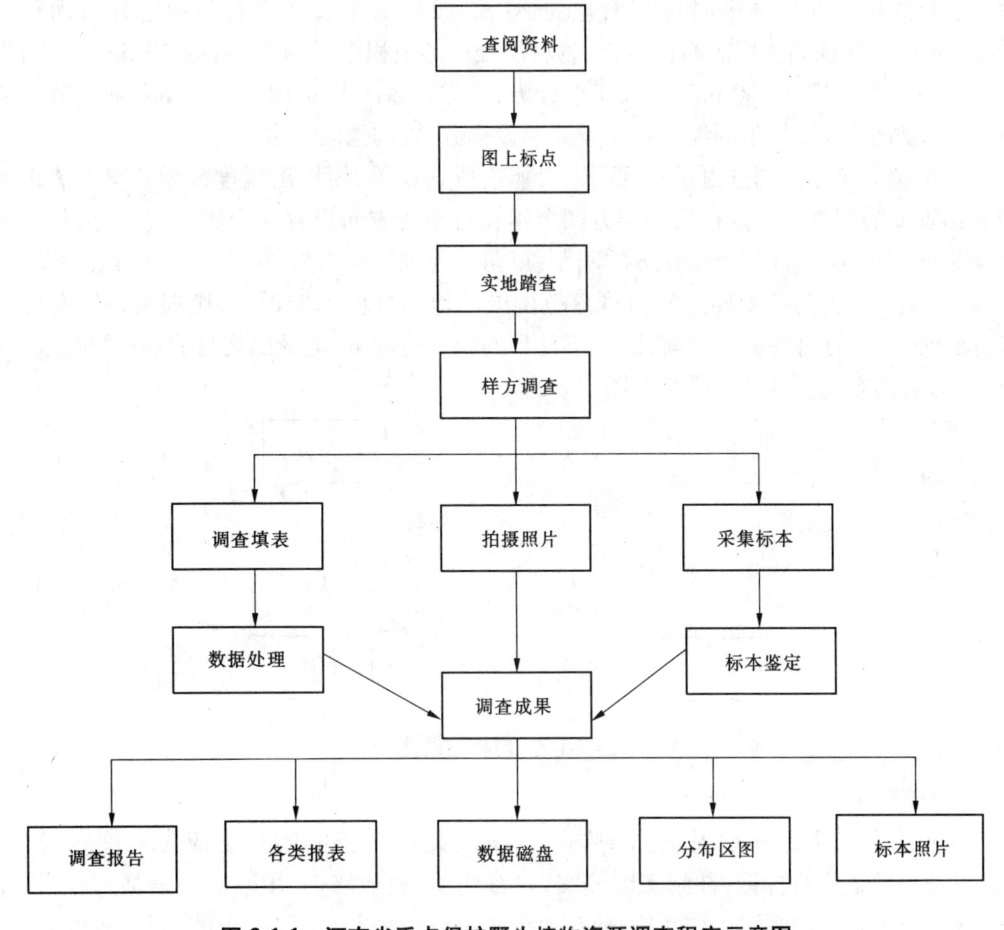

图2-1-1 河南省重点保护野生植物资源调查程序示意图

3.3 调查方法

3.3.1 样方法

该方法主要适用于呈散生或团状分布的广布种,河南省采用此方法调查的物种有刺五加、杜仲、核桃楸、连香树、水曲柳、香果树、楠木共7个物种。涉及的群落类型有落叶栎林、核桃楸林、青冈栎林、千金榆林、枫杨林、水曲柳林、香果树林7个群系,涉及面积约

3 047 hm^2。样方法调查的样方选取应遵守以下原则：

(1)一般了解，重点深入；

(2)大处着眼、小处着手，动态着眼、静态着手，全面着眼、典型着手；

(3)外貌结构一致性、种类成分一致性、生境特点一致性；

(4)种类成分要接近、外貌季相要接近、生态特征要接近、群落环境要接近、外界条件要接近。

乔木树种样方面积为 400 m^2(一般设为正方形；特殊情况下设为长方形，但长方形的最短边长不小于 5 m)；灌木树种样方面积为 5 m×5 m；草本物种样方面积为 1 m×1 m；藤本物种生长在乔木林中时样方面积为 20 m×20 m，生长在灌林丛中时样方面积为 5 m×5 m。为保证调查所需精度，目的物种所处群落面积小于 500 hm^2 的设 5 个样方；大于 500 hm^2 的每增加 100 hm^2 增设 1 个样方，样方最多可做至 10 个。目的物种所处的群落分布在两个地段时，小的地段可少设或不设样方，大的地段可多设样方。

为了避免样方内调查由于主观因素可能造成的误差，要用出现度来做总量的修正系数。出现度的调查方法是在每一样方四个延长对角线方向设置 4 个副样方，其形状和大小与主样方相同，主样方与副样方的间距(以角点为准)，乔木为 20 m，灌木为 5 m，草本为 2 m。如果某一方向的副样方超出群落范围或因地形等而不能设置，则偏离一定角度布设，副样方仅调查目的物种的有或无，不计目的物种的数量，记录出现目的物种(出现一株就算)的副样方数。副样方设置如图 2-1-2。

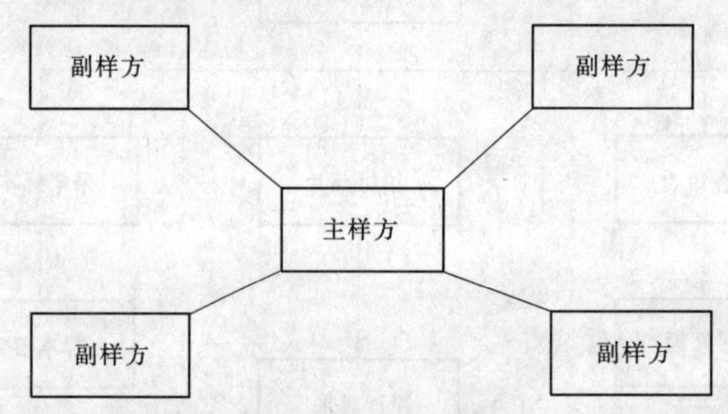

图 2-1-2 副样方设置

3.3.2 核实法

核实法适用于已知数量的目的物种。采用此法调查的物种也应先查阅资料，在 1∶5 万地形图上进行标记，并到实地核实，如有变动，现地修正，填写有关表格，可不设样方。本次采用核实法调查的主要物种有大果青杆、红豆杉、金钱松、秦岭冷杉、水青树、大别山五针松等 6 个物种。

3.3.3 访问估计法

经查阅资料已知分布地区和范围但很难找到的目的物种，通过现地考察访问，综合分析估计其数量，填写有关表格，勾绘分布图。河南采用访问估计法调查的主要有红豆树、秤锤树两个物种。

3.3.4 人工栽培情况调查方法

河南人工栽培情况调查的物种有：松科的金钱松，木兰科的厚朴、凹叶厚朴，杜仲科的杜仲,芸香科的黄檗,楝科的毛红椿,五加科的人参等7个物种。由于野生植物调查的最佳时期集中在春季4~5月份和秋季9~10月份,时间比较短,为了保证野生物种调查的顺利完成,人工栽培情况调查以县为单位,并调查填写“物种栽培情况调查表”。

3.3.5 国内外贸易情况调查方法

河南省重点保护野生植物资源贸易调查的物种有榆科的青檀、杜仲科的杜仲、木犀科的水曲柳、木兰科的厚朴等4个物种。以县为单位调查填写“物种国内贸易调查表”和“物种国际贸易调查表”。

3.4 数据处理方法

3.4.1 样方法调查数据处理

(1)出现度计算。出现度的计算公式如下:

$$F = \frac{n}{N_1 + N_2}$$

式中:F为目的物种在某群落中的出现度;n为在该群落中出现目的物种的主、副样方总数;N_1为在该群落中所设的主样方数;N_2为在该群落中所设的副样方数。

(2)单位面积物种数量计算。将目的物种在同一群落的样方面积相加得出样方的合计面积;将样方内目的物种的数量(株数或蓄积)相加得出合计数量;用目的物种合计数量与样方合计面积之比计算该群落每公顷的目的物种数量。

(3)物种总量计算。用碳素墨水清绘植物群落界线,用网点板或透明方格纸求算群落面积,查数2次,取平均值,得出该群落面积。

目的物种总量的求算公式为:

$$W = F \cdot X \cdot S$$

式中:W为目的物种在某群落中的总量;F为目的物种在该群落中的出现度;X为目的物种在该群落中每公顷的数量(株数或蓄积);S为目的物种在该群落中的分布总面积。

(4)数据汇总。将调查成果以省为单位,按不同目的物种和不同群落统一用计算机程序进行汇总。

3.4.2 核实法调查数据处理

将采用核实法调查的目的物种的数量(株数、蓄积)按不同的群落类型统计汇总。

3.4.3 访问估计法调查数据处理

将采用访问估计法调查的目的物种的数量(株数、蓄积)按不同的群落类型统计汇总。

3.4.4 人工栽培情况调查数据处理

将各市上交的人工栽培情况调查表按不同的目的物种进行统计汇总。

3.4.5 国内外贸易情况调查数据处理

将各市上交的人工栽培情况调查表按不同的目的物种进行统计汇总。

第2章　调查结果

第1节　资源状况

1.1　资源状况概述

本次调查结果表明，河南省重点保护野生植物物种的分布范围逐渐缩小，分布群落趋向单一，株数、蓄积量也明显减少，具体分述如下。

1.2　调查物种种类

本次重点保护野生植物调查物种15个，其中灌木树种1种是五加科的刺五加；乔木树种14种，分别是松科的秦岭冷杉、大果青杆、大别山五针松、金钱松，红豆杉科的红豆杉，胡桃科的核（胡）桃楸，连香树科的连香树，木兰科的水青树，杜仲科的杜仲，豆科的红豆树，安息香科的秤锤树，木犀科的水曲柳，茜草科的香果树，樟科的楠木。

本次调查发现13个物种，分别为刺五加、杜仲、核桃楸、连香树、楠木、水曲柳、香果树、大果青杆、红豆杉、秦岭冷杉、金钱松、水青树、大别山五针松。据访问估计，秤锤树、红豆树原分布区仍有少量存在。

刺五加　*Acanthopanax senticosus*

别名　五加皮

植物学特性　灌木。一二年生枝通常密生刺，刺直而细长，针状、下向，基部不膨大。叶5个，纸质，椭圆状倒卵形或长圆形，长7～13 cm，先端渐尖，基部阔楔形，表面脉上有粗毛，背面淡绿色，脉上有短柔毛，边缘有锐利重锯齿，网脉不明显；叶柄长3～10 cm，常疏生细刺。伞形花序单个顶生，或2～6个组成稀疏圆锥花序，总花梗长5～7 cm，无毛；花紫黄色，子房5室，花柱合生成柱状。果实球形或卵球形，有5棱，黑色，直径7～8 mm。花期6～7月；果熟期8～10月。

分布与数量　刺五加主要分布于大陆性兼海洋性气候的温带地区，耐寒性较强，在疏林下生长良好。根系发达，常在栎类、桦、槭、鹅耳枥类树种组成的落叶林中散生。刺五加属东北区系植物，河南是该物种分布的南缘地区，植株数量稀少。历史资料记载，刺五加在河南省主产于太行山区的济源、辉县及伏牛山区的栾川、嵩县、内乡、西峡等地，近几年来，由于原生植被破坏较严重，加之人为采集和太行山地区自然条件恶劣，导致刺五加分布面积日趋减少。本次调查共发现刺五加34 080株，分布在落叶栎林群落中面积36 hm^2。具体而言，在伏牛山区的栾川发现20 880株，嵩县发现13 200株，太行山区没有发现。

杜仲　*Eucommia ulmoides*

别名　丝棉木、扯丝皮

植物学特性　乔木，高20 m。树皮、叶和果实内均含白色胶丝。叶椭圆状卵形或椭圆形，长 6～18 cm，宽 3～7.5 cm，先端渐尖，基部楔形或宽楔形，表面微皱，无毛，叶脉凹陷，背面叶脉明显，脉上有毛；叶柄长 1～2 cm。花先叶或与叶同时开放。翅果圆形，基部楔形，顶端 2 裂，长 3～4 cm，宽约 1 cm；种子条形，扁平，长约 1.5 cm，宽约 3 mm，两端圆。花期 4 月；果熟期 10～11 月。

杜仲为我国特有树种、二级保护植物。种子繁殖，喜光性树种，不耐庇荫。适宜温暖湿润气候，也能耐低温。树皮为强壮剂及降压药，可治疗高血压、腰酸腿痛等症，木材供制家具、船车及建筑等用，可作为各山区中山及浅山的经济林造林树种。

分布与数量　分布于陕西、甘肃、湖北、湖南、四川、浙江、云南、贵州等省。杜仲在河南省主要分布于落叶栎林群落中，也有少量分布于青冈栎林和枫杨林中。其中，杜仲对气候的适应幅度很广，耐寒性较强，中心分布区气候属温暖湿润区类型。杜仲是喜光树种，在阳光充足的空旷地上生长发育良好，结实量多。杜仲为深根性树种，具有明显的垂直根和庞大的侧根系，萌芽力极强。杜仲在河南主要分布于海拔 900～1 600 m 的山林中。据资料记载，河南伏牛山区的西峡县、内乡县、南召县、嵩县等有野生分布。本次调查共发现野生杜仲 6 446 株，蓄积 24.34 m^3。其中集中成片分布面积有 26 hm^2。在辉县发现4 476株，嵩县 1 906 株，西峡县 50 株，淅川县 1 株，光山县 13 株。

核桃楸　*Juglans mandshurica*

植物学特性　胡桃科落叶乔木，高 25 m，树皮暗灰色，幼枝具柔毛。顶芽裸露，有黄褐色毛；幼叶表面有腺毛，沿脉有星状毛，老叶表面仅叶脉有星状毛。雄花序长约 10 cm。果核具有 8 条锐尖的纵棱。

核桃楸属国家三级保护树种。种子繁殖。喜光、深根性树种，适宜生长在土层深厚、肥沃、排水良好的沟谷和山坡下部，干旱瘠薄的地方生长不良。耐寒性极强。核桃楸与其他落叶树种混生，组成暖温带落叶阔叶次生林，主要混生树种有桦木、栓皮栎和槭类乔木。树皮可入药。

分布与数量　产于河南太行山、伏牛山北坡海拔 500～1 800 m 的山坡或沟谷，主要分布于林州、济源、辉县、鲁山、洛宁等县(市)，主要与其他物种形成落叶栎林群落或单独形成核桃楸纯林。其中，落叶栎林群落中的分布面积为 691 hm^2，核桃楸纯林面积为 794.8 hm^2。本次调查在核桃楸群系中发现核桃楸 172 013 株，蓄积 3 494 m^3；在落叶栎林群系组中发现核桃楸 109 866 株，蓄积 3 235 m^3。

连香树　*Cercidiphyllum japonicum*

别名　子母树、紫荆叶木

植物学特性　连香树科落叶乔木，高达 40 m。树皮暗灰色或棕灰色，小枝无毛。叶纸质，单叶对生，叶基宽心形，长 4～7 cm，宽 3.5～6 cm，先端急尖，基部心形，边缘有钝锯齿，脉掌状，5～7 出，背面粉白色，脉上略有毛。花先叶开放；雄花 4 朵簇生，近无梗；雌花 2～6 朵簇生，有总梗。种子卵形，褐色，顶端有透明翅。花期 4 月；果熟期 9～10 月。常与五角枫、葛萝槭、青冈栎、千金榆、领春木等树种混生形成混交林。

连香树为国家二级保护树种。种子、压条或扦插繁殖。较耐寒冷、怕干旱、喜温凉湿润的气候；多见于山地黄壤或黄棕壤呈中性或微酸性的土壤区，在土层深厚、富含有机质的沙壤土上生长良好。连香树的萌芽性很强，被砍伐的母树桩常萌发出为数众多的萌蘖苗，群众习惯称之为“子母树”。

分布与数量　连香树在河南主要分布于海拔 100～1 600 m 的山地，常与领春木、青冈栎、千金榆、枫杨及落叶栎类形成青冈栎林、千金榆林、枫杨林、领春木林、落叶栎林等群系或群系组。历史记载主要分布于河南的济源市、西峡县、嵩县、鲁山县、内乡县、南召县、辉县市、林州市、卢氏县、栾川县等，本次调查发现在济源市、西峡、内乡县、鲁山县、嵩县、卢氏县、栾川县有分布，其他地方已很少出现。连香树在青冈栎林中的分布面积为 147 hm^2；在千金榆林中的分布面积为 73.5 hm^2；另外连香树在枫杨林、领春木林、落叶栎林等群系中也有零星分布。青冈栎林群系中有连香树 7 607 株，蓄积 138 m^3；千金榆林群系中有连香树 3 874 株，蓄积 508 m^3；零星分布连香树 137 株，蓄积 43 m^3。

楠木　*Phoebe zhennan*

别名　雅楠、桢楠

植物学特性　樟科常绿乔木，树干通直，高达 30 m。小枝细，有棱。小枝被灰黄色或灰褐色长或短柔毛。单叶互生，叶薄革质，椭圆形，少披针形或倒披针形，长 7～11 cm，宽 2～4 cm，先端渐尖，少锐尖，基部楔形，表面无毛或沿中脉下半部有毛，背面密被灰白色或淡黄色短柔毛，脉上被长柔毛，横脉及小脉在背面呈不明显的小网格状；叶柄长 1～2 cm。花序长 7.5～12 cm，花梗、萼片均有黄色柔毛。果长形或椭圆形，长 1.1～1.4 cm，径 6～7 mm。花期 5 月；果熟期 9 月。花两性，聚伞圆锥花序，宿存花被裂片革质，紧贴。楠木的伴生树种有青冈栎、香果树、枫杨、中华槭等。

楠木为中亚热带深根、阴性树种。喜冬暖夏热、秋雨较多、冬阴多雾、少霜雪的湿润型气候，不耐寒冷。楠木对土壤条件要求较严格，适于在富含腐殖质、土层深厚、湿润的酸性土壤生长。

分布与数量　主要分布于海拔 1 000 m 以下避风的幽深峡谷地。常在常绿树和落叶树种混生的密林中散生。伴生植物：乔木树种主要有青冈栎、香果树、枫杨、中华槭等；灌木层有冬青、紫珠、构骨等；草本植物较少。在河南主要散生于枫杨林中。据资料记载，河南信阳的鸡公山、商城县的金岗台、新县等地有分布，本次调查仅在新县 106 hm^2 的枫杨林中发现有楠木散生，共 33 326 株，蓄积 132 m^3。

水曲柳　*Fraxinus mandschurica*

别名　挡浩槐、东北梣

植物学特性　木樨科落叶乔木，树干通直，高 10～30 m。树皮灰褐色，浅纵裂。小枝呈四棱形，无毛，有皮孔。奇数羽状复叶，对生，叶长 25～30 cm，叶轴有狭翅；小叶 7～11 个，无柄或近于无柄，卵状矩圆形至圆状披针形，长 8～19 cm，宽 2～5 cm，顶端长渐尖，基部楔形或宽楔形，不对称，边缘有锐锯齿，表面无毛或疏生硬毛，背面沿脉和小叶基部密生黄褐色绒毛。圆锥花序生于去年生小枝上，花序轴有狭翅；花单性异株，无花冠。翅果扭曲，无宿萼，矩圆状披针形，顶端钝圆或微凹。花期 5 月；果熟期 8～9 月。

水曲柳为国家二级保护植物。种子繁殖。深根性喜光树种，耐寒性强，喜较冷湿气候及肥沃深厚、排水良好的微酸性土壤，不耐水淹，在沙地、陡坡、干旱山坡或低湿地生长不良。侧根发达萌蘖力强，在阔叶林中常可见到萌芽更新的幼树。

分布与数量　水曲柳为寒温带树种，主要生长于东北地区，河南已是水曲柳分布的南界。

在河南主要分布于伏牛山地，海拔 1 000～1 300 m 的山坡林地或河溪两旁湿润地。常与千金榆、金钱槭、暖木、漆树、青冈栎、三桠乌药、落叶栎类等树种混生，多分布于千金榆林、落叶栎林、青冈栎林等群或群系组中，也可单独形成水曲柳纯林。据资料记载，水曲柳分布于内乡县宝天曼、西峡县老界岭、南召县乔端、嵩县龙池曼和鲁山县的石人山等地，本次调查发现嵩县、洛宁、内乡、鲁山、西峡、栾川、卢氏、南召均有水曲柳分布。河南水曲柳分布总面积 715.1 hm^2，株数 49 878 株，蓄积 6 056.42 m^3。其中千金榆林群系中水曲柳连片分布的面积为 302 hm^2，计 10 636 株，蓄积 821 m^3；青冈栎林群系中水曲柳连片分布的面积为 72.1 hm^2，计 3 193 株，蓄积 865 m^3；落叶栎林群系中水曲柳连片分布的面积为 81.7 hm^2，计 1 933 株，蓄积 408 m^3；水曲柳纯林面积为 259.3 hm^2，计 34 116 株，蓄地积 3962.42 m^3。

香果树 *Emmenopterys henryi*

别名　水冬瓜

植物学特性　茜草科落叶大乔木，株高 16～20 cm。树皮灰褐色。小枝淡黄色或暗褐色，有明显的灰白色皮孔，无毛或近无毛。单叶互生，叶近革质，宽椭圆形至宽卵形，全缘，长 10～15 cm，宽 6～10 cm，先端急尖或渐尖，基部圆形或宽楔形，表面无毛，背面淡绿色，中脉、侧脉和脉腋内有淡黄色柔毛或全面有毛；叶柄长 2～6 cm，被柔毛；托叶大，三角状卵形，早落。顶生伞房状大型圆锥花序，花序疏松，长 7～17 cm，花黄白色，花萼钟状，其中扩大的 1 片宿存于果上；花冠两面密被细柔毛；花柱长约 17 mm，柱头不明显 2 裂。果实长 2.5～5 cm，具棱，成熟时红色，室间 2 瓣开裂；种子细小而具宽翅。花期 8～9 月；果熟期 9～10 月。

香果树是第三纪古热带植物区系的孑遗树种，有“活化石”之称，为我国特产单种属树种，分布数量极少，被列为国家二级保护植物。亚热带树种，喜温暖湿润、雨量充沛的地区，分布区为湿润和半湿润气候类型。平均气温为 12～18 ℃，年降水量 800 mm，酸性至中性土壤的中、低山区均可生长。枝干隐芽的潜伏期长，百年生以上大树被砍倒后，从根、干基部还能萌发出很多萌生枝条。根蘖能力也很强，可以由水平根连续发生根蘖苗，出现“独木成林”的状态，无性繁殖更新良好。花美丽，可作为庭院观赏树木。

分布与数量　河南是香果树分布的北界，香果树在河南多生长于海拔 500～1 500 m 的阴坡或半阴坡的山谷和溪沟两旁低洼地，常与枫杨、青檀、枫香、落叶栎类等混生，多分布于枫杨林群系和落叶栎类群系组中，也可单独形成香果树纯林。据资料记载，香果树在河南主要分布于大别山、伏牛山、桐柏山。本次调查发现，新县、南召、淅川、桐柏、西峡、光山、内乡、信阳、罗山、商城等县均有分布，总面积 458.4 hm^2，计 77 630 株，蓄积 1 082.23 m^3。其中，枫杨林中成片分布面积 266.5 hm^2，计 41 260 株，蓄积 866 m^3；落叶栎林中成片分布面积 125.3 hm^2，计 30 065 株，蓄积 80 m^3；香果树纯林面积 66.6 hm^2，计 6 272 株，蓄积 136 m^3；落叶栎林中零星分布香果树 33 株，蓄积 0.23 m^3。

大果青杆 *Picea neoveitchii*

植物学特性　松科常绿乔木，高 8～15 m，胸径可达 50 cm。小枝有木钉状叶枕，无毛，淡黄色或淡黄灰色；基部宿存芽鳞紧贴小枝，不反曲。叶螺旋状着生，四棱状条形，常弯曲，长 1.5～2.5 cm，先端渐尖，四面有气孔线，两侧扁；球果下垂，单生于侧枝顶端，矩圆状圆柱形或卵状圆柱形,长 8～14 cm,直径 5～6.5 cm,熟前绿色,后呈褐色;种鳞宽大,倒卵状五角形、斜方状宽卵形或倒三角状宽卵形,长约 2.7 cm,宽 2.7～3 cm,先端宽圆或成钝三角形;苞鳞小;种子连翅长约 1.6 cm。

大果青杆为我国特有珍贵稀有树种,系国家二级重点保护植物。性喜温凉湿润气候。

分布与数量　分布于湖北西部、陕西南部、甘肃天水及白龙江流域。根据调查,河南省现存的 3 株大果青杆均分布在内乡县宝天曼国家级自然保护区的千金榆群系中,海拔为 1 200 m。

红豆杉　*Taxus chinensis*

别名　紫杉树

植物学特性　红豆杉又名紫杉树,属红豆杉科常绿乔木,高达 20 m。树皮灰褐色或黑褐色,常薄片状脱落。一年生小枝绿色。叶螺旋状着生,叶基部扭成二列,条形,常直伸或微呈镰状,长 1.5～3 cm,宽 2～2.5 mm,先端常微急尖,表面深绿色,有光泽,背面淡黄绿色,中脉两侧各有 1 条气孔带,绿色边缘极窄,中脉带密生均匀的角质乳头状突起点,边缘反曲。雌雄异株,球花单生叶腋;种子扁卵圆形,生于红色肉质杯状假种皮内,长约 5 mm,直径端微有 2 条棱脊,种脐卵圆形。花期 4 月;种子 10 月熟。

红豆杉为我国特有的第三纪孑遗树种之一,属国家一级保护植物。种子繁殖。红豆杉对生境条件要求严格,多在潮湿荫蔽的天然林或河溪两旁的杂木林中生长,对空气和土壤湿度要求较高,干旱多风的山坡上绝无生长。

分布与数量　河南的红豆杉主要分布于秦岭以南海拔1 000～1 800 m山地,在山白树、水腊树、青皮椴、千金榆、青冈栎以及落叶栎类形成的常绿阔叶林和落叶阔叶林中呈星散分布,主要分布的群系或群系组有落叶栎林、青冈栎林、千金榆林、青皮椴林、山白树林、水腊树林,也可单独形成小片红豆杉纯林。分布的县市有济源、卢氏、西峡、嵩县、栾川。据调查,河南红豆杉总数为 966 株,蓄积 46.69 m^3。其中,落叶栎林群系组中红豆杉分布 904 株,蓄积 26.28 m^3;青冈栎林群系中红豆杉分布 13 株,蓄积 0.09 m^3;千金榆林群系中红豆杉分布 1 株,蓄积 1.9 m^3;青皮椴林群系中红豆杉分布 1 株,蓄积 0.03 m^3;山白树林群系中红豆杉分布 37 株,蓄积 0.65 m^3;水腊树林群系中红豆杉分布 1 株,蓄积 0.01 m^3;红豆杉纯林 9 株,蓄积 17.73 m^3。

金钱松　*Pseudolarix anabilis*

植物学特性　松科落叶乔木,高达 40 m。树干通直,树皮灰褐色,深裂成不规则的鳞片状。叶条形或倒披针状条形,扁平,柔软,长 2～5.5 cm,宽 1.5～4 mm,表面中脉不隆起,背面中脉隆起,有两条气孔带。长枝之叶螺旋状互生,短枝之叶簇状密生,辐射平展,秋后呈金黄色。雌雄同株,雄球花黄色,圆柱状,下垂;雌球花紫红色,椭圆形,直立,有短梗。球果当年成熟,熟时淡红褐色,卵圆形,长 6～7.5 cm,直径 4～5 cm ,有短柄;种鳞木质,卵状披针形,长 2.5～3.5 cm,宽 1.3～2 cm,先端有凹缺,基部心形;苞鳞卵状披针形,长约为种鳞之半或更短;种翅稍厚,与种鳞几乎等长。子叶 5～6 个。花期 4～5 月;球果 11 月熟。

金钱松为我国特有,被列为国家二级重点保护植物。种子繁殖。亚热带树种,耐寒性较强,适生于温暖湿润气候和深厚肥沃、排水良好的酸性土壤或中性土壤。金钱松是我国特产的单种属植物，系第三纪古热带区系的残遗树种。树干通直，材质优良，为亚热带地区的珍贵用材树。根皮药用，种子可榨油。树姿优美、叶轮状排列，入秋变黄，状若金钱，是世界驰名的五大庭园观赏树木之一。

分布与数量　河南金钱松的分布已达北界。据资料记载，金钱松在河南分布于大别山区商城旗架岭、固始武庙黄岭山坡，海拔 422 m，主要散生于落叶栎类组成的群系组中。本次调查仅在固始武庙黄岭山坡的落叶栎林群系组中上发现金钱松 152 株，蓄积 2.74 m^3。

秦岭冷杉　*Abies chensiensis*

植物学特性　松科常绿乔木，高达 30 m。一年生枝淡黄灰色或灰色、淡黄色或淡褐色黄色。叶螺旋状互生，条形，叶基扭曲排成两列，叶正面亮绿，中脉凹下，背面有两条灰绿色气孔带。球花生于去年生叶腋，球果圆柱形或卵状圆形，长 7～11 cm，苞鳞长为种鳞的 1/2，不外露，上部近圆形，中央有短急尖头，中下部近等宽，基部渐窄；种子倒卵形，种翅倒三角形。果枝之叶树脂道中生或近中生；营养枝之叶树脂道边生。

秦岭冷杉是我国特有的珍稀树种，被列为国家二级保护植物。种子繁殖。喜温凉湿润气候，稍耐寒冷，怕干旱瘠薄的土壤。在阴坡及缓坡谷地、土层深厚肥沃、富含腐殖质的微酸性棕壤生长良好。

分布与数量　分布于我国北亚热带及暖温带过渡地带，生于海拔 1 350～2 300 m 巴山冷杉、飞蛾槭、青冈栎等形成的群系中，呈零散单株或团状分布。数量少，分布区狭窄，河南仅见于伏牛山内乡县宝天曼及灵宝小秦岭海拔 1 800 m 的山坡上。据调查，河南共分布秦岭冷杉 12 株，蓄积 3.41 m^3。其中，巴山冷杉林群系中分布 4 株，蓄积 0.59 m^3；飞蛾槭林群系中分布 6 株，蓄积 1.42 m^3；青冈栎林群系中分布 2 株，蓄积 1.40 m^3。

水青树　*Tetracentron sinense*

植物学特性　木兰科落叶乔木，高达 12 m，全株无毛。树皮平滑，红灰色、灰褐色或黑灰色。枝条有长短枝之分，长枝纤细，短枝在长枝上互生。侧生短枝有环状叶痕。单叶互生，叶片卵形至椭圆状卵形，先端渐尖，基部圆形或略为心脏形，边缘密生腺齿，基生脉 5～7 条，长 7～15 cm，宽 4～11 cm；叶柄长 2～3.5 cm。花为两性花，形小，黄绿色，花序穗状腋生，下垂；果 4 室，长椭圆形，长 2～4 mm，褐色，成熟时深裂形成 4 个蓇葖果；种子 4～6 粒。花期 6～7 月；果熟期 8～9 月。

国家二级保护植物。种子繁殖。为亚热带树种，在河南伏牛山湿度大的阴湿谷地、溪沟两岸生长，表现出喜温凉湿润环境及耐寒冷、抗冰冻的特性。可作为豫南园林绿化树种。水青树是第三纪古热带植物区系的古老成分。在第四纪冰川侵袭下，世界各地均已灭绝，现仅在东亚局部地区生存，是我国特产的单种属稀有树种之一。它在系统发育上孤立、形态独特，在被子植物系统发生研究上具有重要的科学价值。

分布与数量　水青树在落叶栎类、领春木、槭类形成的杂木林中散生，主要分布于落叶栎类群系组中。散生于伏牛山区的淅川、西峡、南召和内乡县海拔 800～2 400 m 之间的落叶栎林群系组中。本次调查仅在淅川境内的落叶栎林群系组中发现水青树 12 株，均为萌发的幼苗。

大别山五针松　*Pinus dabeshanensis*

别名　安徽五针松

植物学特性　松科常绿乔木,高达20 m。树皮鳞状剥裂,棕褐色。小枝淡褐黄色,无毛。叶5针1束,长5~14 cm,细瘦,仅腹面每侧有2~4条气孔线;横切面三角形,背有2个边生树脂道。球果圆柱状椭圆形,长约15 cm;种鳞上部边缘显著向外反曲;种子有木质短翅。花期4~5月;果次年9~10月成熟。

国家二级保护植物。生于海拔900 m以上的山坡石缝中,具有一定的耐寒、抗风、抗旱能力。树姿优美,叶细翠绿,可作绿化观赏树,常与栓皮栎等落叶树种混生。大别山五针松是我国特有的古老孑遗树种之一,对于研究古植物区系与古地理气候的演变有重要的科学价值。

分布与数量　我国仅在鄂、皖、豫大别山局部地区残留少量植株,而且分布零散,资源极少。本次调查仅在商城县金刚台自然保护区的落叶栎林群系组中发现大别山五针松5株,蓄积0.4 m^3。

红豆树　*Ormosia hosiei*

植物学特性　豆科落叶乔木,高5~15 m。树皮灰色,光滑,小枝绿色。叶互生、奇数羽状复叶,长8~12 cm;小叶7~9个,长卵形,长圆状倒卵形至长圆状倒披针形,长5~12 cm,宽2.5~5 cm,先端急尖或渐尖,基部楔形或近圆形,全缘,无毛。叶片薄革质。圆锥花序顶生或腋生;萼钟状,密生黄棕色短柔毛,裂片短,近圆形,花冠白色或淡红色;子房无毛,有胚珠5~6个。荚果木质,扁平圆形或椭圆形。种子鲜红色,光亮,近圆形,长4~6.5 cm,宽2.5~4 cm,先端喙状;种子1~2粒。花期4~5月;果熟期10~11月。

国家二级保护植物。红豆树是我国亚热带树种,河南的大别山和秦岭山脉南坡是其分布的最北界。红豆树为偏阴性树种,不耐干旱瘠薄土壤,多在河溪两旁、山谷疏林地的温暖避风处生长,海拔700~1 300 m。喜水分条件良好、土壤黏重、湿润含腐殖质的黄褐土,常零星混生于含常绿树种的落叶林中。乔木树种主要有青冈栎、三叶槭、漆树、枫杨等,灌木有灰木、悬钩子等,草本有荩草、珍珠菜等。

分布与数量　红豆树为我国特产亚热带树种,北亚热带的大别山和秦岭山脉南坡是其分布的最北界。据资料记载,红豆树在大别山区商城县的金刚台自然保护区和黄柏山林场有星散分布。根据访问调查和有关资料记载,红豆树在河南商城金刚台自然保护区和黄柏山林场的分布株数为20~30株,但是在实地调查中没有发现该物种。

秤锤树　*Sinojackia xylocarpa*

别名　捷克木

植物学特性　安息香科落叶小乔木,高6 m。小枝红褐色,幼时密被星状毛。嫩枝密布星状毛,后脱落。单叶互生,叶纸质,叶片椭圆形至椭圆状卵形,边缘具硬质细锯齿,长3.5~9 cm,宽2~4 cm,先端短渐尖,基部稍心形,无毛或仅中脉疏被星状毛;叶柄长约5 mm。聚伞花序腋生,有花3~5朵;花白色。果实卵形,连喙长2~2.5 cm,红褐色,有浅棕色皮孔,种子1粒,长约1 cm,栗褐色。花期3~4月;果熟期7~9月。秤锤树为我国特有植物,其花白色,灿烂美丽,果实似秤锤,可作庭园绿化,观赏植物。

国家二级保护植物。属濒危种。为我国亚热带树种,喜生于温暖湿润、土层深厚、肥沃的微酸性土壤。常生长在山坡林缘或疏林中,与麻栎、黄连木、山合欢等混生。

分布与数量　据资料记载,秤锤树零星分布于大别山的商城黄柏山、新县黄毛尖海拔

500～800 m 的山地落叶栎林中。根据访问调查和有关资料记载,秤锤树在河南商城和新县分布株数为 10～20 株,但在本次调查过程中没有发现该物种。

第 2 节　资源利用状况

2.1　人工栽培状况

本次河南省重点保护野生植物资源栽培调查的目的物种有:松科的金钱松,木兰科的厚朴、凹叶厚朴,杜仲科的杜仲,芸香科的黄檗,楝科的毛红椿、五加科的人参。调查中发现杜仲的栽植在全省范围内较为普遍,面积达 11 089.69 hm^2,计34 457 357株,产值 2 634.13 万元,栽植地点有安阳、方城、固始、三门峡湖滨区、滑县、淮阳、林州、灵宝、鹿邑、罗山、内黄、内乡、南召、商城、社旗、沈丘、渑池、信阳狮河区、太康、唐河、南阳宛城区、尉氏、南阳卧龙区、西华、西峡、息县、淅川、项城、新县、新野、镇平、焦作解放区、焦作马村区、孟州、泌阳、沁阳、修武、正阳、安阳郊区等 39 个县(市、区);厚朴栽植面积 75.16 hm^2,计 112 392 株,产值 1.89 万元,主要栽植地点有商城、商水、信阳狮河区、西华 4 县(区);凹叶厚朴仅在信阳狮河区栽植 0.33 hm^2,500 株;西峡县栽植毛红椿 244.4 hm^2,119 530 株;三门峡湖滨区栽植银杏 12 hm^2,18 000株;黄檗仅在商城栽植有 5 株。其余两个种即松科的金钱松、五加科的人参本次调查中没有发现有人工栽培现象。

2.2　国内外贸易状况

本次河南省重点保护野生植物资源贸易调查的目的物种有:榆科的青檀、杜仲科的杜仲、木犀科的水曲柳和木兰科的厚朴 4 个物种。调查中发现杜仲在国内的贸易较为普遍,1999 年,方城、内乡、南召、社旗、温县、南阳卧龙区、西华、西峡、淅川、镇平、正阳等县(市、区)的杜仲皮的贸易量为1 273 952 kg,金额达 1 407.420 9 万元,另外还有杜仲树干的贸易,金额 1.66 万元,贸易地点为社旗;厚朴皮 1999 年贸易量为 26 kg,金额 0.031 2 万元,贸易地点为温县。其余两个物种榆科的青檀、木犀科的水曲柳据说在 20 世纪 80 年代贸易量较大,但近期没有发现有贸易现象。本次贸易调查的 4 个目的物种在 1997～1999 年 3 年中均没有发现有国际贸易现象。

第 3 节　保护管理状况

3.1　管理体制及机构建设

3.1.1　管理体制

我国政府对野生植物的保护管理极为重视。《中华人民共和国宪法》第九条规定:“国家保障自然资源的合理利用,保护珍贵的动物和植物。禁止任何组织或者个人用任何手段侵占或破坏自然资源。”全国人大先后公布了《中华人民共和国环境保护法》(1979)、《中华人民共和国森林法》(1984)、《中华人民共和国野生药材资源保护管理条例》(1987)、《中华人民共和国自然保护区管理条例》等，这些法律、法规对野生植物的保护管理都作了明确的规定。1996年9月30日我国第一部专门保护野生植物的行政法规《中华人民共和国野生植物保护条例》由国务院正式发布。20世纪80年代初，河南省政府在批建16个自然保护区的同时，1982年5月发布《关于保护野生珍稀动、植物的布告》。

随着法律法规的出台及各级政府对保护野生植物工作的重视，河南省野生植物保护管理体制的组织结构发生了较大的变化，目前已基本上形成了以省、省辖市、县(市、区)、乡(镇)4级林业行政主管部门，国家级自然保护区、省级自然保护区两级保护基地的保护管理组织体系。保护管理机制也依法逐步建立起来。按照有关法律法规的规定，对国家重点保护野生植物和有益的或者有重要经济、科学研究价值的野生植物，由县级以上人民政府林业行政主管部门按照《中华人民共和国野生植物保护条例》进行管理，对省重点保护植物按照《河南省野生植物保护条例》进行管理。

3.1.2 管理机构

河南省林业厅是河南省内野生植物保护管理工作的主管部门，设置有"野生动植物保护处"，河南部分省辖市设置了野生动植物保护科(站)。三门峡、信阳、平顶山、焦作、济源、安阳、南阳等市成立了专门的野生动植物管理机构；其余市指定了专门的管理机构或配备了专职工作人员。三门峡和开封市分别成立了"三门峡库区湿地自然保护区管理局"和"开封柳园口湿地自然保护区管理站"。县级林业主管部门也全部将野生动植物保护管理纳入职责范围，并不同程度地开展了工作。全省乡(镇)林业工作站按照国家林业局文件精神，增挂了"野生植物保护管理站"牌子，强化了乡级林业工作站的野生植物保护管理职能。全省目前共有省辖市保护管理机构18个，县(市、区)保护管理机构158个，乡(镇)林业工作站也都普遍建立了野生植物保护管理工作站。

3.1.3 队伍建设

全省保护管理队伍有所壮大。现有保护管理人员961人，其中省林业厅野生动植物保护处5人，各省辖市野生动植物保护管理科(站)88人，县(市、区)保护管理人员868人。保护管理人员的文化程度普遍较高，县(市、区)管理部门人员大学本科108人，占12.4%；大学专科232人，占26.7%；中等专业毕业342人，占39.4%；高中以下186人，占21.5%。近年来，经过保护管理实践，特别是在野生植物资源调查工作中，各级管理人员对野生植物保护管理的专业知识和法律法规有了更多的了解，1997年以来各级野生植物保护管理部门还开展了管理人员执法考试，各地还采取培训、在职学习、脱产进修等形式提高管理人员的专业水平和执法水平，使全省野生植物保护工作者整体素质有了较大提高。

3.2 法制建设

1956年10月在第七次全国林业工作会议上提出了《天然森林禁伐区(自然保护区)划定草案》，这使自然保护区的建立有了法律依据。至今国家已公布的涉及生物资源管理与保护的法令、制度、条例和规定有30多项，如原林业部"关于保护、发展和合理利用珍贵树种的通知"(1975)、《中华人民共和国野生植物资源保护条例》(1980)、《国家重点保护野生植物名录》(1988)、《中华人民共和国种子管理条例》(1990)、《中华人民共和国野生植物保护条例》(1996)等。河南省也制定了一些相应的条例和规定,如《河南省野生植物资源保护条例》、《河南省重点保护野生植物名录》、《关于保护珍贵稀有野生动植物的布告》、《河南省森林和野生动物类型自然保护区管理细则》等。这些法律、法规、规章和规范性文件的出台,使河南省野生动植物保护管理工作基本上实现了有法可依、有章可循。目前,亟待制定经营利用河南省重点保护野生植物及其产品和国家保护的有益的或者有重要经济价值、科学研究价值的植物及其产品的资源保护管理费收费标准。

3.3 保护区建设

截至2001年6月,全省共建有22个自然保护区,其中渔政部门管理4个大鲵保护区,环保部门管理2个自然保护区,其余16个自然保护区为林业部门管理。全省自然保护区总面积35.00万hm^2,占全省总土地面积的2.1%。其中林业部门管理面积31.29万hm^2、环保部门管理面积3.37万hm^2、渔政部门管理面积0.34万hm^2,分别占全省土地面积的1.87%、0.20%、0.03%。

全省有国家级自然保护区6个,省级自然保护区13个,县级自然保护区3个。其中有2个国家级保护区、5个省级保护区、3个县级保护区位于伏牛山区;2个国家级保护区、2个省级保护区位于在大别山区;1个省级保护区位于桐柏山区;1个国家级保护区位于太行山区;1个国家级保护区、5个省级保护区位于黄河和黄淮平原。

3.4 科学研究

20世纪80年代以来河南省先后开展了有关野生植物的专题研究和综合科学考察,取得了以下主要成绩:

河南省林业厅等单位组织有关专家对省内自然保护区以及山区、河流开展综合科学考察,总结过去的研究成果,出版和发表了一系列专著和论文。如由河南农大牵头编写的《河南省珍稀濒危保护植物》(1990)、《河南省志·植物志》(1993)、《伏牛山自然保护区科学考察集》(1994)、《宝天曼自然保护区科学考察集》(1994)、《鸡公山自然保护区科学考察集》(1994)、《太行山自然保护区科学考察集》(1996)、《河南湿地》(1997)等,《河南珍稀濒危动物》也将于近期出版。另外还在省内外各类刊物和学术会议上发表或宣读论文,并撰写了全省性的野生植物调查报告。

3.5 公众教育

野生植物保护是一项社会性、公益性很强的事业,需要整个社会和全体公民的参与及支持。全省各级野生植物行政主管部门都把提高全民的野生植物的保护意识,作为保护管理工作的重要内容,动员社会各方面力量,采取多种形式,生动活泼地宣传野生植物保护方针、政策和知识,为搞好野生植物保护提供了良好的社会环境。

第3章　资源评价

第1节　资源现状分析

1.1　资源现状分析评价

河南省本次调查的15个目的物种资源现状见下表2-3-1。

表2-3-1　河南省全国重点保护野生植物资源现状

中文名	物种类型	面积（hm^2）	株数（株）	蓄积量（m^3）	分布区域
刺五加	灌	36.00	34 080	*	栾川、嵩县
杜仲	乔	26	6 446	24.34	辉县、嵩县
核桃楸	乔	1 485.8	281 879	6 729	林州、鲁山、洛宁、济源、辉县
连香树	乔	220.5	11 618	689	栾川、卢氏、嵩县
楠木	乔	106	33 326	132	新县
水曲柳	乔	715.1	49 878	6 056.42	嵩县、洛宁、内乡、鲁山、西峡、栾川、灵宝、卢氏
香果树	乔	458.4	77 630	1 082.23	新县、南召、淅川、桐柏、西峡、光山、内乡、鸡公山、罗山、商城
大果青杆	乔	\	3	1.15	内乡
红豆杉	乔	\	966	46.69	济源、卢氏、西峡、嵩县、栾川
金钱松	乔	\	152	2.74	固始
秦岭冷杉	乔	\	12	3.41	灵宝、内乡
水青树	乔	\	12	*	淅川
大别山五针松	乔	\	5	0.40	商城
红豆树	本次调查中没有发现，访问估计现存20～30株，位于商城金刚台和黄柏山				
秤锤树	本次调查中没有发现，访问估计现存10～20株，位于商城黄柏山和新县的黄毛尖				

注："\"表示该物种采用核实法调查，无分布面积；"*"表示该物种为灌木或个体全为幼树无蓄积。

从本次的调查情况来看，15个目的物种资源量少，株数与蓄积不协调，极个别物种如水青树，没有大树（大树已被砍伐）；以前曾在该地区生长的物种本次调查没有找到，如秤锤树、红豆树。

1.2 存在问题

分析 15 个目的物种的资源现状,主要存在以下问题:

(1)资源量偏小。从表 2-3-1 可以看出 15 个调查物种中大部分目的物种的数量在 10 万株以下,极个别只有几十株或几株,甚至没有,而且由于调查的物种多属于慢生性树种,因此蓄积量不大,有繁殖能力的大树也不多见。

(2)分布区域狭窄。由于小地形所形成的小气候环境对水、热条件能起到良好的补偿作用,所以珍稀濒危物种大多分布在深山狭谷林地中,而且分布不连续,植株数量零散,分布范围极狭窄。珍稀濒危物种分布范围的局限性反映了它们生存能力较差,对生活区域的环境条件要求较严格,缺乏较广泛的适应能力,自然繁殖和更新能力弱。

(3)植物群落类型单一。大部分目的物种仅分布于一两个类型的群落中,一旦该群落消失,该物种在本地势必也要灭绝,如水青树、刺五加等。

1.3 解决措施

(1)加强野生植物资源的保护管理。保护管理是促进野生植物资源增长的综合措施,它包括法律的、行政的和经济的多种保护管理手段,对野生植物资源的合理利用,实现“加强资源保护、积极栽培繁殖、合理开发利用”的方针,具有不可缺少的作用。加强资源保护管理的关键是落实法律法规和政策,只有对野生植物资源严格进行保护管理、采集收购管理和生态环境管理,才能达到培育资源、减少消耗、持续利用的目的。

(2)开展迁地保护。迁地保护已被证实是一种保护濒危物种的有效方法。迁地保护包括建立植物园、植物基因库、标本园。这些繁育机构对人工栽培的研究,积累了野生植物繁殖经验。通过人工栽培繁殖以后再进行推广研究,可保护其种质资源。

(3)建立珍稀植物保护区。对于无法开展迁地保护或对外境地适应性较弱的珍稀濒危植物生存的环境,要划出专门的保护区域,以保护其生存环境,进而保护该物种。

第 2 节　资源利用状况分析

2.1 资源利用状况分析评价

野生植物资源具有较大的经济、社会和生态效益。野生植物资源利用现状可以概括如下:

(1)从单一野外采集变为野外采集与人工栽培并重。据本次调查,河南省 1999 年的贸易额为 1 409.080 9 万元,为当地的经济发展做出了巨大的贡献;为了达到植物资源的永续利用,人们在野外采集野生植物资源的同时广泛开展了人工栽培,全省保护栽培植物面积 11 426.25 hm^2,既有效地保护野生资源又增加了经济收入。

(2)由国家指导利用转变为根据市场需求利用。计划经济时代野生植物的采集、加工利用都是根据国家收购什么,群众就上山采集什么,然后出售给国家,而现在全凭市场调节来引导群众人工栽培和加工利用。前些年杜仲皮紧俏,价格高,各地杜仲的栽培较为普遍。

2.2 存在问题

(1)野生资源破坏严重。由于前些年人们对野生植物资源保护的意识比较淡薄,野外采集过程中为了追求眼前利益对野生资源破坏严重。如:采含集野生杜仲皮时将树皮全部剥光致使整株树死亡,造成野生杜仲资源数量急剧减少。

(2)引种栽培技术水平低、面积较小。对野生植物利用前景认识不足,对野生植物的引种栽培,适应性研究投入资金、人力少,即使有少量引种栽培也形不成规模。如:金钱松本来是一种很好的观赏树种,由于人们认识不足,没有很好地进行引种栽培,金钱松的经济价值没有发掘出来;紫杉醇的提取仍需要靠采集野生红豆杉树皮来进行。

(3)缺乏有效的管理和必要的引导。通过人们的不断实践和研究,有些野生植物特有的价值已被人们了解,如杜仲、刺五加等;有的已经被人们大面积栽培,如杜仲。但由于人们对这类产品的行情了解较少,对栽培物种、栽培时间的选择具有很大的盲目性,故不能产生很好的经济效益。对于有经济价值的野生植物种类,要合理引导农民进行引种栽培。

2.3 合理利用建议

(1)加强对野生植物现有资源的管理,杜绝乱采滥挖。野生植物的资源量是有限的,每一个物种对人类来说都是一笔不小的财富,如不严格管理野生植物资源,人们在追求经济利益时常常会对某一物种进行掠夺式的采挖,这将导致该物种野生资源量急剧下降甚至绝迹。如杜仲,十几年前在山上很容易就能发现野生植株,现在却是越来越困难。

(2)广泛开展引种栽培研究。对有市场前景的物种应加大人工种植规模,以人工栽培产品替代野生资源,或寻找该物种的替代品。如杜仲的人工栽培基本满足了市场的需要,减少了杜仲野生资源的破坏。

(3)积极广泛开展野生植物资源的研究,开发野生植物资源的新用途。野生植物的价值是在人们不断的实践和研究中逐渐被发现的,要加大对野生植物资源利用的研究力度,不断开发其新的应用价值,有利用价值才可能进行引种栽培,才更有利于其保护。

第3节 保护管理现状分析

3.1 现状评价

(1)全省依法管理的局面基本形成。多年来,全省野生植物管理工作者坚持运用法律手段加强管理,使野生植物保护初步走上了法制化轨道。在调查研究和对各种问题、现象深入分析的基础上,建立了较为完善的法规和制度体系。有一支比较稳定、精干和素质较高的行政执法队伍,能坚持依法办事,按规定程序审批、发放有关许可证。并采取各种措施,开展了野生植物管理执法活动,严厉地打击了破坏野生植物资源的违法犯罪行为。

(2)全省保护管理基础建设有所加强。全省18个省辖市建立有野生植物保护管理或兼负野生植物保护管理之责的科(站),158个县(市、区)建立有保护管理股(站),全省共有管理人员961人;保护基地建设成效比较显著,1994年以来新建2个国家级自然保护区,3个省级湿地保护区。全省野生植物保护管理基础设施建设得到加强。

3.2 存在问题

野生植物物种是在长期的进化、发展和对环境不断适应的过程中形成的,每一个物种的种质资源对人类来说都是一种宝贵的物质财富,因物种一旦灭绝就无法再生,所以保护物种已成为当前一项十分迫切的工作。近年来,虽然物种的保护引起了人们的重视,并且开展了一些工作,但还存在以下问题:

(1)对自然资源和物种保护认识不足。长期以来管理和利用部门都不同程度地存在着重利用轻保护的思想,而且利用方法也是掠夺式的。广大群众对植物资源还存在着“野生无主,自生自灭”、“向自然索取,不用就是浪费”的观点。把野生植物当做自然物任意取用,缺乏自然资源和环境保护意识。同时掠夺式地利用自然资源,也使珍稀濒危植物资源遭受严重破坏。

(2)自然保护区的建设和职能没有真正落实。现存珍稀濒危植物绝大部分布在全省的自然保护区内,它们应该成为保护物种的基地和繁殖场所。但是由于机构不健全,经费来源缺乏,技术力量薄弱,致使大部分保护区保护不力,更谈不上进行有效的管理,野生植物资源破坏仍然相当严重。

(3)强有力的立法与执法保护措施不健全。珍稀濒危植物资源野生山野,分布散乱,很难加以管理。虽然国家已颁布有《中华人民共和国环境保护法》(1979)、《中华人民共和国森林法》(1984)、《中华人民共和国野生药材资源保护管理条例》(1987)、《中华人民共和国自然保护区管理条例》、《中华人民共和国野生植物保护条例》(1996)等,但因人们法制观念不强,执法不严,监督管理不力,对资源的保护难于发挥强有力的作用。加上《国家重点保护野生植物名录》还没有完全出台,各地也没有制定相应的“保护名录”,致使保护对象和范围不明,野生珍稀植物难于获得有效的法律保障。

(4)没有建立植物引种驯化和迁地保护基地。珍稀濒危植物的保护除在原生境保护以外,进行迁地保护也是一种非常有效的途径。全国目前已建有几十个植物园,河南目前尚无一处专门用于野生植物引种驯化和迁地保护的基地,致使植物资源的收集、引种、保存和研究较难开展。

3.3 强化保护管理措施分析

保护物种资源,防止植物种质资源灭绝流失,是一个涉及多个部门及政策、立法、管理体制、科学研究、经济贸易等多个方面的复杂问题,需要有综合性的保护对策。根据河南省实际情况,提出以下保护管理措施。

(1)加强领导,落实归口管理机构。野生植物资源的保护与发展工作涉及多个部门,除调动有关资源利用单位的积极性和发挥自然保护区的功能外,还需要有一个统一的归口管理机构,以统筹、协调、监督和支持保护工作。该机构可通过与林业、牧业、医药、外贸等部门协商制定规划,共同管理,协调保护与利用的矛盾,解决资源保护工作中出现的问题。

(2)广泛开展野生植物和珍稀濒危植物资源的宣传教育。物种保护是全民的事业。

通过对群众宣传教育，提高其自然保护意识，可使保护植物资源的艰巨任务建筑在广泛的群众基础之上，这是保护好物种资源的关键。要运用多种形式，持续地宣传植物资源与经济建设的关系，资源保护与合理利用的整体效益，自然资源保护的方针、法规，提高群众的环境意识和法制观念。只有广大群众动员起来共同采取保护措施，才能有效地保护好野生植物种质资源。

(3)建立珍稀濒危植物迁地保护和引种驯化基地。河南地处中原，具有南北植物引种的优越自然环境，无论从经济建设和科学研究方面，都需要建立一个植物园，以健全全国植物园系统和植物引种驯化试验网络。河南植物园的建立将在拯救和保护全省珍稀濒危物种，广泛收集和挖掘野生植物种质资源，引种繁殖我国南北区系植物和国内外重要经济植物资源等方面起重要作用，并可直接为农、林、园艺、医药、环保等生产实践服务。植物园不仅是科学研究的基地，而且也是进行自然保护宣传教育、普及科学知识、参观游览、丰富人民文化生活的重要场所。

(4)加强自然保护区的建设和管理。河南省已批准建立了多个自然保护区，它们为全省的植物种质资源的保护提供了极其有利的条件，应该成为保护、发展和研究珍稀濒危植物的基地。但自然保护区的建设与管理目前仍然存在不少亟待解决的问题，未能真正体现自然保护区的职能，也不能发挥其巨大的潜力和应有的效益。应健全保护区的管理机构，解决经费来源，落实方针政策，使之真正起到保护自然、拯救物种及其生存环境的作用。自然保护区在发展经济价值高的珍稀药用植物、土特产植物等方面具有很大潜力，建立珍稀植物繁殖基地，开展多种经营，是保护区保护珍稀植物资源，为社会经济服务，增加经济收入的重要途径。

(5)加强植物资源的研究。生物科学是当代科学研究的前沿阵地之一，科学技术是保护和持续利用植物资源的基础，加强植物资源研究是一项具有战略意义、长期不懈的工作。从河南省实际出发，应开展以下几个方面的研究工作。

①对珍稀植物进行种群消长规律、威胁性病虫害、天然更新或人工促进天然更新，恢复和扩大种群数量的研究；

②运用植物形态学、胚胎学方法探讨加速珍稀濒危植物繁殖机制，进行物种繁殖生物学的研究；

③面向经济建设，开展对经济价值高的珍稀濒危植物，特种药用、油料、食品工业用、抗逆性植物有效成分分析，挖掘新植物资源的试验研究；

④开展对引种珍稀濒危植物生长发育规律，生态适应性，遗传变异性，以及扩大其适应范围并提高其生产力的栽培技术措施的研究；

⑤对经济价值高、繁殖困难的珍稀濒危植物开展组织培养、单倍体育种等新技术研究；

⑥开展野生植物资源的有效管理、保护和持续利用的研究。

(6)建立珍稀濒危植物监测网。在河南省林业厅设立监测中心，在相关的洛阳、南阳、三门峡、济源、信阳、焦作、平顶山等市设立监测站，在野生植物资源丰富地区和珍稀濒危植物主要分布区所在县的林业局或林场设立监测点，成立全省野生植物资源监测网，对野生植物资源的动态变化及时了解掌握，这对于物种保护是非常必要的。

第 4 节　野生植物资源监测方案

4.1　资源监测总体设想

建立河南省野生珍稀濒危植物资源监测网络,形成有效的监测体系。即成立河南省野生珍稀濒危植物资源监测中心,重点市设立监测站,重点县或国有林场设立监测点。省监测中心负责全省野生珍稀濒危植物资源监测工作,贯彻执行国家及上级主管部门制定的方针、政策、条例等,制定全省的监测制度、监测措施,监督、检查各监测站、点的工作。市监测站是监测体系的中层单位,具有承上启下的职能,业务上受省监测中心的指导,组织上受所在市林业局领导,负责对本辖区内的监测点进行监督管理。监测点是整个监测体系的基层实施单位,业务上受市监测站的指导,组织上受所在县林业局或林场领导,各监测点担负本地区的监测任务。

根据河南省地理自然条件,分别在 4 大山系(太行、伏牛、大别、桐柏山系),有重点地选择监测物种。根据监测物种在河南的分布数量分别利用不同的监测方法,对所确定的物种进行监测。通过有效的野生植物资源监测,可以把握野生植物资源的动态变化,有利于人们确定有效的保护对策,拯救珍稀濒危物种,扩大种群数量,实现物种的保护、监测和宣传教育相结合,全面推进河南省野生珍稀濒危植物保护事业的发展。

4.2　监测物种选择

4.2.1　选择原则

(1)选择的物种能代表本地区气候环境及立地类型;

(2)选择的物种在本地区的分布相对集中;

(3)选择具有重要经济或科研价值的物种;

(4)选择破坏较严重或正在遭受破坏的物种。

4.2.2　选择物种

应对本次重点保护野生植物资源调查的 15 个物种持续进行监测,其中红豆树、秤锤树 2 个物种因本次调查没有发现,应对其生长地点持续访问;红豆杉、大果青扦、金钱松、秦岭冷杉、水青树、大别山五针松 6 个物种分布数量少,采用核实法调查;刺五加、杜仲、核桃楸、连香树、楠木、水曲柳、香果树分布数量较大,采用样方法调查。具体而言,太行山区选择核桃楸作为监测物种;伏牛山区选刺五加、杜仲、连香树、水曲柳、大果青扦、红豆杉作监测物种;大别山区选金钱松、楠木、香果树、红豆树、秤锤树作监测物种;桐柏山区选水青树、秦岭冷杉作监测物种。

4.3　监测样地选择

4.3.1　选择原则

野生植物资源监测样地与单位监测点选择遵循如下原则:

(1)采用样方法调查的各监测物种按原调查样地面积的 10% 在不同群落类型中选择

监测样地；采用核实法调查的各监测物种选取有代表性的2个样点作为监测点，只有1个样点的物种，则选该点为监测点。

(2)应选择距自然保护区、科研系统的生态定位监测点较近的监测样地。

(3)监测样地应分布在该物种分布区的边缘，因边缘比中心区更易发生变化。

(4)样地应具有代表性且便于工作开展。

4.3.2 监测样地分布

根据样地选择原则，全省共设立监测样地19个，监测样点11个，监测区域3个，涉及14个县(林场)。核桃楸监测样地济源1个，林州1个；刺五加监测样地嵩县1个；杜仲监测样地辉县林场1个，嵩县1个；连香树监测样地嵩县1个，卢氏1个；楠木监测样地新县林场1个；水曲柳监测样地西峡2个，嵩县1个，河西林场1个，内乡1个，鲁山1个；香果树监测样地新县2个，淅川1个，商城1个，西峡1个；红豆杉监测样点济源1个，卢氏1个，嵩县1个，西峡1个，栾川1个；大果青杆监测样点内乡1个；金钱松监测样点固始1个；秦岭冷杉监测样点河西林场1个，内乡1个；水青树监测样点淅川1个；大别山五针松监测样点商城金刚台自然保护区1个。秤锤树设监测区域为新县黄柏山林场和新县黄毛尖；红豆树设监测区域为新县林场。

4.4 监测方法

4.4.1 监测方法

定期对监测样地(点)进行调查，监测方法采用样方法和核实法。

4.4.2 数据处理

把调查表中目的物种的株数、蓄积填入表2-3-2，并绘制株数、蓄积变化曲线图。

表2-3-2 重点保护野生植物监测

样地号：

监测时间	目的物种	株数(株)	蓄积(m^3)	幼苗株数(株)	备注

4.5 监测时间和周期

根据原林业部《全国野生植物资源调查与监测技术规程》和《河南省野生植物资源调查与监测实施细则》的要求按时监测。一般每年分春秋两次进行监测。

4.6 监测方案实施的保障措施

4.6.1 组织保障

成立河南省野生珍稀濒危植物资源监测中心，重点市设立监测站，重点县或国有林场设立监测点。省监测中心负责全省野生珍稀濒危植物资源监测工作，贯彻执行国家及上级主管部门制定的方针、政策、条例等,制定河南省的监测制度、监测措施,监督、检查各监测站、点的工作。市监测站是监测体系的中层单位,具有承上启下的职能,业务上受省监测中心的指导,组织上受所在市林业局领导,负责对本辖区内的监测点进行监督管理。监测点是整个监测体系的基层实施单位,业务上受市监测站的指导,组织上受所在县林业局或林场领导,各监测点担负本地区的监测任务。

4.6.2 资金保障

监测资金由国家下拨的监测专项经费和省、省辖市自筹监测经费两部分组成。省监测中心、市监测站事业经费争取列入本级财政预算。监测资金实行专款专用,保证监测工作的顺利进行。

4.6.3 技术及人才保障

以《全国野生植物资源调查与监测技术规程》、《河南省野生植物资源调查与监测实施细则》等技术文件和本次调查布设的监测点以及购置的仪器、设备等为技术支撑,充分发挥参加本次调查的河南省植物资源调查办公室的技术人员、各省辖市人员以及有关专家的技术优势。对于从事监测工作的技术人员要定期进行培训,保障监测工作顺利开展。

4.7 对全国监测体系建立的建议

对全国监测体系建立有以下几方面的建议:

(1)尽快建立国家野生植物资源监测机构;

(2)尽快选定监测物种,制定监测办法和措施;

(3)配备必要的监测仪器和其他设施;

(4)对技术人员开展监测技术培训;

(5)积极争取监测资金,保障监测工作顺利实施。

第三部分　野生动植物资源保护与自然保护区规划

保护自然资源和建设好生态环境,是实施可持续发展的一项重要战略任务。野生动植物及其栖息地的保护、建设和发展,是生态环境保护和建设中的一个重要组成部分。加强野生动植物的保护和管理,建立具有重要保护价值的自然保护区、湿地保护示范区,是实施生物多样性保护的一个重要方面。为从根本上有效地保护、发展和合理利用野生动植物资源,使人口、资源、环境、经济协调发展,根据《全国生态环境建设规划》(林业部分)、《全国野生动植物保护及自然保护区建设工程总体规划》、《河南省林业生态工程建设规划》和《河南省林业发展第十个五年计划》,特制定本规划,用于指导全省野生动植物、湿地保护和自然保护区建设。

第1章　保护概况

第1节　野生动植物资源概况

河南省地处中原,位于北亚热带向暖温带过渡地带,气候多样、地貌复杂、河流纵横、湖泊较多,为多种生物物种及生态系统的形成与发展提供了优越的条件,从而成为全国生物物种较多的省份。

河南省的生态系统主要包括森林、农田和湿地3大类。其中森林是重要的生态系统之一,它蕴藏了大量的生物物种,是生物多样性最为丰富的生态系统类型。河南省的森林类型具有明显的过渡性特征。伏牛山和淮河界线以北为暖温带落叶阔叶林;界线以南为北亚热带含有常绿阔叶树种的落叶阔叶混交林。独特的自然条件使许多亚热带和暖温带珍稀野生动植物得以保存。全省湿地总面积达110.9万 hm^2,占全省总面积的6.6%,包括河流、湖泊、沼泽和人工湿地4大类。复杂的地形地貌和过渡性气候形成了湿地生物的丰富多样性,其蕴藏的动植物资源2 000多种,国家重点保护动植物达40多种。而且河南湿地作为国内最具代表性的内陆湿地之一,位于亚洲候鸟迁徙的中线,是许多湿地迁徙水鸟的重要途中停歇地或越冬地。

全省约有陆栖脊椎动物522种,其中两栖动物20种,爬行动物38种,鸟类385种,兽类79种;有维管束植物4 473种,其中蕨类植物205种,裸子植物74种,被子植物4 194种。此外,还有鱼类100余种。已定名的昆虫有7 600多种,占全国已定名昆虫种类的12.7%。

第2节　受威胁状况

近几十年来河南省人口的快速增长及经济的高速发展，对野生动植物资源和生态环境的需求和压力不断增大，由于对野生动植物栖息地的破坏、掠夺式的开发利用和环境污染等原因，使许多野生动植物严重濒危。据统计，河南省已列入国家和省重点保护野生动物名录的陆栖脊椎动物有130种，其中国家一级保护动物13种(包括引进放归自然野化的1种)，国家二级保护动物79种，省重点保护动物36种，如大鲵、商城肥鲵、金雕、丹顶鹤、大天鹅、白冠长尾雉、红腹锦鸡、秃鹫、金钱豹、猕猴等；列入1999年9月9日第一批公布的国家重点保护植物名录的物种有21种，其中国家一级重点保护植物2种，二级重点保护植物19种，如大果青扦、大别山五针松、水曲柳、楠木、金钱松、球果香榧、连香树、香果树、秦岭冷杉、红豆杉等。

湿地不仅是一种重要的生态系统，而且是一种特有的土地资源和水资源。河南省水资源人均占有量不足全国的1/6，随着工业废水和生活污水排放量的逐年增加，水污染日益严重，几乎所有湿地水体都受到不同程度的污染，部分水体水质恶化，不仅不符合饮用水标准，而且不能用于灌溉。可利用水资源的严重短缺，生态环境不断恶化，已经成为全省经济发展的一大障碍。

第3节　保护成就

新中国成立50多年来，党和政府十分重视野生动植物及其栖息地的保护工作，取得了世人瞩目的成就，主要表现在以下几方面。

(1)普遍建立了野生动植物保护管理机构，初步形成了行政管理和执法体系。野生动物管理机构初创于1956年，1958年国务院正式批示由原国家林业部统一管理全国野生动物狩猎工作，河南省野生动物管理工作相应由省林业厅负责。目前在野生动植物和湿地管理机构的设置上，除省林业厅设有专门的机构外，各市、县(市、区)、乡(镇)都成立了专门或兼职的野生动植物保护管理机构，配有专人负责野生动植物的保护和管理。据统计，全省有各级野生动植物行政管理人员及自然保护区工作人员1 640余人。各级保护机构和保护队伍在野外保护、市场管理和打击违法犯罪活动等方面做了大量卓有成效的工作。

(2)自然保护区建设取得了重大进展，为珍稀濒危野生动植物提供了良好的栖息地。经过河南省各级政府和自然保护区行政主管部门的努力，截至2001年6月底，全省共建立各类自然保护区22个，总面积35.00万hm^2，占全省总面积的2.1%，其中，国家级自然保护区6个，省级自然保护区13个，县级自然保护区3个。按自然保护区类型分，森林生态系统类型8个，总面积12.51万hm^2；野生动物类型自然保护区6个，总面积6.90万hm^2；内陆湿地和水域生态系统类型8个，总面积15.59万hm^2。按行业划分，林业系统建立的自然保护区最多达16个(24处)，总面积为31.29万hm^2，占河南省国土总面积的1.87%。这些自然保护区分布于全省各森林地理区域及平原湿地和水域，代表了各种森林植被类型,能反映出自然地理过渡地带特征及内陆湿地和水域环境的特征,在保护自然资源和生态环境及珍稀濒危物种方面发挥了重要作用。

(3)组织实施拯救工程,一些濒危物种得到救护。1996年建立了河南省野生动物救护中心。到目前为止,共救治、收容野生动物3万余只(头、条),其中国家一级保护野生动物东北虎、金钱豹、黑鹳、丹顶鹤、大鸨、金雕、蜂猴等近30只,国家二级保护野生动物猕猴、大天鹅、秃鹫等400多只,一般保护野生动物近3万只(头、条)。放归大自然近3万只(头、条)。

(4)湿地保护受到重视,管理工作初见成效。河南省现有湿地面积为110.9万hm^2,约占全省国土面积的6.6%。林业系统已建湿地类型自然保护区7个,总面积13.12万hm^2。此外,河南省还按照国家林业局的要求,组织了全省范围的湿地资源调查,成立了河南省湿地资源监测中心。同时,在湿地保护与管理的组织机构建设、宣传教育与人员培训等方面做了大量工作,取得了一定成效。

(5)法律体系初步形成,执法力度不断加强。根据《中华人民共和国森林法》、《中华人民共和国野生动物保护法》、《中华人民共和国陆生野生动物保护实施条例》、《中华人民共和国野生植物保护条例》、《中华人民共和国自然保护区条例》和《中华人民共和国森林和野生动物类型自然保护区管理办法》等一系列法律法规,河南省制定了《河南省实施〈中华人民共和国野生动物保护法〉办法》、《河南省森林和野生动物类型自然保护区管理细则》等相应的配套法规和规章,初步形成了以野生动植物保护为核心的、比较完善的法律法规体系。同时,强化了执法队伍建设,执法力度不断加大。据统计,近5年来,全省每年都要查处近百起破坏野生动植物的刑事案件,有力地打击了乱捕滥猎、乱采滥挖和倒卖走私等违法犯罪活动。

(6)广泛开展资源调查,不断加强科学研究。河南省十分重视资源调查工作,多次组织进行专项调查和综合性野生动植物资源调查。特别是1995年以来,在国家和省财政的大力支持下,又进行了全面的野生动植物和湿地资源调查,为今后加强野生动植物和湿地保护管理奠定了基础。同时,积极组织开展科学研究工作。多年来,经过广大科研工作者的辛勤努力,在物种生物学、生态学和引种繁育等技术方面取得了许多重要成果,为野生动植物和湿地保护与管理提供了科学依据。

第4节　存在的问题

河南省野生动植物保护管理工作虽然取得了很大的成绩,但随着人口的持续增长和经济的快速发展,人口与资源,经济建设与生态保护的矛盾日益突出,一些地方对发展经济与保护生态环境、保护自然资源的关系缺乏足够的认识;乱捕滥猎、乱采滥挖、倒卖走私野生动植物及其产品的违法犯罪活动时有发生;侵占、破坏野生动植物栖息地和自然保护区的现象非常突出;濒危物种的恢复进展缓慢,部分物种减少的势头尚未得到有效遏制;野生动植物养殖、培植和利用尚处在自发、分散的状态,既不适应社会主义市场经济发展的需要,也不利于野生动植物资源的保护。造成这些问题的原因是多方面的,但主要有以下几点:

(1)对野生动植物保护认识不足,重视不够。河南省地处中西部地区,经济文化还比较落后,人们的自然资源保护意识比较淡薄。在一些地方"野生无主,谁猎谁有"的旧观念至今还根深蒂固。乱捕滥猎、滥食乱用国家保护的野生动物现象还十分严重,保护野生动植物还没有形成一种社会风尚。一些地方甚至还认为,保护野生动植物资源与当地经济发展相矛盾,不能很好处理保护与地方经济发展的关系,由于认识没有解决,使野生动植物保护工作没有引起各级地方政府的普遍重视,工作不到位,措施不得力。

(2)自然保护区面积小,类型单一。保护区仅占全省土地总面积的2.1%,与全国平均水平差距较大,许多亟需保护的重要天然林、水源涵养林、防风固沙林及湿地还未划为保护区。保护区的类型主要为森林生态类型、湿地生态类型和野生动物类型,其他类型的自然保护区较少。同时,保护区布局也不够合理,不能满足保护资源,改善环境,促进国民经济可持续发展的需要。

(3)经费投入严重不足,保护和管理资金匮乏。自然资源保护和管理是社会经济持续发展的基础性工作,但是长期以来,野生动植物保护与管理的基本建设一直未纳入各级政府的国民经济和社会发展计划,相应基本建设投资没有纳入财政预算,保护管理事业经费捉襟见肘。林业部门的投资十分有限,只能安排少数重点基础设施建设和专项保护管理工作。由于投入严重不足,资金极度匮乏,直接影响了河南省野生动植物保护工作的正常开展。

(4)管理机构不健全,队伍力量薄弱。根据《中华人民共和国野生动物保护法》的规定,各级野生动植物主管部门应是行政管理机构,但目前全省还有一半的省辖市没有设立专门的行政机构。大多数县(市、区)也没有相应的机构,未配备专职行政管理人员,现有保护管理人员中专业科技人员比例也较低,这些因素严重制约了野生动植物保护管理工作的有效开展。

(5)专业人员缺乏,科学研究力量薄弱。没有建立有效的科学研究和监测体系,对一些特殊物种的保护和合理利用等方面的技术研究还没有突破。另外,由于种种原因,长期以来全省从事野生动植物研究的专业人员严重不足,科技人员改行和流失现象比较严重。

第5节　实施保护工程的必要性和紧迫性

野生动植物是生态系统的重要组成部分,影响着生态系统的稳定和平衡;野生动植物资源是人类生活的重要物质基础,和人类的衣食住行密切相关;野生动植物保存着丰富的遗传基因,为今后人类的生存与发展提供了广阔的空间。此外,野生动植物及其构成的自然美景还是人类文化艺术的重要源泉。因此,保护野生动植物,就是保护人类赖以生存的生态环境,就是保护社会经济可持续发展的战略资源,就是保护人类自己。

河南省为我国第一人口大省,人均资源相对贫乏,经济比较落后。随着社会经济的迅猛发展,人为活动对生态环境及生物多样性造成的破坏与威胁日趋严重。这主要表现在天然林面积不断减少、农田土地沙化、水土流失、水质恶化、物种大量灭绝、经济资源锐减和自然灾害加剧等方面。由于生态环境的破坏和退化以及人们对野生动植物资源不合理的开发利用,使一些珍贵野生动植物物种已经绝迹或高度濒危,如华南虎、朱鹮、大果青杆、大别山五针松、楠木、红豆树、秤锤树等。河南省水资源人均占有量低,而且多数湿地水体都受到了不同程度的污染。野生动植物资源缺乏,特别是可利用水资源的严重短缺和生态环境不断恶化,已经成为制约全省经济发展的主要因素。因此,急需对河南省野生动植物及其栖息地保护进行全面规划,统筹安排,以便尽快提高全民的保护意识,加大资金投入,增强保护自然资源的能力,使其在全省生态环境和国民经济建设中发挥更大的作用。

第2章　总体规划指导思想和建设目标

第1节　规划依据

规划主要依据《全国生态环境建设规划》(林业部分)、《全国野生动植物保护及自然保护区建设工程总体规划》、《中国21世纪议程》、《中国生物多样性保护行动计划》、《中国21世纪议程林业行动计划》、《中华人民共和国森林法》、《中华人民共和国野生动物保护法》、《中华人民共和国陆生野生动物保护实施条例》、《中华人民共和国野生植物保护条例》、《中华人民共和国自然保护区管理条例》、《中华人民共和国森林和野生动物类型自然保护区管理办法》、《生物多样性公约》、《关于特别是作为水禽栖息地的国际公约》(湿地公约)、《中国湿地保护行动计划》、《濒危野生动植物种国际贸易公约》,以及《河南省实施〈中华人民共和国野生动物保护法〉办法》、《河南省林业生态工程建设规划》、《河南省林业发展第十个五年计划》、《河南省自然保护区发展规划》、《河南省野生动植物保护建设工程规划》等。

第2节　指导思想

以国家和河南省加强生态建设的整体战略为指导,遵循自然规律和经济规律,坚持加强资源环境保护、积极驯养繁殖、大力恢复发展、合理开发利用的方针,以保护为根本,以发展为目的,以野生动植物栖息地保护为基础,以保护工程为重点,以加快自然保护区建设为突破口,以完善管理体系为保障,加大执法、宣传、科研和投资力度,促进野生动植物保护事业的健康发展,实现全省野生动植物资源的良性循环和永续利用,保护生物多样性,为全省国民经济的发展和社会文明的进步服务。

第3节　规划原则

(1)坚持保护第一的原则。重点考虑野生动植物的濒危程度,集中、优先保护一些珍稀、濒危、特有物种及生态关键种。

(2)坚持以就地保护为主,迁地保护为辅的原则。优先建设一批重点自然保护区,为野生动植物的栖息和分布提供更大的空间;在无条件建立自然保护区的野生动植物集中分布重点地区建立保护小区和禁猎区。对受危程度高、濒临灭绝的野生动植物种,采取积极有效的拯救和保护措施,建设一批重点野生动物种源基地、珍稀野生植物培植基地。

(3)坚持统筹规划,广筹资金,合理布局,分期实施的原则。重点项目建设以中央投资为主,地方按比例配套。一般项目以地方政府为主,积极争取中央补助。广泛争取国际资助和合作,多渠道、多形式、多层次广筹资金。在明确责权利的前提下,动员全社会共同出资赞助参与，国家、集体、个人相结合。

(4)坚持生态效益、社会效益和经济效益相互协调发展的原则。正确处理保护、利用与发展的辩证关系，协调好整体利益与局部利益、长远利益与当前利益的关系。

(5)坚持以科技为先导，加强国内外高新技术及现代化手段在工程建设和物种繁育中的应用。坚持科学设计，科学建设。在工程建设上，强化管理，统一领导，有计划、有步骤地实施，确保工程建设的高质量和高标准。在工程建设安排上，做到项目优选，重点突破，先优后一般，先易后难，积极采用生物技术推进生态系统的保护和物种繁育。

第 4 节　规划目标

4.1　总体目标

通过实施全省野生动植物保护及自然保护区工程建设总体规划，拯救一批国家和省重点保护野生动植物，扩大、完善和新建一批国家级、省、市、县级自然保护区、保护小区、禁猎区和种源基地及珍稀植物培育基地，恢复和发展珍稀物种资源。到建设期末，使河南省自然保护区数量达到 110 个，总面积 96.9 万 hm^2，占全省国土面积的 5.8%；林业系统自然保护区总数达到 80 个，总面积为 76.0 万 hm^2，占全省国土面积的 4.0%。形成一个以自然保护区、重要湿地为主体，布局合理、类型齐全、设施先进、管理高效的自然保护网络。实现全省野生动植物保护管理的规范化、科学化、法制化和信息化。

4.2　分期目标

总体规划期分为 3 个阶段：近期为 2001～2010 年(其中 2001～2005 年将与河南省"十五"计划相衔接)，中期为 2011～2030 年，远期为 2031～2050 年。

4.2.1　近期目标(2001～2010 年)

完善省级和市级野生动植物保护行政主管部门的体系建设，实行依法保护、管理，使河南省野生动植物管理工作在繁育、生产、运输、市场、医药和进出口等方面能够做到有效运转。重点实施 13 个野生动植物拯救工程，完成河南省野生动植物和湿地资源监测中心、河南省野生动物救护繁育中心(二期工程)建设。在 2010 年使全省自然保护区总数达到 60 个，自然保护区总面积 66.90 万 hm^2，占全省土地总面积的 4.01%；林业系统自然保护区总数达到 48 个，总面积达到 50.99 万 hm^2，占全省土地总面积的 3.05%，其中国家级自然保护区 10 个，省、市、县级自然保护区 38 个，初步形成较为完善的全省自然保护区网络。要使 90%的国家和省重点保护野生动植物及 90%的典型生态系统类型得到有效保护，极大改善濒危物种的生存状况。制定全省湿地保护和可持续利用规划，建设 5 个国家和省湿地保护与合理利用示范区，提高对湿地保护的管理、科研和监测水平。严格执法，有效保护和管理全省野生动植物资源。

4.2.2　中期目标(2011～2030 年)

进一步加强省级和市级行政主管部门的管理能力建设，使指挥、查询、统计、监测等管理工作实现网络化，初步建立健全野生动植物保护的管理体系，完善科研体系和国内外贸易管理体系。到2030年,全省自然保护区总数达80个,总面积达到76.8万hm^2,自然保护区总面积占全省土地总面积的4.60%;林业系统自然保护区总数达到61个,总面积达到56.99万hm^2,占全省土地总面积的3.41%,其中国家级自然保护区数量达到13个,省、市、县级自然保护区数量达到48个,形成完整的自然保护区保护管理体系,使60%的国家和省重点保护野生动植物种群数量得到恢复和增加,95%的典型生态系统类型得到有效保护。建设3个国家和省湿地保护与合理利用示范区,使全省湿地保护与合理利用示范区达到8个,建立健全湿地保护和合理利用的机制,基本控制重要湿地破坏性开发,遏制湿地面积下降趋势。

4.2.3 远期目标(2031～2050年)

全面提高野生动植物保护管理的法制化、规范化和科学化水平,实现野生动植物资源的良性循环。在2050年,使全省自然保护区总数达到110个,自然保护区总面积达到96.9万hm^2,占全省总土地面积的5.80%;林业系统自然保护区总数达到80个,总面积达到67.0万hm^2,占全省总土地面积的4.01%,其中国家级自然保护区20个,省、市、县级自然保护区60个。同时,新建一批野生动物禁猎区、繁育基地、野生植物培植基地,使河南省85%的国家和省级重点保护野生动植物种群数量得到恢复和增加,使河南省所有的典型生态系统类型得到良好保护。建成具有地方特色的自然保护区保护、管理、建设体系,达到国内外自然保护区管理的先进水平。建立比较完善的湿地保护、管理与合理利用的法律、政策和监测体系,建设8个国家和省湿地保护与合理利用示范区,使全省湿地保护与合理利用示范区达到16个。

第3章 规划分区和项目布局

第1节 规划分区

根据河南省自然地带的递变规律和重点保护野生动植物资源的分布情况，将野生动植物及其栖息地保护总体规划在地域上划分为：Ⅰ.大别山、桐柏山北亚热带生态区；Ⅱ.伏牛山北亚热带、南暖温带过渡生态区；Ⅲ.太行山暖温带生态区；Ⅳ.黄、淮、海平原生态区共4个建设区域。每个区域内确定不同的建设目标和主攻方向，力争在本规划期内完成或基本完成主要建设工程和项目(关于完善和新建自然保护区的论述、概算部分均属林业系统)。分区规划见表3-3-1。

表3-3-1 河南省林业系统自然保护区分区规划

分区名称	合计		已建		2001~2010年						2011~2030年	
					小计		2001~2005年		2006~2010年			
	数量(个)	面积(hm^2)	数量(个)	面积(hm^2)	数量(个)	面积(hm^2)	数量(个)	面积(hm^2)	数量(个)	面积(hm^2)	数量(个)	面积(hm^2)
Ⅰ	18	12.16	5	5.96	9	4.20	8	4.00	1	0.20	4	2.00
Ⅱ	25	28.39	8	16.39	15	11.00	13	6.50	2	4.50	2	1.00
Ⅲ	8	9.16	1	5.66	3	1.50	3	1.50			4	2.00
Ⅳ	10	7.28	2	3.28	5	3.00	3	1.00	2	2.00	3	1.00
合计	61	56.99	16	31.29	32	19.70	27	13.00	5	6.7	13	6.00

第2节 项目布局

2.1 大别山、桐柏山北亚热带生态区

本区位于河南省南部，包括大别山、桐柏山和南阳盆地东侧丘陵区域，总面积218.0万hm^2，占全省土地面积的12.6%。该区地处我国亚热带北缘，平均气温在15℃以上，1月平均气温1~2℃，无霜期220天，年降水量900~1 300 mm，水、热资源丰富，自然条件优越。典型植被为含常绿树种的落叶阔叶林类型。该区生物种类众多，有维管束植物2 100多种，第一批国家重点保护野生植物14种；有鸟类233种，兽类37种，属国家重点保护野生动物43种。桐柏山是淮河的发源地，淮河支流在本区有250多条，是淮河流域的重要水源涵养林区。本区已建有2个国家级自然保护区，3个省级自然保护区，面积

5.96 万 hm^2,占全区土地面积的 2.73%。

建设目标:建立亚热带典型森林生态系统和湿地生态系统自然保护区;保护有典型代表性的森林生态系统和湿地生态系统,保护国家重点野生动植物及其栖息地。

主攻方向:2001～2005 年,在大别山罗山县董寨国家级自然保护区建立以白冠长尾雉为主的珍稀濒危野生动物繁殖基地、白冠长尾雉种质基因库;在鸡公山国家级自然保护区建立珍稀濒危植物培植基地;完善已建 3 个和新建 8 个保护区;2006～2010 年,完善 2 个和新建 1 个保护区,使全区林业系统自然保护区总数达 14 个,总面积 10.16 万 hm^2,占全区总面积的 4.66%。

2.2 伏牛山北亚热带、南暖温带过渡生态区

本区位于河南省西部,包括伏牛山、外方山、熊耳山等秦岭支脉,全区面积 463.0 万 hm^2,占全省土地面积的 27.7%。伏牛山是我国秦岭—淮河一线的南北地理分界岭,也是我国南北气候、土壤、生物交错分布的过渡区。年平均气温 12.8～15.8 ℃,1 月平均气温 -1～2 ℃,无霜期 220～240 天,年降水量 700～900 mm。伏牛山还是黄河、淮河和长江三大水系的分水岭和三大水系众多支流的发源地,山地面积大,森林植被覆盖率较高,生物种类十分丰富。据调查,全区有维管束植物 2 879 种,其中第一批国家重点保护野生植物 13 种;鸟类 213 种,兽类 62 种,其中国家重点保护鸟类 37 种,兽类 11 种。另外,昆虫资源估计有 3 000 余种(已鉴定 939 种)。1992 年制定的《中国生物多样性行动计划》中已将该区列为优先领域保护地区。该区已建自然保护区 12 个(林业系统 8 个),其中国家级自然保护区 2 个,省级自然保护区 6 个,省级禁猎禁伐区 1 个,县级自然保护区 3 个,总面积 17.22 万 hm^2。全区自然保护区的数量和面积同其拥有的自然资源和生物多样性的丰富程度很不适应,宜作为全省发展自然保护区的重点地区。

建设目标:建立典型的气候过渡地带森林生态系统和湿地生态系统自然保护区;保护丰富的野生动植物资源,维护生物多样性。

主攻方向:2001～2005 年,在伏牛山国家级自然保护区建立过渡地带珍稀濒危植物繁育培植基地、珍稀濒危野生动物繁育救护基地和山茱萸、猕猴桃、榆树、榉树、连香树等种质资源基因库;完善已建 4 个和新建 13 个自然保护区; 2006～2010 年,完善 4 个和新建 2 个自然保护区,使全区林业系统自然保护区总数达到 23 个,面积 27.39 万 hm^2,占全区总面积的 5.92%。

2.3 太行山南暖温带生态区

本区位于河南省西北部,包括太行山山地及丘陵地区,总面积 65 万 hm^2,约占全省土地面积的 4%。太行山在河南境内长达 200 km,海拔在 1 000～1 300 m 之间,因断层作用山势异常险峻,多悬崖峭壁和深隧峡谷。该区年平均气温 13 ℃左右,最冷月平均气温 -4 ℃,无霜期不足 200 天,年降水量 700 mm 左右。本区是我国暖温带和温带天然阔叶林保存较完整的地带,为华北、华中和西北植物镶嵌地带,植物区系成分复杂。据调查,区内高等植物有 1 760 多种,其中属国家重点保护的珍稀濒危植物有 6 种,如连香树、红豆杉、南方红豆杉、野大豆等。陆栖脊椎动物有 200 多种,属于国家重点保护的动物有 30 多

种，如金钱豹、猕猴、水獭、林麝、黑鹳、白鹳、勺鸡、金雕、大鲵等。该区是我国黄河以北暖温带亚干旱区惟一有猕猴分布的地区，也是当今猕猴在世界上分布的北界。区内的猕猴属华北亚种，为我国所特有，具有独特的 mtDNA RFLP(线粒体 DNA 限制片段长度多态性)。因此，太行山暖温带生态区具有重要的科学价值和特殊的保护意义，《中国生物多样性保护行动计划》已将其划为森林生态系统优先保护区域。目前本区已建保护区 1 个，面积 5.66 万 hm^2，约占本区总面积的 9.0%，其中的太行山保护区已被列入世界自然基金(WWF)优先保护区域。

建设目标：建立具有典型生态系统类型的自然保护区，特别是水土保持林自然保护区和水源涵养林自然保护区，改善生态环境和野生动植物的生存状况。

主攻方向：2001～2005 年，在太行山建立猕猴种质基因库和太行山猕猴研究所；完善已建 1 个和新建 3 个保护区；2006～2010 年，完善已建的 1 个自然保护区，使全区林业系统自然保护区总数达到 4 个，总面积 7.16 万 hm^2，占全区总面积的 11.02%。

2.4 黄、淮、海平原生态区

本区位于河南省的东部、东北部和东南部，为华北平原的一部分，地势西高东低，海拔在 40～100 m 之间，在新蔡、淮滨、固始一线的东北部海拔仅为 33 m 左右，且多平凹地和湖沼地，总面积约为 923.9 万 hm^2，约占全省土地面积的 55.7%。气候为大陆性季风型气候，年平均气温 13～15 ℃，1 月均温 0～2 ℃，7 月均温 27 ℃以上，年降水量由北向南呈递增趋势(600～900 mm)。本区是我国重要的历史悠久的农业区，人工栽培植物取代了自然植被，大多数县已基本上实现了农田林网化，沙荒地和沿河地区已建成了防风固沙林和护堤林带。区内河流纵横交错，河道(滩涂)宽阔，水库、湖泊、沼泽和稻田等湿地较多，是河南省湿地主要分布区之一。这些人工防护林和湿地在防风固沙、防洪排涝、蓄水抗旱、保护农田与堤防、改善平原生态环境等方面起到了重要作用。同时，湿地也是许多候鸟及国家重点保护的珍稀鸟类如丹顶鹤、灰鹤、大天鹅、鸳鸯、黑鹳、大鸨等迁徙停歇和越冬的重要场所。据调查，本区仅湿地鸟类就有 104 种，其中属国家重点保护的鸟类有 26 种，省级保护鸟类 10 种，列入中日、中澳国际候鸟保护协定规定保护的鸟类 76 种。该区地势平坦，人口密集，交通便利，人为干扰严重，保护难度大。目前已建立自然保护区 3 个(林业系统 2 个)，总面积为 5.76 万 hm^2。

建设目标：建立重要的森林生态和防护林自然保护区，防止土地沙化，改善平原地区生态环境；在湿地生物资源丰富或重要的鸟类迁徙停歇地和越冬地建立自然保护区，保护典型湿地生态系统和国家重点野生动物种群及其栖息环境；建立省级湿地保护和利用示范区。

主攻方向：2001～2005 年，在黄河滩区和部分水库、湖泊建设 5 个湿地保护利用示范区；完善已建 1 个和新建 3 个自然保护区；2006～2010 年，完善已建 1 个和新建 2 个自然保护区，使该区林业系统自然保护区总数达到 7 个，总面积达到 6.28 万 hm^2，占全区总面积的 0.68%。

第4章　建设重点

根据规划目标、总体布局和主攻方向，本规划将在三个方面提出重点建设项目内容：第一是重点野生动植物保护项目；第二是重点生态系统类型自然保护区建设项目；第三是重点科研与监测网络建设项目。这些项目的重点建设期为2001～2010年，但对2011～2030年的建设目标也作了大致的规划。

第1节　国家重点野生动植物保护

1.1　国家重点野生动物保护

1.1.1　麋鹿保护

麋鹿原产于我国东部沿海平原地区，野生种群已灭绝。据有关资料记载，河南安阳殷墟出土有麋鹿的骨骼。根据其喜平原、沼泽、水域和以禾本科、苔类及其他多种嫩草和树叶为食的习性，我们认为河南黄河滩区是其理想生境。根据国家对重点物种的保护规划，在原阳县黄河滩区实施麋鹿放归自然建设工程项目，以期恢复其原有分布。项目具体地点在黄河北岸原阳县境内的国有原阳林场，面积1 000 hm^2。目标是将项目建设成为集麋鹿自然繁育、巡护监测、救护医疗、科学研究为一体的自然保护区。

1.1.2　麝保护

麝为中型食草动物，是经济价值最高的类群之一。河南省分布有林麝和原麝2种，历史上麝曾广泛分布于山区丘陵，由于大量捕杀及栖息地遭到严重破坏，全省麝资源大幅度下降。以西峡县为例，20世纪60年代初平均每年收购麝皮600张左右，80年代初每年收购量仅为80余张。其资源蕴藏量由新中国成立初的2 800多只迅速下滑至20世纪80年代初的700余只。据调查，目前全省共有林麝3 200多只，原麝仅1 000多只，其分布区已由浅山丘陵区退缩至深山区。因此，加强对麝的拯救已刻不容缓。河南已建涉及麝资源的自然保护区9个，面积18.17万 hm^2。

(1)完善已建保护区。对一些麝资源丰富的自然保护区加大投入，在麝的集中分布地或重要栖息地建立18个科研监测站、5个保护管理站，提高科研监测手段，加强野外保护能力建设，使河南省麝资源得以有效恢复。

(2)新建涉及麝资源的自然保护区10个，使其保护区面积达到23.78万 hm^2。

(3)加强自然保护区森林防火设施建设和防护装备配备，以防止严重森林火灾的发生；为制止偷猎和打击破坏野生动植物案件，在保护区应设立公安派出所或公安局，并做好公安装备和交通工具等设施建设。

(4)建立禁猎区，加强栖息地的保护与管理。在麝分布较为集中的大别山区的商城、新县和伏牛山区的卢氏、栾川建立2个禁猎区，禁猎区面积10万 hm^2，配置专门人员进行管理。

(5)加强人工繁殖研究。根据医药和香料产业对麝香需求量巨大,但又不可能在野外大量捕杀麝的实际,计划在河南省野生动物救护中心建立麝驯养繁殖基地1个,以加强人工驯养繁殖技术研究,力争在短期内掌握人工饲养、繁殖技术,扩大繁殖种群,满足人民物质和文化生活需要。

1.1.3 猕猴保护

太行山区为我国黄河以北暖温带亚干旱区惟一有猕猴分布的地区,也是当今猕猴在世界上分布的最北界,具有重要的科学研究价值和特殊的保护意义。据调查,河南省现有猕猴2 000多只,分布于济源、辉县、修武、沁阳和博爱。已建立猕猴国家级自然保护区1个,面积5.66万 hm^2。森林植被破坏、数量稀少、生境破碎化以及人为捕杀是影响猕猴分布和种群恢复的重要因素。

(1)扩大保护区面积,完善保护区建设。针对原省级保护区面积过小的问题,国家已批准将其升格为国家级保护区,面积由1.56万 hm^2 增至5.66万 hm^2。在自然保护区以外建立3个保护站,加强周边环境的保护,扩大保护范围。加大基础设施、设备和保护、科研队伍建设,提高野外保护能力。

(2)加强自然保护区森林防火、公安、交通、通讯等设施建设和装备配备,提高保护能力。

(3)改善猕猴栖息地环境。研究猕猴的生物学和生态学特性,针对猕猴食物需求,选择栖息地1万 hm^2 进行植被恢复或改造,有计划地选择其喜食植物进行培育。在冬季广泛开展人工投食活动,改善野外食物缺乏的现象。

(4)在保护区周边有规划地投放半驯化猴群,逐步开展以生态旅游为主的多种经营。一方面扩大猕猴分布范围,减轻保护区猕猴种群内部竞争压力,同时为保护区积累保护经费,带动当地经济发展。

(5)加强猕猴人工驯养繁殖,建立猕猴繁育基地1个。既可满足社会需求,减轻野外保护的压力,还可以选择合适的生境,开展野外释放试验,恢复种群,增加杂交机会。

1.1.4 金钱豹保护

金钱豹曾广泛分布于太行山、伏牛山、桐柏山和大别山等山区及丘陵地带。随着乱捕滥猎和环境变迁,金钱豹已呈濒危状态。据调查,河南省金钱豹活动范围已退缩至深山区,数量只有50~60只。要加强栖息地的保护和恢复,防止金钱豹野外种群数量的继续下降。

(1)完善已建保护区。目前,全省共建有9个涉及金钱豹的保护区,总面积约18.17万 hm^2,分布于太行山、伏牛山和桐柏大别山。这些保护区急需进行必要的生态环境改造,完善公安、防火、科研等基础设施和设备建设,加强野外保护能力和科研监测手段。

(2)新建保护区。新建8个涉及金钱豹资源的自然保护区,使保护区总面积达到23.1万 hm^2。同时,加强保护区外金钱豹分布区的保护工作。

在金钱豹分布区和分布区之间的断带区,优先安排天然林保护、退耕还林等重点林业生态工程,尽快恢复和改善栖息地环境,建立食物链,促进隔离种群遗传联系,实现野外种群自然增长,适时新建自然保护区。

(3)选择人为干扰严重的金钱豹活动区建立6个保护站,宣传野生动物保护的重要意义,及时制止破坏栖息生境或伤害金钱豹等野生动物的不法行为。

(4)加强金钱豹人工驯养繁殖研究,建立金钱豹繁育基地1个。既可以满足社会需求,减轻野外保护的压力,还可以选择合适的生境,开展野外释放试验,恢复种群,增加杂交机会。

1.1.5 白冠长尾雉保护

河南省白冠长尾雉主要分布于大别山和桐柏山地区,伏牛山区也有零星分布。已建以保护白冠长尾雉为主的自然保护区1个,涉及白冠长尾雉资源的保护区4个,总面积5.96万 hm^2。保护区建立后,白冠长尾雉野外数量有明显增长,但是总体数量仍较少,且分布区狭窄、分散。

(1)加强保护区的建设。加大现有5个自然保护区建设力度,提高保护区的管理能力。新建涉及白冠长尾雉的保护区4个,使保护区总面积达到7.25万 hm^2。在人为干扰严重的白冠长尾雉重要活动区建立5个保护站,提高野外保护管理效率。

(2)加强自然保护区森林防火设施建设和防护装备配备,以防止严重森林火灾的发生;为制止偷猎和打击破坏野生动植物案件,在保护区应设立公安派出所或公安局,并做好公安装备和交通工具等设施建设。

(3)建立白冠长尾雉繁育基地1个,积极开展繁育技术研究。既可以满足社会需求,减轻野外保护的压力,还可以选择合适的生境,开展释放试验,恢复野外种群,增加杂交机会。

(4)实施栖息地改造工程。全面加强白冠长尾雉栖息地保护,结合人工造林等项目,在其主要分布区(保护区外)改造约5 000 hm^2 栖息地,改善栖息生境质量,扩大分布范围,恢复分布区之间的通道。

1.1.6 天鹅保护

河南省的天鹅主要有大天鹅和小天鹅2种,均为冬候鸟,全省均有分布,主要分布区为三门峡库区和孟津黄河滩区。全省涉及天鹅保护的自然保护区有7个,面积为13.12万 hm^2。

(1)完善现有保护区建设。完善现有保护区基础设施和装备配备建设,提高野外保护能力;为制止偷猎和打击破坏野生动植物案件,在保护区应设立公安派出所或公安局,并做好公安装备和交通工具等设施建设。

(2)扩大保护区面积,改善栖息地环境。新建涉及天鹅的保护区3个,使保护区总面积达到14.5万 hm^2。选择性恢复和改善湿地1万 hm^2,加强栖息地环境污染防治。

(3)建立健全保护监测网络,加强越冬期管理。在天鹅集中分布点建立保护监测站6个,实施动态监测。在天鹅越冬期间实行巡视制度,加大保护力度。

1.1.7 黄嘴白鹭保护

黄嘴白鹭分布于全省,属夏季繁殖鸟。其集中分布区有商城鲇鱼山水库和信阳南湾水库。已建涉及黄嘴白鹭的自然保护区有7个,面积13.12万 hm^2。

(1)加强现有保护区建设。完善现有保护区基础设施和装备配备建设,提高野外保护能力；为制止偷猎和打击破坏野生动植物案件，在保护区应设立公安派出所或公安局，并做好公安装备和交通工具等设施建设。

(2)扩大保护区面积，改善栖息地环境。新建涉及黄嘴白鹭资源的自然保护区5个，面积4万hm^2。选择性恢复和改善湿地1 000 hm^2，加强栖息地环境污染防治。

(3)建立健全保护监测站，加强繁殖期管理。在黄嘴白鹭集中分布区建立保护监测站4个，实施动态监测。在黄嘴白鹭繁殖期实行巡视制度，加大保护力度。

1.2 国家重点野生植物保护

1.2.1 兰科植物保护

所有野生兰科植物种都是《濒危野生动植物种国际贸易公约》的保护范围，河南省有兰科植物62种，均属该公约附录Ⅱ范围。近年来由于不合理采挖和利用，使资源破坏十分严重，其中约有10多种兰科植物处于濒危之中，亟待保护。全省已建涉及兰科植物资源的自然保护区9个，总面积18.17万hm^2。

(1)加强保护管理。加强对现有保护区兰科植物的保护，在兰科植物较为集中的区域，建立保护站5个，保护其栖息地。加强管护，严禁乱采滥挖野生兰花并打击非法采伐行为。

(2)加强自然保护区森林防火设施建设和防护装备配备，以防止严重森林火灾的发生；为制止偷伐和打击破坏野生动植物案件，在保护区应设立公安派出所和公安局，并做好公安装备和交通工具等设施建设。

(3)开展兰科植物繁育技术研究，变野生为栽培。在南阳、信阳、洛阳等地建立兰科植物异地保存物种基因库和兰花良种生产基地，收集、研究、栽培各种兰科植物；推广兰科植物栽培技术，尽可能减少并逐步杜绝对兰科植物的破坏。

(4)建立禁猎(伐)区，加强栖息地的保护与管理。在兰科植物分布较为集中的大别山区和伏牛山区建立2个禁猎(伐)区，禁猎(伐)区面积5万hm^2，配置专门人员进行管理。

1.2.2 红豆杉保护

红豆杉科红豆杉属世界约有10种，我国有4种，河南省有1种及1个变种。红豆杉生长于海拔1 000 m以上的山沟或山坡杂木林中，在山白树、水腊树、青皮椴、千金榆、落叶栎林形成的阔叶林中呈星散分布，在河南省分布地点主要有济源黑龙沟、卢氏瓦窑沟、西峡黑烟镇、嵩县龙池曼、南召乔端、内乡宝天曼和鲁山石人山等地山林中。雌雄异株，结子量少，而且鸟雀喜食，对生长环境要求苛刻，生长缓慢，材质好，人为砍伐利用严重，如不加以保护，在河南有灭绝的危险。已建涉及红豆杉资源的自然保护区3个，总面积11.8万hm^2。

(1)加强自然保护区建设，强化栖息地保护。完善已建保护区3个，在红豆杉集中分布地区建立保护管理站和资源监测点，掌握资源变化动态，加强看护和打击非法采伐行为。新建涉及红豆杉资源的保护区2个，使保护区的总面积达到13万hm^2。

(2)加强自然保护区森林防火设施建设和防护装备配备，以防止严重森林火灾的发生；为制止偷伐和打击破坏野生动植物案件，在保护区应设立公安派出所和公安局，并做好公安装备和交通工具等设施建设。

(3)保护母树林和建立人工培育基地。在宝天曼等红豆杉重点分布的保护区内，建立母树林保护基地，开展野生红豆杉的种群复壮和发展研究。在太行山区建立人工培育基地1个，研究人工繁育技术，进行大规模人工繁育，在其他适宜生长地区，建立人工红豆杉种群。

1.2.3 秦岭冷杉保护

秦岭冷杉别名杉松，河南省植株为数极少，仅见于伏牛山内乡县宝天曼、南召县乔端及灵宝市小秦岭海拔1 800 m的山坡上。已建涉及秦岭冷杉的自然保护区有3个，总面积为6.55万 hm^2。

(1)加强保护管理。在分布区内，严格保护秦岭冷杉的自然景观，并且进行必要的人工促进更新措施，扩大其种群数量。

(2)加强已建3个自然保护区的森林防火设施建设和防护装备配备，以防止严重森林火灾的发生；为制止偷伐和打击破坏野生动植物案件，在保护区应设立派出所或公安局，并做好公安装备和交通工具等设施建设。

(3)建立培育基地。注意研究群落演替动态，采取适当措施避免发生树种演替现象，防止秦岭冷杉被阔叶树种所淘汰。在伏牛山区建立人工培育基地1个，开展人工栽培和引种驯化试验，因地制宜地当做中山造林和城市园林绿化树种推广。

1.2.4 大果青杆保护

大果青杆仅见于内乡县宝天曼自然保护区阔叶林中，海拔1 200 m。由于其自然分布海拔低，易受人为的砍伐破坏，且生境狭窄，更新困难，已濒危。

(1)加强保护管理。应在分布区内，采取严格保护措施，并且进行必要的人工促进更新措施，扩大其种群数量。

(2)加强宝天曼自然保护区森林防火设施建设和防护装备配备，以防止严重森林火灾的发生；为制止偷伐和打击破坏野生动植物案件，在保护区应设立派出所或公安局，并做好公安装备和交通工具等设施建设。

(3)建立培育基地。在宝天曼建立人工培育基地1个，开展防治球果害虫的试验研究，人工促进其天然繁殖更新，同时注意收集种子，进行育苗造林，扩大其分布范围。

1.2.5 大别山五针松保护

大别山五针松是我国特有种，亦是古老的孑遗植物之一，河南省仅在商城县金刚台自然保护区残存10余株。

(1)加强金刚台自然保护区的森林防火设施建设和防护装备配备，以防止严重森林火灾的发生；为制止偷伐和打击破坏野生动植物案件，在保护区应设立派出所或公安局，并做好公安装备和交通工具等设施建设。

(2)建立培育基地。在大别山区建立人工培育基地1个，一是在原生境地域保护其自然群落环境，就地保护，并在已有天然更新种苗的基础上，进行人工促进天然更新措施，扩大其种群数量；二是采种育苗，进行引种栽培。

1.2.6 连香树保护

连香树系第三纪孑遗植物，为单属科植物的稀有种，东亚植物区系的特征科，分布于河南太行、伏牛山区。

(1)在连香树分布的地区,加强对现有太行山、伏牛山和宝天曼3个自然保护区连香树的保护,建立保护站和监测点,掌握资源变化动态,加强看护和打击非法采伐行为。

(2)加强自然保护区森林防火设施建设和防护装备的配备,防止森林火灾发生;为制止偷伐和打击破坏野生动植物案件,在保护区应设立派出所或公安局,并做好公安装备和交通工具等设施建设。

(3)保护母树林和建立人工培育基地。在济源、卢氏、栾川、嵩县、西峡、内乡、南召等重点分布的保护区内,建立母树林保护基地,在济源建人工培育基地1个,开展野生连香树的种群复壮和发展研究,并研究人工繁育技术,进行大规模人工繁育,在其他适宜生长地区,建立人工连香树种群。

第2节　重点生态系统保护

2.1　森林生态系统保护和自然保护区建设

2.1.1　北亚热带森林生态系统保护

河南省北亚热带生态区位于我国亚热带北缘,水、热资源丰富,自然条件优越,生物种类众多。典型植被为含常绿树种的落叶阔叶林类型。重要的保护区有鸡公山、董寨2个国家级自然保护区,金刚台、太白顶、连康山3个省级自然保护区。

(1)重点加强现有2个国家级和3个省级自然保护区建设。将2个省级自然保护区晋升为国家级自然保护区,新建13个省级自然保护区,增加面积6.2万 hm^2,使森林生态系统自然保护区面积达到12.16万 hm^2。在生态系统保护区内开展监测、生态系统结构和功能研究。加强保护区基础设施建设。

(2)加强自然保护区森林防火设施建设和防火装备配备,防止发生严重的森林火灾;为制止偷猎和打击破坏野生动植物案件,在保护区应设立公安派出所或公安局,并加强公安装备和交通工具等设施建设。

2.1.2　北亚热带向南暖温带过渡森林生态系统保护

河南省的伏牛山、熊耳山、外方山等秦岭支脉,地处我国自然地理的南北分界线,气候温暖、湿润,雨量充沛,光热条件优越,野生动植物资源丰富。本区植被南北差异较大,垂直分带明显,分布有多种多样的植被类型,既有暖温带植被类型,又有亚热带植被残遗,是我国南北过渡地带天然森林生态系统的本底,对研究森林植被起源与演化,探讨植被与气候相互关系有重要作用。此外,伏牛山还是长江、黄河、淮河3大水系的分水岭,森林植被在保持水土、涵养水源方面具有十分重要的作用。区内有伏牛山、宝天曼2个国家级自然保护区和小秦岭1个省级禁猎禁伐区。

(1)重点建设现有2个国家级自然保护区和1个省级禁猎禁伐区,加大基础设施建设投入,开展保护区(含禁猎禁伐区,下同)的生态功能监测,提高已建保护区的技术与保护管理水平。将保护区附近的天然林和其他人为干扰较少的生态系统划入保护区,扩大自然保护区面积,维持生态系统的生态功能。

(2)在天然林集中分布的生物多样性丰富地区和具有特殊生态功能的地区,新建10

个自然保护区，增加面积4.33万 hm^2，使森林生态系统自然保护区面积达到10.88万 hm^2。将4个省级自然保护区晋升为国家级自然保护区。

(3)加强自然保护区森林防火设施建设和防火装备配备，防止发生严重的森林火灾；为制止偷猎和打击破坏野生动植物案件，在保护区应设立公安派出所或公安局，并加强公安装备和交通工具等设施建设。

(4)发展天然林综合利用示范区，在维持生态系统功能的前提下，发展旅游和其他非破坏性利用方式，在生态系统重要地区，进行恢复和重建示范。

2.1.3 暖温带森林生态系统保护

河南省的太行山区是我国暖温带和温带天然阔叶林保存较完整的地带，其中分布的猕猴具有独特的遗传基因。《中国生物多样性保护行动计划》已把该区划为森林生态系统优先保护区域，世界自然基金(WWF)也将其列入优先保护以及具有国家和全球意义的区域。区内的太行山国家级自然保护区对保护野生动植物资源，维护区域生态系统功能具有重要意义。特别是该区气候干旱，土层瘠薄，生态系统脆弱，破坏以后，极难恢复，加强自然保护区建设对生态环境保护十分重要。

(1)重点建设现有1个国家级自然保护区。加大基础设施建设投入，开展保护区的生态功能监测，提高已建保护区的技术与保护管理水平。将在保护区附近的天然林和其他人为干扰较少的生态系统划入保护区，扩大自然保护区面积，维持生态系统的生态功能。

(2)新建5个自然保护区，增加面积2.34万 hm^2，使森林生态系统自然保护区面积达到8万 hm^2。

(3)加强自然保护区森林防火设施建设和防火装备配备，防止发生严重的森林火灾；为制止偷猎和打击破坏野生动植物案件，在保护区应设立公安派出所或公安局，并加强公安装备和交通工具等设施建设。

(4)发展天然林综合利用示范区，在维持生态系统功能的前提下，发展旅游和其他非破坏性利用方式，在生态系统重要地区，进行恢复和重建示范。

2.1.4 平原防护林生态系统保护

河南省平原属华北平原的组成部分，在漫长的历史时期，由于黄河频繁地决口和改道，在黄泛区沉积了大量泥沙，在风力作用下，很容易形成了大面积的风沙化土地，生态环境十分恶劣。新中国成立后，在党和政府的领导下，经过当地人民的艰苦奋斗，在广袤的平原建立了许多防风固沙林(带)，极大地改善了平原地区的生产和生活条件。近几年来，由于部分干部群众认识不足和短期经济利益驱使，毁林开荒事件时有发生，大部分防护林面临着被蚕食的危险，严重威胁着农业生产和人民生活，必须采取有效措施，保护和恢复重要的防护林。

(1)在防风固沙林集中分布、防护位置重要、影响面大的地区，新建3个自然保护区，面积2.53万 hm^2。

(2)加强自然保护区森林防火设施建设和防火装备配备，防止发生严重的森林火灾；为制止毁林开荒和打击破坏防护林案件，在保护区应设立公安派出所或公安局，并加强公安装备和交通工具等设施建设。

(3)在不影响其防护功能的前提下，发展旅游和其他非破坏性利用方式；针对已破坏防护林,积极进行恢复和重建示范。

2.2 湿地生态系统自然保护区和示范区建设

河南省湿地数量多、面积大、类型较齐全,孕育着丰富的生物多样性。由于经济发展和人口增长的压力造成了对湿地资源的破坏性利用,导致湿地及其生物多样性受到了普遍的威胁和破坏,保护湿地及其生物多样性已到了刻不容缓的地步。由于国家财力有限,不可能对所有湿地进行投资性保护。因此,选择重点的湿地生态系统类型建立自然保护区、保护好典型的湿地生态系统和生物多样性以及特殊的野生动植物栖息地意义重大。还应选择面积较大(或相对集中连片)、生物多样性丰富、生态环境脆弱、对区域生态环境有重大影响的湿地,建立一批保护区和湿地生态系统恢复示范区。

2.2.1 湿地生态系统自然保护区建设

目前河南省已建 8 个湿地自然保护区(林业系统 7 个,总面积 13.12 万 hm^2),其中,国家级保护区 1 个,省级湿地保护区 7 个,总面积为 15.59 万 hm^2。这些湿地自然保护区的建立,对保护典型湿地生态系统、候鸟繁殖和越冬栖息地以及其他湿地野生动植物种的栖息地等发挥了极其重要的作用。

完善已建 7 个湿地自然保护区的建设,加大基础设施投入,建立管理机构,加强巡护等措施,重点保护湿地和湿地特殊野生动植物种的栖息地。新建 13 个湿地类型自然保护区,面积 10.2 万 hm^2,将 2 个省级自然保护区晋升为国家级自然保护区,强化对特有湿地生态系统功能和湿地生物多样性的有效保护。

2.2.2 湿地保护示范区建设

在黄河、淮河滩区,黄河故道以及部分水库、湖泊建立 8 个湿地保护示范区,对大约 5 万 hm^2 的湿地及其多样性进行保护和恢复。建立湿地恢复和重建示范模式;通过建立禁猎区有效保护迁徙鸟类;初步建立滩区、故道和库区(含湖泊)湿地资源的生态开发模式;初步建立湿地资源合理利用模式。

2.3 自然保护小区建设和生物多样性保护小区

建立自然保护小区,是针对人口稠密地区实施生物多样性和珍稀动植物栖息地保护的一种有效方法和措施。它可以进一步改善自然生态环境和人民群众生活环境,是一项对提高全民生态环境保护意识,进行两个文明建设有深远意义的社会公益事业。

凡有条件的地方都要因地制宜,采取多种形式建立各种类型的自然保护小区,政府应当组织、批准和建立自然保护小区。自然保护小区的类型主要包括:国家重点保护野生动植物的主要栖息地、繁殖地和原生地;有益的和有重要经济、科学研究价值的野生动植物栖息繁殖地;候鸟越冬地和迁徙停歇地;有保存价值的原始森林、原始次生林和水源涵养林;有特殊保护价值的地形地貌、人文景观、历史遗迹地带;烈士纪念碑、烈士陵园林地;机关、部队、企事业单位的风景林、绿化带;自然村的绿化林、风景林等。

目前,国内已有 10 个省建立了自然保护小区,全国各类自然保护小区达 5 万多个。河南省以前未开展此项工作,应尽快确定自然保护小区建立标准,制定管理办法,大力新建自然保护小区。本次规划:2001～2010 年,建设自然保护小区 1 000 个;到 2030 年,使全省自然保护小区总数达到 3 000 个。

第 3 节　重点科研与监测网络建设

3.1　科研体系建设

河南省野生动植物和湿地的科学研究力量和工作基础较为薄弱,必须尽快加强。

3.1.1　工作任务

有计划、有组织地开展野生动植物和湿地资源的科学研究工作,进行重点攻关,为保护管理提供科学依据,为各级野生动植物保护管理部门服务。

3.1.2　组织机构

把省内的研究机构作为河南省主要的研究力量,以独立或协作的形式承担研究任务。自然保护区等基层单位主要进行本地对象的研究和数据收集工作,协助中央研究机构和省级机构完成研究任务。

设立研究项目,建立项目管理制度,采取竞标方式,吸收各类研究部门参加,完善野生动植物和湿地资源研究体系。

3.1.3　建设内容

省级和基层野生动植物科研机构建设,主要是建立或完善现有科研设施,如科研楼、调查设备、试验仪器、研究基地等。国家给承担研究项目的单位予以支持。

3.2　全省野生动植物及湿地资源监测体系建设

建立河南省野生动植物和湿地资源监测体系的目的在于完善野生动植物和湿地资源调查与监测网络,提高全省野生动植物和湿地资源动态监测能力和技术水平;加强基础设施建设,深入开展野生动植物和湿地资源监测的技术研究;逐步开展野生动植物生境和生态系统等方面的监测,进一步提高野生动植物保护、管理和研究水平。

3.2.1　工作任务

查清河南省野生动植物和湿地资源现状,建立资源数据库,并进行长期动态监测,全面、准确、及时地掌握动态变化趋势,分析变化原因,提出保护管理和合理利用对策。

3.2.2　组织机构

全省陆生野生动物、野生植物和湿地资源监测体系由河南省野生动植物监测中心和河南省湿地资源监测中心(站)与设在各地的定位监测站(点)构成。

省野生动植物和湿地资源监测中心是全省野生动植物和湿地资源调查与监测工作的技术负责部门,定位监测点负责各种信息的采集和上报。

3.2.3　建设内容

针对河南省野生动植物资源主要分布区、重点物种栖息地和湿地资源现状,为确保及时掌握资源动态变化,全省须建立省级野生动植物及湿地资源监测中心 1 个(包括省野生动植物资源监测站和省湿地资源监测站),市级野生动植物及湿地资源监测站 18 个;根据重点物种分布情况,需建立 13 个野生动植物重点物种监测站;按照全省资源分布情况,共需设立野生动物监测点 80 个、野生植物监测点 60 个、湿地监测点 42 个,湿地管护机构 8 个。建立省级数据库、监测网络,配备必要的监测、通讯、采集和信息处理设备,加强人才的引进和培养,确保资源数据准确、及时、全面。

3.3 鸟类环志工程建设

鸟类环志是利用无线电跟踪、卫星跟踪等各种鸟类标记手段,在鸟类繁殖、越冬地和迁徙中途停歇地对鸟类进行标记,然后根据获得的标记研究鸟类生活史和种群动态的一种研究方法。加强鸟类环志站建设,对于完善我国鸟类环志网络,推动河南省鸟类资源的保护管理、加强国内外合作与交流具有十分重要的意义。

3.3.1 工作任务

加强鸟类环志技术研究;开展对鸟类迁徙路线、迁徙策略、种群变动趋势以及栖息地条件对鸟类种群变化的影响研究,为制定合理的鸟类资源保护管理政策提供依据。

3.3.2 组织机构

河南省鸟类环志机构包括省级环志站和各环志点。

3.3.3 建设内容

建立省级鸟类环志站 1 个;在罗山县董寨国家级自然保护区、汝南宿鸭湖湿地省级自然保护区、三门峡库区湿地省级自然保护区、孟津黄河滩湿地省级自然保护区、开封柳园口湿地省级自然保护区和信阳南湾鸟岛等处共设鸟类环志点 10 个。

第5章　野生动植物繁育、合理开发利用和产业主体框架

第1节　野生动植物种源繁育基地

建立野生动植物种源繁育基地，其目的就是要根据野生动植物保护和经济发展需要，研究野生动物驯养繁殖技术和野生植物培育技术，规模化培育野生动植物种源和品种，并通过技术推广向社会提供种源，以点带面，引导和促进资源的人工繁育，最终实现资源总量的全面扩张。

1.1　珍稀植物种源基地建设

在信阳、南阳、三门峡、济源、安阳分别建立6个珍稀植物种源基地，重点培植红豆杉、杜仲、银杏、核桃楸、水曲柳、楸树、兰科植物等，向社会推广10种以上有重要经济价值的栽培植物，种源培育规模基本上能满足社会化种植的需要。

主要建设内容：兴建基础设施、整治土地、进行种源采集和移植、加强人才引进及人员培训，增加科研设备并建立信息网络等。

1.2　野生动物种源繁育中心

在河南省现有1处野生动物救护中心的基础上，建立繁育中心二期工程，另外，新建9处野生动物繁育中心，解决麝、鹿、猕猴、金钱豹、雉类、雁鸭类、观赏鸟类、蛇类等野生动物种源的规模化繁育及技术问题。

第2节　野生动物驯养繁殖

在种源有充分保障的基础上，引导和推动社会发展野生动物驯养繁殖业，通过规模化培育，促进经济发展。驯养繁殖的野生动物还可用于展示、观赏、宣传教育，促进旅游事业发展。为此，河南省野生动物驯养繁殖业主体框架主要有动物园、野生动物园和规模化养殖(含自然散养)基地组成。

2.1　动物园建设

河南省现有省级动物园1个，市级动物园2个，基本都是地方政府投入，国有性质管理，隶属于各地城建部门，而对动物园野生动物的管理则归口于林业行政主管部门。应有计划地控制动物园的发展数量，减轻野外捕捉野生动物的压力。原则上只考虑省辖市级城市新批建动物园，近期和中期建设总体数量为10个。

2.2 野生动物园建设

河南省目前还没有野生动物园,到2010年,准备建设1个综合性大型野生动物园,建设投资以集体和个人投资为主,国家予以适当资金和政策扶持。

2.3 规模化野生动物养殖场和自然放养基地

为推动野生动物驯养繁殖朝规模化养殖、集约化经营方向健康发展,对野生动物驯养繁殖业将着重通过政府投资建示范场区、政策引导、经济扶持、科技推广和规范管理等措施,促进一批规模化驯养繁殖场和自然放养基地的建立,使麝、鹿、猕猴、金钱豹、雉类、雁鸭类、观赏鸟类、蛇类等野生动物稳定增长,以满足经济发展对资源的大量需求。

目标:大型规模化养殖场70个,自然放养基地达到10个,驯养繁殖野生动物种类达到30种以上,基本缓解经济发展中野生动物资源严重不足的状况。

第3节　现代运动狩猎

有组织、有计划地开展狩猎,推动传统狩猎向现代运动狩猎转轨,带动野生动物栖息地周边区域经济发展,从而实现部分物种从被动保护到主动保护的根本性转变。目前,河南省尚无1处狩猎场,到2030年,在全省认定或成立狩猎组织及代理机构3家,使狩猎场(区)达到5处。

第4节　野生植物资源采集

从野外采集野生植物资源以满足经济发展需要,必须在资源不断增长的前提下,遵循"资源消耗量小于自然增长量"的原则,明确保护者权益,协调保护与合理利用的关系,使当地人民从资源保护与合理利用中获得收益,才能调动当地人民保护野生植物的积极性,实现资源和经济双增长。有组织、有计划地限量采集(采伐)兰花、红豆杉、水曲柳、胡桃楸等资源,带动一大批山区人民脱贫致富。

第5节　野生动植物及其产品加工利用

当前,河南省野生动植物资源利用效益低下的情况仍十分严重,加剧了对有限资源的需求。对此,要切实采取措施,引导资源利用朝高科技、高效益方向转化,改变增长的方式,其关键是合理配置资源,制定优惠政策,鼓励、引导、扶持高效益深加工企业。

第6节　野生动植物及其产品流通体系建设

流通秩序混乱,是非法来源野生动植物及其产品流入市场的根本原因,针对上述现状,规范流通秩序,逐步建立以专业市场和定点经营单位为主的流通体系,计划在郑州市建立 1 个野生动植物及其产品一级专业市场,在全省建立 6 个野生动植物及其产品二级专业市场。凡是进入流通领域的野生动植物及其产品,均应在专业市场内由定点单位统一经营管理,专业市场内经营的野生动植物及其产品应实行标记制度,强化证件管理,提高市场监管能力,遏制非法来源的野生动植物及其产品进入市场,以达到严格控制资源消耗量的目的。

第6章 投资估算与实施计划

第1节 投资估算和项目实施时间的编制说明

项目投资估算依据国家林业局有关规程、规定确定的经济技术指标,及各地调查研究所取得的经济技术指标,费用参照有关收费标准进行估算。

坚持公益性事业建设以国家和地方政府投资为主的原则,鼓励社会各界积极参与。全省野生动植物及其栖息地保护工程主要保护的是国家一、二级重点保护野生动植物和典型的森林、湿地生态系统类型,是保护生物多样性的精华。这项工程是河南省重要的社会公益事业,项目基本建设费用主要依靠国家和地方政府预算内拨款,而且中央财政应当承担主要经费支持。工程预算的综合比例确定为国家投资占80%,地方配套占20%。

项目实施时间主要分三个阶段:第一阶段2001~2005年,第二阶段2006~2010年,第三阶段2011~2030年。各项目安排以2001~2010年为主,对2011~2030年仅作为大致规划内容。

1.1 重点野生动植物保护项目计算标准

(1)保护区建设:2001~2010年,野生动物类型保护区按每个2 400万元计算;2011~2030年的投资,按2001~2010年投入标准的150%计算。

(2)禁猎(伐)区建设:2001~2010年,野生动物禁猎区按每个投资1 000万元计算,野生植物禁伐区按每个800万元计算;2011~2030年的投资,按2001~2010年投资标准的150%计算。

(3)繁育中心和培育基地:2001~2010年,每个按3 000万元计算;2011~2030年的投资,按2001~2010年投资标准的150%计算。

(4)保护站建设:在重点野生动植物主要栖息地覆盖的每一县级行政区域,建立保护站1处,承担栖息地保护及改善职责。2001~2010年,建站投资按每站100万元计算;2011~2030年的投资,按2001~2010年投资标准的150%计算。

(5)科研监测站点建设:在重点野生动植物主要栖息地需建立必要的科研监测站或监测点,承担栖息地变化科研监测任务。2001~2010年,一个重点物种建立一个站或数个监测点,建监测站投资按每站200万元计算,建监测点投资按每个点80万元计算;2011~2030年投资,按2001~2010年投资标准的150%计算。

(6)重点野生动植物主要栖息地恢复和改善:2001~2010年,根据物种对栖息环境的要求,在其主要栖息地选择重要的破坏较为严重的区域,针对性恢复植被并建立食物链,按1万$hm^2$3 000万元计算;2011~2030年的投资,按2001~2010年投资标准的150%计算。

1.2 重点生态系统保护项目计算标准

(1)森林生态系统保护:2001~2010 年,亚热带按每个 2 400 万元计算,温带按每个 2 800 万元计算;2011~2030 年的投资,按 2001~2010 年投资标准的 150%计算。

(2)湿地生态系统保护区:2001~2010 年,每个保护区按 3 000 万元计算;2011~2030 年的投资,按 2001~2010 年投资标准的 150%计算。

(3)湿地生态系统保护示范工程:2001~2010 年,每个示范区按 6 000 万元计算;2011~2030 年的投资,按 2001~2010 年投资标准的 150%计算。

(4)自然保护小区和生物多样性小区:2001~2010 年,每个保护小区建设需要 40 万元,其中国家补助 20 万元,地方配套 20 万元;2011~2030 年的投资,按 2001~2010 年投资标准的 150%计算。

1.3 科研与监测网络建设项目计算标准

(1)2001~2010 年,省级科研机构按每个 300 万元计算,省动植物资源监测站按每个 500 万元计算,省湿地资源监测站按每个 400 万元计算,市级野生动植物和湿地资源监测站按每个 200 万元计算,湿地宣教中心按每个 2 000 万元计算,动植物监测点按每个 80 万元计算,湿地监测站和管护机构均按每个 100 万元计算;2011~2030 年的投资,按 2001~2010年投资标准的 150%计算。

(2)2001~2010 年,鸟类环志站及网络建设:河南省鸟类环志站按每个 400 万元计算,鸟类环志点按每个 100 万元计算;2011~2030 年的投资,按 2001~2010 年投资标准的 150%计算。

(3)2001~2010 年,动植物检测中心建设:按每个 3 000 万元计算;2011~2030 年投资,按 2001~2010 年投资标准的 150%计算。

1.4 野生动植物产业基地建设项目计算标准

(1)动物救护繁育基地:2001~2010 年每个按 1 000 万元计算,其中国家补助按每个 500 万元计算;2011~2030 年投资,按 2001~2010 年投资标准的 150%计算。

(2)植物培育基地:2001~2010 年每个按 800 万元计算,其中国家补助按每个 400 万元计算;2011~2030 年投资,按 2001~2010 年投资标准的 150%计算。

(3)野生动物园:2001~2010 年每个需要 2 亿元,实行社会集资,国家不予补助;2011~2030 年的投资,按 2001~2010 年投资标准的 150%计算。

(4)野生动物养殖场:2001~2010 年每个需要 550 万元,其中国家补助按每个 25 万元计算;2011~2030 年的投资,按 2001~2010 年投资标准的 150%计算。

(5)野生动物自然放养场:2001~2010 年每个需要 3 000 万元,其中国家补助按每个 1 000 万元计算;2011~2030 年的投资,按 2001~2010 年投资标准的 150%计算。

(6)狩猎场:2001~2010 年每个需要 560 万元计算,其中国家补助按每个 80 万元计算;2011~2030 年的投资,按 2001~2010 年投资标准的 150%计算。

(7)野生动植物加工企业:2001~2010 年每个需要 5 000 万元,实行社会集资,国家不予补助;2011～2030 年的投资,按 2001～2010 年投资标准的 150%计算。

(8)野生动植物一级市场:2001～2010 年每个按 4 000 万元计算,其中国家补助按每个1 000 万元计算;2011～2030 年的投资,按 2001～2010 年投资标准的 150%计算。

(9)野生动植物二级市场:2001～2010 年每个按 275 万元计算,其中国家补助按每个25 万元计算;2011～2030 年的投资,按 2001～2010 年投资标准的 150%计算。

第 2 节　规划投资估算

2.1　估算总投资

根据各工程建设内容、规模与计算指标,经估算,本规划 2001～2030 年建设投资总共需要投入 66.14 亿元,其中国家投资 35.24 亿元,地方投资 18.19 亿元,社会集资 12.71 亿元。

2.2　具体投资分配

各个建设投资分配结构如下:

(1)按投入时间分。

2001～2005 年需要投入建设资金 18.56 亿元,年均 3.71 亿元,占总投资的 28.06%;

2006～2010 年需要投入建设资金 17.94 亿元,年均 3.59 亿元,占总投资的 27.13%;

2011～2030 年需要投入建设资金 29.64 亿元,年均 1.48 亿元,占总投资的 44.81%。

(2)按投资主体分。

2001～2005 年,国家预算内资金投入 11.73 亿元,平均每年 2.35 亿元;地方配套 4.78 亿元,平均每年 0.96 亿元;社会集资 2.05 亿元,平均每年 0.41 亿元。

2006～2010 年,国家预算内资金投入 9.40 亿元,平均每年 1.88 亿元;地方配套 3.99 亿元,平均每年 0.79 亿元;社会集资 4.55 亿元,平均每年 0.91 亿元。

2011～2030 年,国家预算内资金投入 14.10 亿元,平均每年 0.71 亿元;地方配套 9.43 亿元,平均每年 0.47 亿元;社会集资 6.11 亿元,平均每年 0.31 亿元。

(3)按使用方向分。

2001～2005 年,国家重点野生动植物保护 3.19 亿元,平均每年 0.64 亿元;国家重点生态系统类型保护 10.38 亿元,平均每年 2.08 亿元;科研与监测网络建设 0.92 亿元,平均每年 0.18 亿元;野生动植物产业基地建设 4.07 亿元(包括社会集资),平均每年 0.81 亿元。

2006～2010 年,国家重点野生动植物保护 1.90 亿元,平均每年 0.38 亿元;国家重点生态系统类型保护 9.28 亿元,平均每年 1.86 亿元;科研与监测网络建设 0.64 亿元,平均每年 0.13 亿元;野生动植物产业基地建设 6.12 亿元(包括社会集资),平均每年 1.22 亿元。

2011～2030 年,国家重点野生动植物保护 0.15 亿元,平均每年 0.008 亿元;国家重点生态系统类型保护 19.83 亿元,平均每年 0.992 亿元;科研与监测网络建设 0.69 亿元,平均每年 0.035 亿元;野生动植物产业基地建设 8.97 亿元(包括社会集资),平均每年 0.448 亿元。

第 3 节　资金筹措

根据总体规划原则,国家投资部分纳入国家基本建设规划,按项目建设进度分期投入。地方配套资金要纳入各级地方财政预算和地方统筹,分年度投入。

对于以营利为经营目的项目,则在明确责权利的前提下,通过社会招商引资方式进行筹资。

此外,还应加强与有关国家和非政府国际组织的联系,广泛争取国际合作,为保护工程建设项目引进资金、技术和人才。

第7章 效益分析与综合评价

第1节 生态效益分析

建设项目实施后，将大大提高河南省对野生动植物资源及其栖息地的保护管理能力，恢复和改善野生动植物的栖息环境，将使80%的野生动物和60%的野生植物得到更好的保护。特别是对河南省一些主要物种如金钱豹、麝、大天鹅和其他物种如鹿、猕猴等野生动物的保护。通过实施保护工程，新建一批保护区并设立禁猎区，对自然生态系统的重建、恢复和保护具有重要意义。通过该计划的实施，使以森林、湿地为主体的野生动植物栖息地环境和生态系统的水平结构、垂直结构和营养结构得以优化，将促进生态系统的物质循环和能量流动，充分发挥其调节气候、保持水土、防风固沙、涵养水源和美化环境的多种功能。该计划涉及的保护区主要在生态环境脆弱地区和对区域生态环境影响巨大的地区，项目的实施不仅对野生动植物栖息地本身，而且对区域和整个流域生态系统具有极其重要的作用，这些生态系统所产生的巨大生态效益不仅是局部地区的，而且也是全国性的。

第2节 社会效益分析

野生动植物及其栖息地保护建设工程是公益性的社会事业，通过野生动植物保护工程的实施，将极大地宣传野生动植物与人类的密切关系，提高人们的自然保护意识。

通过对野生动植物保护区等管理和科研机构的建设，将加强这些机构的保护宣教能力，为广泛、深入、持久地开展野生动植物和环境保护宣传教育工作打下良好的基础，使保护区真正成为宣传保护自然生态环境的重要阵地。通过野生动植物保护和自然保护区的建立及其相关产业的发展，不仅能促进野生动植物利用的可持续发展，而且还将极大地促进野生动植物产业的发展，将为社会创造财富，安置大量职工，丰富人们生活。野生动物园的发展，将为人们提供观赏动物的机会。重要野生动植物资源保护基地和中心的建设及饲养野生动物的发展，将满足人们对野生动物的需求，减少人为对野生动物资源的破坏，使资源保护状况好转。生态环境的改善，将更好地发挥生态环境净化大气、减少污染和美化环境等功能，为人类提供更好的保健游憩场所并改善当地居民的生存环境，还将为周边地区，特别是老、少、边、穷地区社会经济和科教文卫事业的全面、持续发展提供良好的生态环境和投资环境，促进经济和社会可持续发展。

野生动植物的保护是社会关注的热点之一，野生动植物的保护直接影响我国在国际上的形象。工程的建设，将大大提高对野生动植物的保护管理和科研监测能力，为保护管理宏观决策的制定提供可靠的科学依据，同时也是履行国际公约如生物多样性公约、湿地公约的重要内容，对促进国际交流与合作，提高我国的国际声望有重要意义。

第3节　经济效益分析

3.1　直接效益

野生动植物资源具有极其重要的经济价值。保护工程的建设完成,将很好地保护野生动植物及其栖息地,使野生动植物尤其是珍稀濒危野生动植物种群得到恢复和发展,据有关资料测算,全省每年森林蓄积量增加的可测算收入、森林旅游的收入、珍稀野生动植物的增值、野生花卉及中药材资源储备的增值等直接经济效益约为30亿元。

3.2　间接效益

保护工程的实施不仅有着巨大的直接经济效益,其潜在的间接效益更是不可估量。首先,物种具有巨大的潜在保存价值,目前对遗传资源具有极其巨大潜在经济价值的认识越来越清楚,野生动植物的遗传资源已成为各国争夺的焦点。野生动植物资源的就地保护和人工培育,使它们的价值日益得到挖掘和开发。其次,随着野生动植物及其产品市场的规范和野生动植物的保护、利用走向健康轨道,野生动植物栖息地的水源涵养效益、防风固沙效益、水土保持效益、净化空气效益和防治污染的效益能得到进一步实现。

第 8 章　保障措施及政策建议

为推动全省野生动植物保护事业的发展,确保规划任务的顺利实施,必须采取行之有效的具体措施,制定相应的政策。

(1)切实加强领导,建立健全管理机构。造林绿化、森林资源管理和野生动植物保护是林业工作的三大任务,也是各级林业主管部门的三大行政职能。这三个方面的工作,是一个具有内在联系的统一整体。目前,河南省野生动植物保护管理机构还不健全,全省约一半的省辖市没有行政机构,很不适应保护事业发展的需要。各级主管部门要重视野生动植物保护机构的建设,争取用两三年的时间做到每个省辖市都有行政管理机构。同时,要在野生动植物资源集中分布地区和野生动植物及其产品利用强度高的地区,建立健全县、乡级保护管理机构。各级人民政府特别是县级人民政府是野生动植物保护的行政主体,要给予野生动植物以足够的重视,且协调好林业、公安、环保、工商、水利、城建、农业、交通、铁路、民航、旅游、外贸、医药、海关等部门的关系,加强对保护工作的领导。要按照事权划分和分级分类管理原则,对野生动植物物种、自然保护区和湿地划分等级类型,实行分级分类管理,明晰林业部门和各级人民政府在野生动植物保护工作中的责任。国家级自然保护区由国家林业局或河南省林业厅管理,区域保护区由县级以上林业主管部门管理。要加强队伍管理,注意执法培训,实行持证上岗,逐步建立一支专业过硬、作风廉洁、管理高效的野生动植物保护管理队伍。

(2)多方筹集资金,加大投资力度。资金投入严重不足是我国野生动植物保护事业发展的重要制约因素。要按照"社会收益政府承担"的原则,研究和建立以中央和地方人民政府投资为主,多渠道筹集资金为辅的投入机制。各级主管部门要积极争取将野生动植物保护事业纳入地方国民经济和社会发展计划,所需事业经费纳入财政预算。要在将要建立的森林生态效益补偿基金中确定一定比例的资金用于野生动植物保护、自然保护区建设和湿地保护工作。林业的有关保护项目优先向自然保护区倾斜。要积极拓宽筹资渠道,鼓励社会各界捐助和投资,进一步扩大对外开放,广泛开展国际合作与交流,为野生动植物保护事业的发展争取更多的资金。

(3)推进法制建设,加大执法力度。各级行政主管部门要围绕《中华人民共和国野生动物保护法》和《中华人民共和国野生植物保护条例》不断完善配套法规,建立健全法规体系,积极推进立法工作。要争取《中华人民共和国野生植物保护条例》实施办法、地方重点保护野生植物名录和因保护国家、地方重点保护野生动物受到损失的补偿办法早日出台。鉴于自然保护区是野生动植物的集中区域,要根据自然保护区的生物资源特点,制定具有针对性的单个自然保护区的管理法规,逐步达到一区一法,一类型一管理办法。要严格执法、严厉打击并坚决制止违法猎捕、采摘和非法利用野生动植物的行为,要充分调动动植物保护、林业公安、林政、海关、林业工作站、木材检查站、动植物检疫及新闻单位等各方力量,发挥广大人民群众和社会各界对野生动植物保护的监督作用,同时加强执法队伍建设,提高执法能力,采取有效措施,继续组织实施严打行动,把严打和日常执法结合起来,有效遏制一些地方存在的猖狂盗猎、非法经营、倒卖、走私野生动物的混乱局面。

(4)依靠科技进步,开展国际交流,提高管理水平。在河南省林业厅和地方野生动植物主管部门的领导下,有计划有重点地组织人员开展对我省森林生物多样性和野生动植物保护与可持续利用的科学研究。要在保护理论和技术、管理理论方法和技术方面取得明显进展。加强珍稀濒危野生动植物物种的生态学、繁育生物学及繁育技术研究,为保护和重建野生种群提供技术指导;以生态经济学、系统生态学和生态工程学的理论和方法为指导,研究不同森林生态系统类型生物多样性保护与可持续利用模式,建立各种类型的示范工程;研究野生动植物资源保护、开发利用的综合技术,重点研究有代表性并有较高经济价值野生动植物物种的保护和利用模式及应用途径,增强保护活力和发展后劲,带动野生动植物保护整体水平的提高。针对河南省野生动植物管理队伍素质较低的现状,需要开展大规模的职业培训。在大专院校和自然保护区培训基地,重点对省辖市和县级各级管理人员进行普遍培训,力争在5年内轮训一遍,将受训人员的考核成绩记入档案,与工作分配和晋级挂钩,逐步使其掌握现代的管理技术。要创造条件,积极开展野生动植物保护的国际合作与交流,充分利用当前有利的国际环境和条件,扩大对外开放,支持和鼓励河南省自然保护区和国外机构、人员进行合作考察及资源可持续利用的开发活动,引进先进的技术和管理方法,改变与国际交流少且合作领域窄的局面,争取国际组织和机构对野生动植物保护进行援助,并就生物多样性与野生动植物保护利用开展合作。

(5)实行切实可行的工程项目管理办法。对野生动植物保护工程,遵循布局合理、管理规范的原则,由河南省林业厅组织有关部门进行统一规划,保证规划的合理性和科学性,要注意节约和实用,按项目进行管理。在项目实施中,要引入竞争机制,推行招标制,加强对项目的监管,杜绝项目建设中的不合理开支,提高项目建设质量,节约项目资金,建立和完善野生动植物保护工程管理的新方法。

(6)加强行业管理,促进产业发展。野生动植物是一项可以再生的自然资源,保护这项资源既能维护和改善人类生存的自然生态环境,又能提供大量产品,丰富人们的物质文化生活。在不断加强保护工作的同时,要按照分类和分级指导的原则,制定产业发展规划、配套技术法规、优惠扶持政策,对生态公益性项目要给予减免税收的优惠政策。自然保护区发展产业,更要减免税收,加以重点扶持。协调地方人民政府,对保护区内居民的生产经营实行税收减免,并降低保护区所在地上缴国家的财政额度。对已经繁殖成功、市场前景比较好的一些物种要进行有序利用,不断开发新产品,要发展野生动植物观赏、旅游以及在国家政策和国际公约许可范围内的狩猎、采集和贸易等活动。发展野生动植物产业从某种意义上讲也是为了增强野生动植物保护的活力和能力。各级主管部门要对发展产业给予足够重视,制定政策法规,统筹规划,建立专业市场,加强流通领域管理。同时,在条件成熟时,建立行业组织,协助政府搞好行业管理,开展专业技术指导与服务,促进野生动植物产业的健康发展。

(7)加强队伍建设,提高自身素质。野生动植物保护工作政策性强、责任大、管理难、国内外影响大,各级行政主管部门一定要有高度的责任感和事业心,认真学习党和国家的方针政策和法律法规,增强法律意识,加强制度建设,实行依法行政,努力提高政策水平和执法水平；要深入调查研究，开展各种形式的业务培训，提高业务素质；要增强服务意识，建立健全监督制约机制，不断改进工作作风，做到廉洁自律，树立野生动植物行业主管部门的良好形象。

(8)加大宣传力度，提高公众参与意识。野生动植物保护是一项社会性、群众性和公益性很强的工作，只有引起社会各界的高度重视和公众的普遍参与才能搞好。各级行政主管部门要充分认识野生动植物保护宣传工作的重要性，要把加强宣传，不断提高全社会保护意识作为野生动植物保护工作的首要任务来抓，要拟定宣传计划，增加宣传投入；要积极发挥各种自然保护组织和团体在宣传方面的作用，调动社会各界参与野生动植物保护事业；要充分利用广播、电视、报刊、杂志等多种媒体，采取多种形式，大力宣传保护野生动植物对生态环境建设和实施可持续发展战略的重要意义，宣传国家的有关政策法规，宣传在保护野生动植物中涌现出来的先进人物和典型事迹。要发挥舆论的监督作用，对破坏野生动植物的典型事件要敢于曝光；通过举办夏令营、科普讲座等活动，在中小学生中开展野生动植物保护的宣传活动，要充分利用“爱鸟周”、“保护野生动物宣传月”和“国际湿地日”等时机，集中组织开展大型宣传活动，扩大社会影响。

附　录

附录一　河南省陆生野生脊椎动物名录

此前,河南省陆生脊椎动物最完整的系统名录是1980年新乡师范学院(现名河南师范大学)生物系编写的《河南省陆生脊椎动物名录及分布》,当时共记录陆生脊椎动物262种(两栖动物15种,爬行动物33种,鸟类155种,兽类59种),已远不能反映全省陆生脊椎动物资源现状。为了总结数十年来省内外动物学工作者筚路蓝缕的调查研究工作,我们将收集到的有关资料及自1996年以来的全省陆生野生动物资源调查成果材料汇总,编制成河南省陆生脊椎动物名录。本名录共录入陆生野生脊椎动物522种(不包括亚种),其中两栖动物20种,爬行动物38种,鸟类385种,兽类79种。我们期望通过这个系统表,较全面地反映河南省陆栖脊椎动物概貌,进一步认识河南省陆生脊椎动物在全国所占有的位置和比重,有裨于河南省野生动物资源的保护管理和开发利用工作。

限于水平,名录中定有错误和疏漏,诚愿识者指出,以待日后补充勘正。

序　　例

一、本名录以种为基本单位,分类系统依据如下论著:两栖动物据《中国两栖动物名录》(赵尔宓);爬行动物据《脊椎动物分类学》(郑作新);鸟类据《中国鸟类分布总表》(郑作新);哺乳动物据《哺乳动物分类名录》(谭邦杰),其中啮齿动物据《河南啮齿动物志》(路纪琪等)。

二、有多个中文名时,选用常用名或专业著作采用名。对于拉丁名,凡出现同物异名时只记一个拉丁名,并以有关专业著作记名为准。如,隐纹花松鼠有 *Tamiops maclellandi*、*Tamiops swinhoei*、*Callosciurus maclellandi* 等异名,本名录采用《河南啮齿动物志》所记拉丁名为 *Tamiops swinhoei*。

三、属和亚种的登录是有选择的,凡河南省有明确记载的亚种录入。

四、少数可能已灭绝的种或是否有分布尚有疑问的种,因还需调查和核对,所以仍然记录在内。例如穿山甲(是否有分布尚有疑问)等,中文名前加"?"。

五、关于动物的分布。将全省分为太行山区、伏牛山区、大别桐柏山区和豫东平原区四部分,但本附录所述豫东平原区也包括豫北平原地区和南阳盆地。每种的分布区根据所参考的资料或实地调查的结果确定,并用"+"标注。如《鸡公山自然保护区科学考察集》记载有豺,即认为大别桐柏山区有豺分布。

六、居留情况和区系类型用"+"在相应栏内标注,缺乏资料的不记。凡同一种鸟在不同资料中居留型不同的,记录常见类型。

七、为查阅方便,资料来源记作如下参考资料前的编号:

1.宋朝枢,等.太行山猕猴自然保护区科学考察集.北京:中国林业出版社,1996

2.宋朝枢.伏牛山自然保护区科学考察集.北京:中国林业出版社,1994

3.宋朝枢.宝天曼自然保护区科学考察集.北京:中国林业出版社,1994

4.宋朝枢.鸡公山自然保护区科学考察集.北京:中国林业出版社,1994

5.宋朝枢,等.董寨鸟类自然保护区科学考察集.北京:中国林业出版社,1996

6.王新民,等.豫北黄河故道湿地鸟类自然保护区科学考察与研究.郑州:黄河水利出版社,1995

7.邵文杰.河南省志·动物志.郑州:河南人民出版社,1992

8.路纪琪,等.河南啮齿动物志.郑州:河南科技出版社,1997

9.林晓安,等.河南湿地.郑州:黄河水利出版社,1997

10.赵尔宓.中国两栖动物地理区划.四川动物(增刊),1995:3～15

11.韩学民.商丘鸟类调查研究报告

12.河南省野生动物资源调查办公室.河南省水鸟资源调查报告.1999

13.时子明.河南自然条件与自然资源.郑州:河南科技出版社,1983

14.吴淑辉,等.河南省两栖动物区系初步研究.新乡师范学院学报,1984,41(1):89～92

15.瞿文元.河南蛇类及其地理分布.河南大学学报,1985(3):59～61

16.周家兴,等.河南省哺乳动物名录.新乡师范学院、河南化工学院联合学报,1961(2):45～52

17.金明霞,等.桐柏山鸟类名录.1983

18.河南省林业厅野生动植物保护处.河南省保护野生动物执法工作手册.1995

19.牛安敏,刘云五,等.伏牛山北坡鸟类名录.1985

20.周家兴,等.商城新县鸟类调查初步报告.新乡师范学院、河南化工学院联合学报,1961

21.姚孝宗,等.河南省鸟类新记录——叉尾太阳鸟.四川动物,1997,16(1):47

22.徐新杰,等.河南省鸟类分布新记录——白鹮.河南林业科技,1991,32(2):35～36

23.牛红星,等.河南省猛禽的调查.动物学杂志,2002,37(1):36～38

24.河南省林业厅野生动植物保护处.河南黄河湿地自然保护区科学考察集.北京:中国环境科学出版社,2001

附录一(1) 河南省两栖动物名录

目、科、属、种	分布				区系类型			资料来源
	太行山区	伏牛山区	豫东平原	大别桐柏山区	古北种	东洋种	广布种	
一、有尾目 CAUDATA-SALAMANDERS AND NEWTS								
(一)小鲵科 Hynobiidae								
(Ⅰ)巴鲵属 *Liua*								
1. 施氏巴鲵 *Liua shihi* (Liu,1950)				+				9.10
(Ⅱ)肥鲵属 *Pachynobius*								
2. 商城肥鲵 *Pachyhynobius shangchengensis nov. sp*				+				7.9.10.14.18
(Ⅲ)极北鲵属 *Salamandrella*								
3. 极北鲵 *Salamandrella keyserlingii* Dvbowski,1870				+	+			7.10.14
(二)隐鳃鲵科 Cryptobranchidae								
(Ⅳ)大鲵属 *Andrias*								
4. 大鲵 *Andrias davidianus*	+	+		+			+	1.2.4.7.9.10.13.14.18
(三)蝾螈科 Salamandridae								
(Ⅴ)蝾螈属 *Cynops*								
5. 东方蝾螈 *Cynops orientalis* (David,1873)				+				4.5.7.9.10.14

续附录一(1)

目、科、属、种	分布				区系类型			资料来源
	太行山区	伏牛山区	豫东平原	大别桐柏山区	古北种	东洋种	广布种	
二、无尾目 SALIENTIA-FROGS AND TOADS								
(四)锄足蟾科 Pelobatidae								
(Ⅵ)蟾蜍属 *Bufo*								
6. 中华大蟾蜍 *Bufo gargarizans* Cantor, 1842	+	+	+	+				1.2.4.5.6.7.9.10.13.14
7. 花背蟾蜍 *Bufo raddei* Strauch, 1876	+	+	+	+	+			1.2.4.5.6.7.10.13.14
(五)雨蛙科 Hyldae								
(Ⅶ)雨蛙属 *Hyla*								
8. 中国雨蛙 *Hyla chinensis* Gunther, 1859	+	+				+		2.4.7.9.10.14
9. 无斑雨蛙 *Hyla arborea immaculata* Boettger				+				4.9.10.13.14
(六)蛙科 Ranidae								
(Ⅷ)蛙属 *Rana*								
10. 中国林蛙 *Rana chensinensis*	+	+						1.2.3.9.10.14
11. 沼蛙 *Rana guentheri* Boulenger, 1882		+		+				2.4.14
12. 日本林蛙 *Rana japonica* Gunther, 1859		+		+				2.3.4.9.10.13.14

续附录一(1)

目、科、属、种	分布				区系类型			资料来源
	太行山区	伏牛山区	豫东平原	大别桐柏山区	古北种	东洋种	广布种	
指名亚种 *Rana japonica* Gunther,1859		+						2
13. 泽蛙 *Rana limnocharis* Boie,1834	+	+	+	+				1.2.3.4.6.9.10.13.14
14. 黑斑蛙 *Rana nigromaculata* Hallowell,1861	+	+	+	+				1.2.3.4.6.9.10.14
15. 金线蛙 *Rana plancyi* Lataste,1880		+		+				2.3.4.9.10.13.14
16. 隆肛蛙 *Rana quadranus* Liu.Hu.and Yang,1960				+				1.2.3.4.9.10.14
17. 虎纹蛙 *Rana rugulosa* Wiegmann,1835		+		+				4.9.10.14.18
18. 花臭蛙 *Rana schmackeri* Bocttger,1892		+						2.3.9.10.14
(七)姬蛙科 Microhylidae								
(Ⅸ)狭口蛙属 *Kaloula*								
19. 北方狭口蛙 *Kaloula borealis* (Barbour,1908)	+	+	+	+				1.2.3.4.6.9.10.14
(Ⅹ)姬蛙属 *Microhyla*								
20. 饰纹姬蛙 *Microhyla ormata* (Dumeril and Bibron)		+		+				2.4.9.10.14

附录一(2) 河南省爬行动物名录

目、科、种	分布				区系类型			资料来源
	太行山区	伏牛山区	豫东平原	大别桐柏山区	古北种	东洋种	广布种	
一.龟鳖目 TESTUDDFORMES								
(一)龟科 Testudinidae								
1. 乌龟 *Chinemys reevesii* (Gray)	+	+	+	+			+	1.2.3.4.5.6.7.9.13
2. 黄缘盒龟 *Cuora flavomarginata* (Gray)				+				4.5.7.18
(二)鳖科 Trionychidae								
3. 鳖 *Trionyx sinensis* Wiegmann	+	+	+	+				1.2.3.4.5.6.7.9.13
二.蜥蜴目 LACERTIFORMES								
(三)鬣蜥科 Agamidae								
4. 草绿龙蜥 *Japalura flaviceps* Barboure Dunn		+				+		3
5. 丽纹龙蜥 *Japalura splendida* Barbour et Dunn	+	+				+		1.3
(四)壁虎科 Gekkonidae								
6. 无蹼壁虎 *Gekko swinhonis* Guenther	+	+	+	+	+			1.2.3.4.5.6.7
(五)石龙子科 Scincidae								

续附录一(2)

目、科、种	分布				区系类型			资料来源
	太行山区	伏牛山区	豫东平原	大别桐柏山区	古北种	东洋种	广布种	
7. 蓝尾石龙子 *Euineces elegans* Boulenger	+	+		+		+		1.2.3.4.5.7
8. 蝘　蜓 *Lygosoma indicum* (Gray)	+	+		+		+		1.2.3.4.5.7
(六)蜥蜴科 Lacertidae								
9. 丽斑麻蜥 *Eremias argus* Peters	+	+	+	+	+			1.2.3.4.5.6.7
10. 山地麻蜥 *Eremias brenchleyi* Guenther	+	+		+	+			1.2.3.4.5.7
11. 北草蜥 *Takydromus septentrioalis* Guenther	+	+		+		+		1.2.3.4.5.7
三、蛇目 SERPENTIFORMES								
(七)游蛇科 Colubridae								
12. 钝尾两头蛇 *Calamaeia septentrionalis* Boulenger				+				5.7.15
13. 黄脊游蛇 *Coluber spinalis* (Peters)	+	+	+	+	+			1.2.3.4.7.13.15
14. 赤链蛇 *Dinodon rufozonatum* (Cantor)	+	+	+	+			+	1.2.3.4.5.7.15
15. 双斑锦蛇 *Elaphe bimaculata* Schmidt		+		+		+		2.3.4.5.7.13.15
16. 王锦蛇 *Elaphe carinata* (Guenther)	+	+		+		+		1.2.3.4.5.7.15
17. 白条锦蛇 *Elaphe dione* (Pallas)	+	+		+	+			1.2.3.4.5.7.13.15

续附录一(2)

目、科、种	分布				区系类型			资料来源
	太行山区	伏牛山区	豫东平原	大别桐柏山区	古北种	东洋种	广布种	
18. 灰腹绿锦蛇 *Elaphe frenata* (Gray)		+		+		+		2.3.4.5.7.15
19. 玉斑锦蛇 *Elaphe mandarina* (Cantor)	+	+		+		+		1.2.3.5.7.15
20. 紫灰锦蛇 *Elaphe porphyracea* (Cantor)		+		+		+		2.5.7.15
指名亚种 *Elaphe p. Porphyracea* (Cantor)		+		+				2.5
21. 红点锦蛇 *Elaphe rufodorsata* (Cantor)	+	+	+	+			+	1.2.3.4.5.7.9.13.15
22. 黑眉锦蛇 *Elaphe taeniura* Cope	+	+		+			+	1.2.3.4.5.7.15
23. 颈棱蛇 *Macropisthodon rudis* Boulenger		+				+		2.3.7.15
24. 水赤链游蛇 *Natrix annularis* (Boulenger)				+		+		4.5.7.9.15
25. 锈链游蛇 *Natrix craspedogaster* (Boulenger)		+		+		+		2.3.4.5.15
26. 乌游蛇 *Natrix percarinata* (Boulenger)		+		+		+		2.4.5.9.13.15
指名亚种 *Natrix p. percarinata* (Boulenger)		+		+				2.5
27. 草游蛇 *Natrix stolata* (Linnaeus)		+		+			+	2.3.4.5.7.13.15
28. 虎斑游蛇 *Natrix tigrina lateralis* (Boie)	+	+		+			+	1.2.3.4.5.7.9.13.15
29. 小头蛇 *Oligodon chinensis* (Guenther)				+		+		5.7.13.15

续附录一(2)

目、科、种	分布				区系类型			资料来源
	太行山区	伏牛山区	豫东平原	大别桐柏山区	古北种	东洋种	广布种	
30. 翠青蛇 *Opheodrys major* (Guenther)		+		+		+		2.4.5.7.13.15
31. 斜鳞蛇 *Pseudoxenodon macrops* (Blyth)				+		+		4.5.7.15
32. 花尾斜鳞蛇 *Pseudoxenodon nothus* Smith				+		+		4.5.7.15
33. 黑头剑蛇 *Sibynophis chinensis* (Guenther)		+		+		+		2.4.5.7.13.15
34. 乌梢蛇 *Zaocys dhumnades* (Cantor)	+	+		+		+		1.2.3.4.5.7.9.13.15
(八)蝰科 Viperidae								
35. 蝮蛇 *Agkistrodon halys* (Pallas)		+		+			+	2.3.4.5.7.15
36. 菜花烙铁头 *Trimeresurus jerdonii* Guenther	+	+		+		+		1.2.3.5.7.13.15
37. 烙铁头 *Trimeresurus mucrosquamatus* (Cantor)		+				+		2.7.15
38. 竹叶青 *Trimeresurus stejnegeri* Schmidt		+				+		2.7.15
指名亚种 *Trimeresurus stejnegeri stejnegeri* Schmidt		+				+		2.7.15

附录一(3) 河南省兽类名录

目、科、种	分布				区系类型			资料来源
	太行山区	伏牛山区	豫东平原	大别桐柏山区	古北种	东洋种	广布种	
一．食虫目 INSECTIVORA								
(一)猬科 Erinaceidae								
1．普通刺猬 *Erinaceus europaeus* Linnaeus	+	+	+	+	+			2.3.4.5.7.13.16.18
2．短刺猬 *Hemiechinus dauuricus* (Sundevall)	+	+		+	+			1.2.3.4.5.7.16
(二)鼩鼱科 Soricidae								
3．中鼩鼱 *Sorex caecutieus*				+	+			4.7.16
4．普通鼩鼱 *Sored araneus*		+						3
5．小麝鼩 *Crocidura suaveolens* Pallas		+		+	+			2.4.5.7
6．灰鼩鼱 *Crocidura attenuata* Milne-Edwards				+		+		5.7
7．水鼩鼱 *Chimarogale platycephala* Temminck		+		+		+		2.5
(三)鼹科 Talpidae								
8．大缺齿鼹 *Mogera robusta* Nehring		+		+	+			2.3.4.7.16
9．小缺齿鼹 *Mogera wogura*		+		+	+			2.4.7.16

续附录一(3)

目、科、种	分布				区系类型			资料来源
	太行山区	伏牛山区	豫东平原	大别桐柏山区	古北种	东洋种	广布种	
10. 华南缺齿鼹 *Mogera latouchei* Thomas				+	+			5
11. 麝鼹 *Scaptochirus moschatus* Milne-Edwards	+				+			1
二、翼手目 CHIROPTERA								
(四)菊头蝠科 Rhinolophidae								
12. 马铁菊头蝠 *Rhinolophus ferrum-equinum* Schreber	+	+		+	+			1.2.4.7.16
13. 角菊头蝠 *Rhinolophus cornutus*				+		+		5
(五)蝙蝠科 Vespertilionidae								
14. 北京鼠耳蝠 *Myotis pequinius* Thomas			+					7.16
15. 夜蝙蝠 *Vespertilio serotinus* Schreber		+	+		+			7.16
16. 萨氏蝙蝠 *Vespertilio savii* Bonaprarte			+		+			7.16
17. 夜蝠 *Nyctalus noctula* Schreber		+					+	2.7.13.16
18. 大夜蝠 *Nyctalus aviator* Thomas		+						7.16
19. 普通伏翼 *Pipistrellus abramus* (Temminck)	+	+	+	+		+		2.4.7

续附录一(3)

目、科、种	分布				区系类型			资料来源
	太行山区	伏牛山区	豫东平原	大别桐柏山区	古北种	东洋种	广布种	
20. 小伏翼 *Pipistrellus javanicus* (Gray)				+				5
21. 白腹管鼻蝠 *Murina leucogaster* Milne-Edwards		+				+		2.7
三、灵长目 PRIMATES								
(六)猴科 Cercopithecidae								
22. 猕猴 *Macaca mullatta* (Zimmarmann)	+					+		1.7.13.18
四、鳞甲目 PHOLIDOTA								
(七)鲮鲤科 Manidae								
23.? 穿山甲 *Manis pentadactyla* Linnaeus		+				+		18
五、兔形目 LAGOMORPHA								
(八)鼠兔科 Ochotonidae								
24. 藏鼠兔 *Ochotona thibetana* Milne-Edwards		+			+			2.3.7
(九)兔科 Leporidae								
25. 草兔 *Lepus capensis* Linnaeus	+	+	+	+	+			1.2.3.4.5.7.13.16

续附录一(3)

目、科、种	分布				区系类型			资料来源
	太行山区	伏牛山区	豫东平原	大别桐柏山区	古北种	东洋种	广布种	
六、啮齿目 RODENTIA								
(十)松鼠科 Sciuridae								
26. 赤腹松鼠 *Callosciurus erythraeus* Pallas		+				+		2.4.5.7.8.13
秦岭亚种 *Callosciurus erythraeus* qinlingensis Xu et Chen		+						8
27. 岩松鼠 *Sciurotamias davidianus* Milne-Edwards	+	+		+	+			2.3.5.7.8.13.16
湖北亚种 *Sciurotamias davidianus saltitans* Heude				+				5.8
四川亚种 *Sciurotamias davidianus* consobrinus		+						8
28. 隐纹花松鼠 *Tamiops swinhoei* Milne-Edwards	+	+		+		+		1.2.3.4.7.8.16
河北亚种 *Tamiops swinhoei vestitus* Miller	+							8
29. 花鼠 *Eutamias sibiricus* Laxmann	+	+		+	+			1.2.3.4.7.8.13.16
华北亚种 *Eutamias sibiricus senescens* Miller	+	+		+				8
30. 达乌尔黄鼠 *Spermonphilus dauricus* Brandt		+			+			1.8
阿拉善亚种 *Spermonphilus dauricus alaschanicus* Buechner		+						8

续附录一(3)

目、科、种	分布				区系类型			资料来源
	太行山区	伏牛山区	豫东平原	大别桐柏山区	古北种	东洋种	广布种	
(十一)鼯鼠科 Petauristidae								
31. 复齿鼯鼠 *Trogopterus xanthipes* Milne-Edwards	+	+		+	+			1.2.4.7.8.18
指名亚种 *Trogopterus xanthipes xanthipes*	+	+						8
32. 小飞鼠 *Pteromys volans* Linnaeus	+	+		+	+			1.2.3.4.7.8.13.16.18
33. 皮氏飞鼠 *Belomys pearsonii*		+				+		16
(十二)仓鼠科 Cricetidae								
(Ⅰ)仓鼠亚科 Cricetinae								
34. 大仓鼠 *Cricetulus tritonde* Winton	+	+	+		+			1.2.3.5.8.13.16
指名亚种 *Cricetulus tritonde tritonde* Winton		+						8
山西亚种 *Cricetulus tritonde incanus* Thomas		+						8
35. 黑线仓鼠 *Cricetulus barabensis* Pallas		+	+	+	+			2.3.7.8.13.16
宣化亚种 *Cricetulus barabensis griseus* Milne-Edwards		+	+	+				8
36. 长尾仓鼠 *Cricetulus longicaudatus* Milne-Edwards		+			+			2.7.8.16

续附录一(3)

目、科、种	分布				区系类型			资料来源
	太行山区	伏牛山区	豫东平原	大别桐柏山区	古北种	东洋种	广布种	
指名亚种 *Cricetulus longicaudatus longicaudatus*		+						2.8
37. 甘肃仓鼠 *Cansumys canus* G.M.Allen		+		+	+			8
宁陕亚种 *Cansumys canus ningshaanensis* Song		+		+				8
(Ⅱ)鼢鼠亚科 Myospalacinae								
38. 罗氏鼢鼠 *Myospalaxn rothschildi* Thomas		+				+		8
39. 东北鼢鼠 *Myospalaxn psilurus* Milne-Edwards			+		+			2.7.8.13.16
(Ⅲ)田鼠亚科 Microtinae								
40. 苛岚绒鼠 *Eothenomys inez* Thomas		+			+			2.7.8
陕西亚种 *Eothenomys inez nux*		+						8
41. 棕色田鼠 *Microtus mandaritus* Milne-Edwards		+	+		+			7.8
指名亚种 *Microtus mandaritus mandaritus* Milne-Edwards		+						8
河北亚种 *Microtus mandaritus faeceus* G.Allen		+						8
(Ⅳ)沙鼠亚科 Gerbillinae								

续附录一(3)

目、科、种	分布				区系类型			资料来源
	太行山区	伏牛山区	豫东平原	大别桐柏山区	古北种	东洋种	广布种	
42. 子午沙鼠 *Meriones meridianus* Pallas		+			+			8
蒙古亚种 *Meriones meridianus psammophilus*		+						8
(十三)鼠科 Muridae								
(Ⅴ)鼠亚科 Murinae								
43. 小家鼠 *Mus musculus* Linnaeus	+	+	+	+			+	1.2.3.4.5.7.8.16
北方亚种 *Mus musculus wagneri*		+						8
华东亚种 *Mus musculus castaneus*	+			+				8
44. 大林姬鼠 *Apodemus peninsulae* Thomas	+	+			+			2.8
华北亚种 *Apodemus peninsulae sowerbyi* Jones								8
45. 中华姬鼠 *Apodemus draco* Barrett-Hamilton		+			+			2.5.8
指名亚种 *Apodemus draco draco* Barrett-Hamilton	+	+						8
46. 黑线姬鼠 *Apodemus agrarius* Pallas		+	+	+	+			1.2.3.4.5.7.8.13.16
华北亚种 *Apodemus agrarius pallidior* Thomas	+			+				8

续附录一(3)

目、科、种	分布				区系类型			资料来源
	太行山区	伏牛山区	豫东平原	大别桐柏山区	古北种	东洋种	广布种	
长江亚种 *Apodemus agrarius ningpoensis* Swinhoe	+	+	+					8
47. 黄胸鼠 *Rattus fiavipectus* Milne-Edwards	+	+	+	+		+		1.2.3.4.5.7.8.13.16
指名亚种 *Rattus fiavipectus fiavipectus* Milne-Edwards	+	+	+					
48. 褐家鼠 *Rattus norvegicus* Berkenhout		+	+	+			+	1.2.3.4.5.7.8.13.16
甘肃亚种 *Rattus norvegicus socer* Miller		+						8
华北亚种 *Rattus norvegicus humiliatus* Milne-Edwards			+					8
49. 大足鼠 *Rattus nitidus* Hodgson				+		+		5.8
指名亚种 *Rattus nitidus nitidus* Hodgson	+			+				8
50. 社鼠 *Rattus niviventer* Hodgson	+	+		+		+		1.2.3.4.5.7.8.13.16
山东亚种 *Rattus niviventer sacer* Thomas		+						8
四川亚种 *Rattus niviventer confucianus* Milne-Edwards				+				8
51. 白腹鼠 *Rattus caxingi* (Swinhoe)				+		+		5.8
四川亚种 *Rattus caxingi andersoni* Thomas				+				8

续附录一(3)

目、科、种	分布				区系类型			资料来源
	太行山区	伏牛山区	豫东平原	大别桐柏山区	古北种	东洋种	广布种	
(十四)豪猪科 Hystricidae								
52. 豪猪 *Hystrix hodgsoni* Gray		+		+		+		2.3.4.5.8.18
华南亚种 *Hystrix hodgsoni subscritata* Swinhoe		+		+				8
七、食肉目 CARNIVORA								
(十五)犬科 Canidae								
53. 狼 *Canis lupus*	+	+		+			+	1.2.3.4.5.7.13.16
54. 豺 *Cuon alpinus* Pallas	+	+		+		+		2.3.4.7.13.18
55. 赤狐 *Vulpes vulpes*	+	+		+			+	1.2.3.4.5.7.13.18
56. 貉 *Nyctereutes procyonoides*	+	+		+		+		1.2.3.4.5.7.13.16.18
(十六)鼬科 Mustelidae								
57. 黄喉貂 *Martes flavigula*	+	+		+			+	1.2.3.4.5.13.16.18
58. 黄腹鼬 *Mustela kathiah* Hodgson	+	+		+		+		2.4.18
59. 黄鼬 *Mustela sibirica*		+	+	+			+	1.2.3.4.5.7.13.16.18

续附录一(3)

目、科、种	分布				区系类型			资料来源
	太行山区	伏牛山区	豫东平原	大别桐柏山区	古北种	东洋种	广布种	
60. 艾虎 *Mustela eversmanni* Lesson		+		+	+			2.4.7.18
61. 狗獾 *Meles meles*	+	+		+	+			1.2.3.5.7.13.16.18
62. 猪獾 *Arctonyx collaris*	+	+	+	+	+			1.2.3.5.7.13.16.18
63. 水獭 *Lutra lutra*	+	+		+			+	1.2.3.4.5.7.9.13.16.18
64. 鼬獾 *Melogale moschata*		+						3.18
(十七)灵猫科 Viverridae								
65. 小灵猫 *Vicerricula indica*		+		+		+		2.4.5.7.18
66. 大灵猫 *Viverra zibetha*	+	+		+		+		2.3.4.7.18
67. 果子狸 *Paguma larvata*	+	+		+		+		1.2.3.4.5.7.13.16.18
(十八)猫科 Felidae								
68. 豹猫 *Felis bengalensis*	+	+		+		+		1.2.3.4.5.7.16.18
69. 金猫 *Felis temmincki*		+				+		2.7.18
70. 豹 *Panthera pardus*	+	+		+		+		1.2.4.5.7.13.16.18

续附录一(3)

目、科、种	分布				区系类型			资料来源
	太行山区	伏牛山区	豫东平原	大别桐柏山区	古北种	东洋种	广布种	
八、偶蹄目 **ARTIODACTYLA**								
(十九)猪科 Suidae								
71. 野猪 *Sus scrofa*	+	+		+			+	1.2.4.5.13.16
(二十)鹿科 Cervidae								
72. 小麂 *Muntiacus reevesii*		+		+		+		2.3.4.5.7.13.18
73. 原麝 *Moschus moschiferus*				+		+		3.4.7.13.18
74. 林麝 *Moschus berezowskii*	+	+			+			1.2.18
75. 梅花鹿 *Cervus nippon*		+						3
76. 河麂 *Hydropotes inermis*	+	+						3
77. 狍 *Capreolus capreolus*	+	+		+	+			1.2.3.4.7.13.16.18
(二十一)牛科 Bovidae								
78. 斑羚 *Nemorhaedus goral*	+	+		+		+		1.2.3.4.7.13.16.18
79. 鬣羚 *Capricornis sumatraensis*		+				+		2.3.7.18

附录一(4)　河南省鸟类名录

目、科、种	分布				居留情况				区系类型			资料来源
	太行山区	伏牛山区	豫东平原	大别桐柏山区	夏候鸟	冬候鸟	留鸟	旅鸟	古北种	东洋种	广布种	
一、鸊鷉目　PODICIPEDIFORMES												
(一)鸊鷉科　Podicipedidae												
1. 小鸊鷉　*Podiceps ruficollis*	+	+	+	+			+				+	1.2.4.5.7.9.13.17
2. 角鸊鷉　*Podiceps auritus*			+					+	+			6.7.9.18
3. 黑颈鸊鷉　*Podiceps caspicus*			+					+				11
4. 凤头鸊鷉　*Podiceps cristatus*		+		+				+	+			2.5.7.9.18
5. 赤颈鸊鷉　*Podiceps grisegena*				+				+				5
二、鹈形目　PELECANIFORMES												
(二)鹈鹕科　Pelecanidae												
6. 白鹈鹕　*Pelecanus onocrotalus*			+					+		+		6.9.18
7. 斑嘴鹈鹕　*Pelecanus philippensis*	+	+	+					+	+			1.2.6.7.9.18
(三)鸬鹚科　Phalacrocoracidae												
8. 普通鸬鹚　*Phalacrocorax carbo*	+	+		+		+					+	1.2.4.5.6.7.9.17

续附录一(4)

目、科、种	分布				居留情况				区系类型			资料来源
	太行山区	伏牛山区	豫东平原	大别桐柏山区	夏候鸟	冬候鸟	留鸟	旅鸟	古北种	东洋种	广布种	
三、鹳形目 CICONIIFORMES												
(四)鹭科 Ardeidae												
9. 苍鹭 *Ardea cinerea*	+	+	+	+				+			+	1.2.5.6.7.9.13.17.18
10. 草鹭 *Ardea purpurea*		+		+				+			+	2.4.5.7.9.17.18
11. 池鹭 *Ardeola bacchus*	+	+	+	+	+					+		1.2.3.4.5.6.7.9.13.17
12. 绿鹭 *Butorides striatus*				+	+						+	9
13. 牛背鹭 *Bubulcus ibis*		+		+	+					+		2.4.5.7.9.13.17
14. 大白鹭 *Egretta alba*	+		+	+		+					+	1.4.5.6.7.9.13.17.18
15. 白鹭 *Egretta garzetta*	+	+	+	+	+					+		1.2.3.4.5.6.7.9.13.17
16. 黄嘴白鹭 *Egretta eulophotes*				+	+					+		4.5.9.18
17. 中白鹭 *Egretta intermedia*		+	+	+	+					+		2.4.5.6.7.9.13.17
18. 夜鹭 *Nycticorax nycticorax*	+	+	+		+						+	1.2.4.5.6.7.9.13.17
19. 黑冠虎斑鳽 *Gorsachius melanolophus*				+	+						+	5.9.17

续附录一(4)

目、科、种	分布				居留情况				区系类型			资料来源
	太行山区	伏牛山区	豫东平原	大别桐柏山区	夏候鸟	冬候鸟	留鸟	旅鸟	古北种	东洋种	广布种	
20. 小苇鳽 *Ixobrychus minutus*				+	+				+			5
21. 黄斑苇鳽 *Ixobrychus sinensis*	+	+	+	+	+						+	1.2.5.6.7.9.17
22. 紫背苇鳽 *Ixobrychus eurhythmus*		+	+	+	+						+	2.3.5.6.7.9.17
23. 栗苇鳽 *Ixobrychus cinnamomeus*				+	+						+	4.5.7.9.17
24. 黑鳽 *Dupetor flavicollis*				+	+					+		4.5.7.9
25. 大麻鳽 *Botaurus stellaris*	+	+	+	+				+	+			1.2.5.6.7.9.17
(五)鹳科 Ciconiidae												
26. 白鹳 *Ciconia ciconia*	+		+	+				+	+			1.5.6.7.9
27. 东方白鹳 *Ciconia boyciana*			+					+	+			23
28. 黑鹳 *Ciconia nigra*	+	+	+					+	+			1.2.3.4.6.7
29. 秃鹳 *Leptoptilos javanicus*		+						迷		+		12
(六)鹮科 Threskiornithidae												
30. 白鹮 *Threskiornis acthiopicus*			+									18.22

续附录一(4)

目、科、种	分布				居留情况				区系类型			资料来源
	太行山区	伏牛山区	豫东平原	大别桐柏山区	夏候鸟	冬候鸟	留鸟	旅鸟	古北种	东洋种	广布种	
31. 白琵鹭 *Platalea leucorodia*				+		+			+			7.9.12.18
四、雁形目 ANSERIFORMES												
(七)鸭科 Anatidae												
32. 鸿雁 *Anser cygnoides*		+	+	+				+	+			2.4.5.6.7.9.11.13.17.18
33. 豆雁 *Anser fabalis*	+	+	+	+		+			+			1.2.4.5.6.7.9.11.13.17
34. 白额雁 *Anser albifrons*		+	+			+			+			6.9.12
35. 小白额雁 *Anser erythropus*			+					+	+			6.7.9
36. 灰雁 *Anser anser*		+	+	+				+	+			2.5.6.7.11.18
37. 大天鹅 *Cygnus cygnus*	+	+	+	+		+			+			1.2.5.6.7.9.11.12.17.18
38. 小天鹅 *Cygnus columbianus*	+	+	+	+				+	+			1.5.6.7.9.11.12.18
39. 赤麻鸭 *Tadorna ferruginea*	+	+	+	+		+			+			1.2.3.4.5.6.9.11.12
40. 翘鼻麻鸭 *Tadorna tadorna*	+	+	+			+			+			1.6.7.9.12
41. 针尾鸭 *Anas acuta*			+	+		+			+			5.6.7.9.11.12

续附录一(4)

目、科、种	分布				居留情况				区系类型			资料来源
	太行山区	伏牛山区	豫东平原	大别桐柏山区	夏候鸟	冬候鸟	留鸟	旅鸟	古北种	东洋种	广布种	
42. 绿翅鸭 *Anas crecca*	+	+	+	+		+					+	1.2.3.4.5.6.7.9.11.12.13.17
43. 花脸鸭 *Anas formosa*	+		+	+		+			+			1.4.5.6.7.9.11.12.13
44. 罗纹鸭 *Anas falcata*	+	+	+	+		+			+			1.4.5.6.7.9.11.12.13.17
45. 绿头鸭 *Anas platyrhynchos*	+	+	+	+		+			+			1.2.3.4.5.6.7.9.11.12.13.17
46. 斑嘴鸭 *Anas poecilorhyncha*	+	+	+	+			+				+	1.5.6.9.11.12
47. 赤膀鸭 *Anas strepera*		+	+					+	+			2.6.9
48. 赤颈鸭 *Anas penelope*			+	+		+			+			5.7.9.11.12
49. 白眉鸭 *Anas querquedula*			+	+				+	+			6.7.9.11.12.17
50. 琵嘴鸭 *Anas clypeata*			+					+	+			6.7.9.11.12
51. 红头潜鸭 *Aythya ferina*		+		+				+	+			5.7.9.11.12
52. 白眼潜鸭 *Aythya nyroca*		+						+	+			2.7.9
53. 青头潜鸭 *Aythya baeri*	+		+					+	+			1.6.9
54. 凤头潜鸭 *Aythya fuligula*			+	+				+	+			5.7.9.11.12

续附录一(4)

目、科、种	分布				居留情况				区系类型			资料来源
	太行山区	伏牛山区	豫东平原	大别桐柏山区	夏候鸟	冬候鸟	留鸟	旅鸟	古北种	东洋种	广布种	
55. 斑背潜鸭 *Aythya marila*		+	+	+				+	+			6.7.9.12
56. 鸳鸯 *Aix galericulata*		+	+	+				+	+			2.3.5.6.7.9.12.13.17.18
57. 棉凫 *Nettapus coromandelianus*				+				+				5.9.13
58. 鹊鸭 *Bucephala clangula*		+	+			+			+			2.6.7.9.11.12
59. 斑头秋沙鸭 *Mergus albellus*		+	+	+		+			+			5.6.7.9.12
60. 红胸秋沙鸭 *Mergus serrator*				+		+			+			9
61. 普通秋沙鸭 *Mergus merganser*		+	+	+		+			+			2.3.5.6.7.9.12
五、隼形目 **FALCONIFORMES**												
(八)鹰科 Accipitridae												
62. 凤头蜂鹰 *Pernis ptilorhyncus*			+	+				+			+	5.11
63. 鸢 *Milvus korschun*	+	+	+	+			+				+	1.2.3.4.5.7.9.11.12.13.17.18
64. 栗鸢 *Haliastur indus*			+					+			+	24
65. 苍鹰 *Accipiter gentillis*	+	+	+	+				+	+			1.2.4.5.6.7.9.11.13.17.18

续附录一(4)

目、科、种	分布				居留情况				区系类型			资料来源
	太行山区	伏牛山区	豫东平原	大别桐柏山区	夏候鸟	冬候鸟	留鸟	旅鸟	古北种	东洋种	广布种	
66. 赤腹鹰 *Accipiter soloensis*			+	+	+						+	4.5.9.11.18
67. 雀鹰 *Accipiter nisus*	+	+	+	+				+			+	1.2.4.5.6.7.9.13.17.18
68. 松雀鹰 *Accipiter virgatus*	+	+	+	+		+					+	1.2.4.5.6.7.9.11.18
69. 大鵟 *Buteo hemilasius*	+	+	+			+			+			1.2.3.6.7.9.18
70. 普通鵟 *Buteo buteo*	+	+	+	+		+					+	1.2.4.5.6.7.9.11.12.17.18
71. 毛脚鵟 *Buteo lagopus*			+					+				11
72. 金雕 *Aquila chrysaetos*	+	+	+	+			+			+		1.2.3.4.5.6.7.9.13.18
73. 白肩雕 *Aquila heliaca*		+				+			+			2.7.18
74. 草原雕 *Aquila rapax*		+				+			+			2.7.18
75. 乌雕 *Aquila clanga*		+	+					+	+			2.6.7.9.11.18
76. 白腹山雕 *Aquila fasciata*				+			+			+		5.9
77. 玉带海雕 *Haliaeetus leucoryphus*	+		+					+	+			1.9.12
78. 白尾海雕 *Haliaeetus albicila*		+				+			+			2.7.18

续附录一(4)

目、科、种	分布				居留情况				区系类型			资料来源
	太行山区	伏牛山区	豫东平原	大别桐柏山区	夏候鸟	冬候鸟	留鸟	旅鸟	古北种	东洋种	广布种	
79. 蛇雕 *Spilornis cheela*				+			+		+			23
80. 秃鹫 *Aegypinus monachus*	+	+	+			+			+			1.2.7.13.18
81. 白尾鹞 *Circus cyaneus*	+	+	+	+				+	+			1.2.5.6.7.9.11.17.18
82. 鹊鹞 *Circus melanoleucos*		+		+				+	+			2.3.5.7.9.18
83. 白头鹞 *Circus aeruginosus*		+	+	+				+	+			2.7.9.11.18
84. 白腹鹞 *Circus spilonotus*				+				+	+			23
85. 鹗 *Pandion haliaetus*			+					+	+			7.12.18
(九)隼科 Falconidae												
86. 小隼 *Microhierax melanoleucos*				+				迷				5.7.17
87. 猎隼 *Falco cherrug*												7
88. 游隼 *Falco peregrinus*			+					+				7.11
89. 燕隼 *Falco subbuteo*			+	+	+				+			4.5.7.9.11.17
90. 灰背隼 *Falco columbarius*			+	+				+				4.5.7.9.11.17

续附录一(4)

目、科、种	分布				居留情况				区系类型			资料来源
	太行山区	伏牛山区	豫东平原	大别桐柏山区	夏候鸟	冬候鸟	留鸟	旅鸟	古北种	东洋种	广布种	
91. 红脚隼 *Falco vespertinus*	+	+	+	+	+				+			1.2.4.5.6.7.9.11.13.17
92. 黄爪隼 *Falco naumanni*	+		+	+				+	+			1.6.7.9.13
93. 红隼 *Falco tinnunculus*	+	+	+	+			+				+	1.2.3.4.5.6.7.9.11.12.13.17
六、鸡形目 GALLIFORMES												
(十)雉科 Phasianidae												
94. 石鸡 *Alectoris chukar*	+	+		+			+		+			1.2.3.13.17
95. 鹌鹑 *Coturnix coturnix*	+	+	+	+				+		+		1.2.3.4.5.6.7.9.11.13.17
96. 灰胸竹鸡 *Bambusicola thoracica*		+					+			+		13
97. 勺鸡 *Pucrasia macrolopha*	+	+		+			+		+			1.2.7.13.17
98. 雉鸡 *Phasianus colchicus*	+	+	+	+			+		+			1.2.3.4.5.7.11.13.17
99. 白冠长尾雉 *Syrmaticus reevesii*		+		+			+			+		2.4:5.7.13.17
100. 红腹锦鸡 *Chrysolophus pictus*		+					+		+			2.3.7.13
七、鹤形目 GRUIFORMES												

续附录一(4)

目、科、种	分布				居留情况				区系类型			资料来源
	太行山区	伏牛山区	豫东平原	大别桐柏山区	夏候鸟	冬候鸟	留鸟	旅鸟	古北种	东洋种	广布种	
(十一)三趾鹑科　Turnicidae												
101. 黄脚三趾鹑　*Turnix tanki*		+	+	+	+						+	2.4.5.7.11
(十二)鹤科　Gruidae												
102. 灰鹤　*Grus grus*	+	+	+			+			+			1.6.7.9.12.18
103. 白头鹤　*Grus monacha*			+					+	+			6.9.18
104. 丹顶鹤　*Grus japonensis*			+					+	+			6.7.9
105. 白枕鹤　*Grus vipio*			+					+	+			6.9
106. 白鹤　*Grus leucogeranus*			+					+	+			6.9.11
107. 蓑羽鹤　*Anthropoides virgo*			+					+	+			6.9
(十三)秧鸡科　Rallidae												
108. 普通秧鸡　*Rallus aquaticus*	+		+	+				+	+			1.4.5.6.7.9.11
109. 蓝胸秧鸡　*Rallus striatus*												7.17
110. 白喉斑秧鸡　*Rallina eurizonoides*		+		+	+					+		2.5.9

续附录一(4)

目、科、种	分布				居留情况				区系类型			资料来源
	太行山区	伏牛山区	豫东平原	大别桐柏山区	夏候鸟	冬候鸟	留鸟	旅鸟	古北种	东洋种	广布种	
111. 小田鸡 *Porzana pusilla*				+	+						+	5.7.9.13.17
112. 红胸田鸡 *Porzana fusca*				+	+					+		4.5.7.9.17
113. 白胸苦恶鸡 *Amaurornis phoenicurus*		+		+	+					+		2.4.7.9.13.17
114. 董鸡 *Gallicrex cinerea*		+		+	+					+		2.4.5.7.9.17
115. 黑水鸡 *Gallinula chloropus*	+	+	+	+	+						+	1.2.4.5.6.7.9.13
116. 骨顶鸡 *Fulica atra*	+	+	+	+		+					+	1.2.3.4.5.6.7.9.13.17
(十四)鸨科 Otidae												
117. 小鸨 *Otis tetrax*												7
118. 大鸨 *Otis tarda*		+	+	+		+			+			5.6.7.9.11.12
八、鸻形目 CHARADRIIFORMES												
(十五)雉鸻科 jacanidae												
119. 水雉 *Hydrophasianus chirurgus*		+										7.13
(十六)彩鹬科 Rostratulidae												

续附录一(4)

目、科、种	分布				居留情况				区系类型			资料来源
	太行山区	伏牛山区	豫东平原	大别桐柏山区	夏候鸟	冬候鸟	留鸟	旅鸟	古北种	东洋种	广布种	
120. 彩鹬 *Rostratula benghalensis*												7
(十七)鸻科 Charadriidae												
121. 凤头麦鸡 *Vanellus vanellus*		+	+	+				+	+			2.4.5.6.7.9.11.12.17
122. 灰头麦鸡 *Vanellus cinereus*			+	+				+	+			5.6.7.9.12.17
123. 灰斑鸻 *Pluvialis squatarola*												7
124. 金(斑)鸻 *Pluvialis dominica*												7
125. 剑鸻 *Charadrius hiaticula*	+	+	+	+				+		+		1.2.3.4.5.6.7.9.11.12.13.17
126. 金眶鸻 *Charadrius dubius*	+	+	+	+	+						+	1.2.3.4.5.6.7.9.11.12.17
127. 环颈鸻 *Charadrius alexandrinus*		+	+	+				+			+	9.12
128. 蒙古沙鸻 *Charadrius mongolus*				+				+			+	9
129. 铁嘴沙鸻 *Charadrius leschenaultii*		+	+					+	+			2.7.11.18
130. 红胸鸻 *Charadrius asiaticus*								+	+			7
(十八)鹬科 Scolopacidae												

续附录一(4)

目、科、种	分布				居留情况				区系类型			资料来源
	太行山区	伏牛山区	豫东平原	大别桐柏山区	夏候鸟	冬候鸟	留鸟	旅鸟	古北种	东洋种	广布种	
131. 中杓鹬 *Numenius phaeopus*								+			+	7.18
132. 白腰杓鹬 *Numenius arquata*	+		+					+	+			1.6.7.9.12.13
133. 红腰杓鹬 *Numenius madagascariensis*		+						+	+			12
134. 黑尾塍鹬 *Limosa limosa*				+				+	+			4.7.9
135. 鹤鹬 *Tringa erythropus*		+	+					+	+			2.7.11
136. 红脚鹬 *Tringa totanus*			+	+		+			+			4.5.6.7.9.11.18
137. 青脚鹬 *Tringa nebularia*		+	+	+				+	+			2.5.6.7.9.17
138. 白腰草鹬 *Tringa ochropus*	+	+	+	+				+	+			1.2.4.5.6.7.9.11.17
139. 林鹬 *Tringa glareola*												7
140. 小青脚鹬 *Tringa guttifer*												7
141. 矶鹬 *Tringa hypoleucos*		+	+	+		+			+			2.5.7.9.11.12
142. 灰鹬 *Tringa incana*		+										9.19
143. 针尾沙锥 *Capella stenura*		+		+		+			+			2.5.7.9.11

续附录一(4)

目、科、种	分布				居留情况				区系类型			资料来源
	太行山区	伏牛山区	豫东平原	大别桐柏山区	夏候鸟	冬候鸟	留鸟	旅鸟	古北种	东洋种	广布种	
144. 大沙锥 *Capella megala*		+	+	+				+			+	2.3.5.7.9.11.13.17
145. 扇尾沙锥 *Capella gallinago*	+	+	+	+		+			+			1.2.3.4.5.6.7.9.11.12
146. 丘鹬 *Scolopax rusticola*		+		+				+			+	2.3.5.9.12.18
147. 红胸滨鹬 *Calidris ruficollis*												7
148. 长趾滨鹬 *Calidris subminuta*												7
149. 弯嘴滨鹬 *Calidris ferruginea*												7
(十九)反嘴鹬科 Recurvirostridae												
150. 鹮嘴鹬 *Ibidorhyncha struthersii*		+			+				+			7.12
151. 黑翅长脚鹬 *Himantopus himantopus*		+						+	+			7.12
152. 反嘴鹬 *Recurvirostra avosetta*		+						+	+			7.9.12
(二十)燕鸻科 Glareolidae												
153. 普通燕鸻 *Glareola maldivarum*	+		+			+			+			1.4.6.7.9
九、鸥形目 LARIFORMES												

续附录一(4)

目、科、种	分布				居留情况				区系类型			资料来源
	太行山区	伏牛山区	豫东平原	大别桐柏山区	夏候鸟	冬候鸟	留鸟	旅鸟	古北种	东洋种	广布种	
(二十一)鸥科 Laridae												
154. 海鸥 *Larus canus*			+			+			+			7.9.12.13
155. 银鸥 *Larus argentatus*		+	+	+				+			+	7.9.12
156. 红嘴鸥 *Larus ridibundus*		+	+	+				+	+			2.6.7.9.12
157. 须浮鸥 *Chlidonias hybrida*				+				+	+			9.13
158. 白翅浮鸥 *Chlidonias leucoptera*		+		+				+	+			2.9.17
159. 鸥嘴噪鸥 *Gelochelidon nilotica*												7
160. 普通燕鸥 *Sterna hirundo*	+	+	+	+	+				+			1.4.5.6.7.11.12.13.17
161. 白额燕鸥 *Sterna albifrons*		+	+	+	+					+		9.12.17
十、鸽形目 COLUMBIFORMES												
(二十二)鸠鸽科 Columbidae												
162. 岩鸽 *Columba rupestris*	+	+	+	+			+		+			1.2.3.5.6.7.13
163. 原鸽 *Columba livia*												7.17

续附录一(4)

目、科、种	分布				居留情况				区系类型			资料来源
	太行山区	伏牛山区	豫东平原	大别桐柏山区	夏候鸟	冬候鸟	留鸟	旅鸟	古北种	东洋种	广布种	
164. 斑尾鹃鸠 *Macropygia unchall*				+				迷				5
165. 山斑鸠 *Streptopelia orientalis*	+	+	+	+			+				+	1.2.3.4.5.6.7.11.13.17
166. 灰斑鸠 *Streptopelia decaocto*	+	+	+	+			+				+	1.2.4.6.7.11.17
167. 珠颈斑鸠 *Streptopelia chinensis*	+	+	+	+			+			+		1.2.3.4.5.6.7.11.13.17
168. 火斑鸠 *Oenopopelia tranquebarica*	+	+	+	+	+					+		1.2.4.5.6.7.11.13.17
十一、鹃形目 CUCULIFORMES												
(二十三)杜鹃科 Cuculidae												
169. 红翅凤头鹃 *Clamator coromandus*		+		+	+					+		2.4.5.7.13.17.18
170. 鹰鹃 *Cuculus sparverioides*		+		+	+					+		2.4.5.7.17.18
171. 四声杜鹃 *Cuculus micropterus*	+	+	+	+	+						+	1.2.3.4.5.6.7.11.13.17
172. 大杜鹃 *Cuculus canorus*	+	+	+	+	+						+	1.2.4.5.6.7.11.13.17
173. 中杜鹃 *Cuculus saturatus*	+	+	+	+	+						+	1.3.4.5.6.7.17
174. 小杜鹃 *Cuculus poliocephalus*	+	+	+	+	+						+	1.2.3.4.6.7.17

续附录一(4)

目、科、种	分布				居留情况				区系类型			资料来源
	太行山区	伏牛山区	豫东平原	大别桐柏山区	夏候鸟	冬候鸟	留鸟	旅鸟	古北种	东洋种	广布种	
175. 八声杜鹃 *Cuculus merulinus*		+		+	+					+		2.5.7.18
176. 噪鹃 *Eudynamys scolopacea*		+		+	+					+		2.4.5.7.13.17
177. 小鸦鹃 *Centropus toulou*				+	+					+		7.17
十二、鸮形目 STRIGIFORMES												
(二十四)鸱鸮科 Strigidae												
178. 黄嘴角鸮 *Otus spilocephalus*		+										19
179. 红角鸮 *Otus scops*	+	+	+	+	+				+			1.2.4.5.6.7.11.13.17
180. 领角鸮 *Otus bakkamocena*	+		+	+			+			+		1.4.5.6.7.17
181. 雕鸮 *Bubu bubo*	+	+	+	+			+		+			1.2.3.4.5.6.7.11.17
182. 毛脚鱼鸮 *Ketupa flavipes*		+					+			+		2
183. 领鸺鹠 *Glaucidium brodiei*		+		+			+			+		2.3.4.5
184. 斑头鸺鹠 *Glaucidium cuculoides*		+		+			+			+		2.4.5.7.17
185. 鹰鸮 *Ninox scutulata*		+		+	+					+		2.4.5.7

续附录一(4)

目、科、种	分布				居留情况				区系类型			资料来源
	太行山区	伏牛山区	豫东平原	大别桐柏山区	夏候鸟	冬候鸟	留鸟	旅鸟	古北种	东洋种	广布种	
186. 纵纹腹小鸮 *Athene noctua*	+	+	+	+			+		+			1.2.3.4.5.6.7.17
187. 灰林鸮 *Strix aluco*		+					+		+			2.3
188. 褐林鸮 *Strix leptogrammica*				+			+		+			17.18
189. 长尾林鸮 *Strix uralensis*		+					+		+			3
190. 长耳鸮 *Asio otus*	+	+	+	+		+			+			1.2.3.5.6.7.11.13.17
191. 短耳鸮 *Asio flammeus*	+	+	+	+		+			+			1.2.3.5.6.7.11.17
十三、夜鹰目 CAPRIMULGIFORMES												
(二十五)夜鹰科 Caprimulgidae												
192. 普通夜鹰 *Caprimulgus indicus*	+	+	+	+	+						+	1.2.3.4.5.7.11.13.17.18
十四、雨燕目 APODIFORMES												
(二十六)雨燕科 Apodidae												
193.(白喉)针尾雨燕 *Hirundapus caudacutus*		+			+				+			2
194. 楼燕 *Apus apus*	+	+	+	+	+				+			1.2.4.5.6.7.11.13.17

续附录一(4)

目、科、种	分布				居留情况				区系类型			资料来源
	太行山区	伏牛山区	豫东平原	大别桐柏山区	夏候鸟	冬候鸟	留鸟	旅鸟	古北种	东洋种	广布种	
195. 白腰雨燕 *Apus pacificus*	+	+	+	+	+				+			1.2.3.4.5.6.7.9.13.17
十五、佛法僧目 CORACIIFORMES												
(二十七)翠鸟科 Alcedinidae												
196. 冠鱼狗 *Ceryle lugubris*	+	+	+	+			+			+		1.2.3.4.5.6.7.9.13.17
197. 普通翠鸟 *Alcedo atthis*	+	+	+	+			+				+	1.2.3.4.5.6.7.9.11.17
198. 赤翡翠 *Halcyon coromanda*												7
199. 白胸翡翠 *Halcyon smyrnensis*		+			+					+		2.18
200. 蓝翡翠 *Halcyon pileata*	+	+	+	+	+					+		1.2.3.4.5.7.9.11.13.17
(二十八)蜂虎科 Meropidae												
201. 栗头蜂虎 *Merops viridis*				+	+					+		4.5.7.13.17.18
(二十九)佛法僧科 Coraciidae												
202. 三宝鸟 *Eurystomus orientalis*	+	+	+	+	+					+		1.2.3.4.5.7.11.13.17.18
(三十)戴胜科 Upupidae												

续附录一(4)

目、科、种	分布				居留情况				区系类型			资料来源
	太行山区	伏牛山区	豫东平原	大别桐柏山区	夏候鸟	冬候鸟	留鸟	旅鸟	古北种	东洋种	广布种	
203. 戴胜 *Upupa epops*	+	+	+	+			+				+	1.2.3.4.5.6.7.9.11.13.17
十六、䴕形目 ***PICIFORMES***												
(三十一)啄木鸟科 Picidae												
204. 蚁䴕 *Jynx torquilla*		+	+				+		+			2.7.11.17
205. 姬啄木鸟 *Picumnus innominatus*	+	+		+			+			+		1.2.3.4.5.7.13.17.18
206. 黑枕绿啄木鸟 *Picus canus*	+	+	+	+			+				+	1.2.3.4.5.6.7.11.13.17
207. 大灰啄木鸟 *Mulleripicus pulverulentus*												
208. 斑啄木鸟 *Dendrocopos major*	+	+	+	+			+		+			1.2.3.4.5.6.11.13.17
209. 棕腹啄木鸟 *Dendrocopos hyperythrus*		+	+	+		+					+	2.5.7.11.17
210. 星头啄木鸟 *Dendrocopos canicapillus*	+	+	+	+			+			+		1.2.3.4.5.7.11.13.17
十七、雀形目 **PASSERIFORMES**												
(三十二)八色鸫科 Pittidae												
211. 蓝翅八色鸫 *Pitta brachyura*				+	+					+		4.5.13.18

续附录一(4)

目、科、种	分布				居留情况				区系类型			资料来源
	太行山区	伏牛山区	豫东平原	大别桐柏山区	夏候鸟	冬候鸟	留鸟	旅鸟	古北种	东洋种	广布种	
(三十三)百灵科　Alaudidae												
212. 短趾沙百灵　*Calandrella cinerea*				+		+						4.5.7
213. 小沙百灵　*Calandrella rufescens*	+		+				+		+			1.6.11
214. 凤头百灵　*Galerida cristata*	+	+	+				+				+	1.2.3.4.6.7.11.13.17
215. 云雀　*Alauda arvensis*		+	+	+		+			+			2.3.4.5.7.11.13.17
216. 小云雀　*Alauda gulgula*				+			+			+		5.7
(三十四)燕科　Hirundinidae												
217. 灰沙燕　*Riparia riparia*	+	+	+	+			+		+			1.2.5.7.11
218. 家燕　*Hirundo rustica*	+	+	+	+	+						+	1.2.3.4.5.6.7.11.13.17
219. 金腰燕　*Hirundo daurica*	+	+	+	+	+				+			1.2.3.4.5.6.7.13.17
220. 毛脚燕　*Delichon urbica*				+	+				+			4
(三十五)鹡鸰科　Motacillidae												
221. 山鹡鸰　*Dendronanthus indicus*	+	+	+	+	+				+			1.3.4.5.7.11.13.17

续附录一(4)

目、科、种	分布				居留情况				区系类型			资料来源
	太行山区	伏牛山区	豫东平原	大别桐柏山区	夏候鸟	冬候鸟	留鸟	旅鸟	古北种	东洋种	广布种	
222. 黄鹡鸰 *Motacilla flava*	+	+		+	+				+			1.2.3.4.5.7.17
223. 黄头鹡鸰 *Motacilla citreola*		+			+				+			2.3.4.7
224. 灰鹡鸰 *Motacilla cinerca*	+	+		+				+			+	1.2.3.5.7.17
225. 白鹡鸰 *Motacilla alba*	+	+	+	+			+				+	1.2.3.4.5.6.7.11.13.17
226. 田鹨 *Anthus novaeseelandiae*	+	+	+	+	+				+			1.2.4.5.6.7.11
227. 树鹨 *Anthus hodgsoni*		+	+	+				+	+			2.3.4.5.7.11.17
228. 水鹨 *Anthus spinoletta*	+	+	+	+				+	+			1.2.3.5.7.11
(三十六)山椒鸟科 Campephagidae												
229. 暗灰鹃鵙 *Coracina melaschistos*				+	+					+		4.5.7.17
230. 粉红山椒鸟 *Pericrocotus roseus*		+		+	+					+		2.5.7.13
231. 灰山椒鸟 *Pericrocotus divaricatus*		+	+	+				+		+		2.4.5.7.11.17
232. 长尾山椒鸟 *Pericrocotus ethologys*		+					+			+		2.7
(三十七)鹎科 Pycnonotidae												

续附录一(4)

目、科、种	分布				居留情况				区系类型			资料来源
	太行山区	伏牛山区	豫东平原	大别桐柏山区	夏候鸟	冬候鸟	留鸟	旅鸟	古北种	东洋种	广布种	
233. 绿鹦嘴鹎 *Spizixos semitorques*		+		+			+			+		2.3.4.5.7.13.17
234. 黄臀鹎 *Pycnonotus xanthorrhous*		+		+			+			+		2.3.4.5.7.13.17
235. 白头鹎 *Pycnonotus sinensis*		+	+	+			+			+		2.3.4.5.6.7.11.13.17
236. 白喉冠鹎 *Criniger pallidus*				+	+					+		4
237. 黑短脚鹎 *Hypsipetes madagascariensis*				+	+					+		4
(三十八)太平鸟科 Bombycillidae												
238. 太平鸟 *Bombycilla garrulus*		+	+	+				+	+			2.5.7.11
239. 小太平鸟 *Bombycilla japonica*		+	+					+	+			2.11
(三十九)伯劳科 Laniidae												
240. 虎纹伯劳 *Lanius tigrinus*		+	+	+	+				+			2.3.4.5.7.11.13.17
241. 牛头伯劳 *Lanius bucephalus*				+		+			+			4.5.7.11.13.17
242. 红尾伯劳 *Lanius cristatus*	+	+	+	+	+				+			1.2.3.4.5.6.7.11.13.17
243. 棕背伯劳 *Lanius schach*				+			+			+		4.5.7.17

续附录一(4)

目、科、种	分布				居留情况				区系类型			资料来源
	太行山区	伏牛山区	豫东平原	大别桐柏山区	夏候鸟	冬候鸟	留鸟	旅鸟	古北种	东洋种	广布种	
244. 灰背伯劳 *Lanius tephronotus*												7
245. 灰伯劳 *Lanius excubitor*			+	+	+				+			5.7.11
246. 长尾灰伯劳 *Lanius sphenocercus*		+	+	+				+	+			2.5.6.7
(四十)黄鹂科 Oriolidae												
247. 黑枕黄鹂 *Oriolus chinensis*	+	+	+	+	+					+		1.2.3.4.5.6.7.11.17.18
(四十一)卷尾科 Dicruridae												
248. 黑卷尾 *Dicrurus macrocercus*	+	+	+	+	+					+		1.2.3.4.5.6.7.11.13.17
249. 灰卷尾 *Dicrurus leucophaeus*		+	+	+	+					+		2.3.4.5.7.11.13.17
250. 发冠卷尾 *Dicrurus hottentottus*	+	+			+	+				+		1.2.3.4.5.7.13.17
(四十二)椋鸟科 Sturnidae												
251. 北椋鸟 *Sturnus sturninus*				+				+				5.7
252. 丝光椋鸟 *Sturnus sericeus*		+		+	+					+		2.3.4.5.7.13.17
253. 灰椋鸟 *Sturnus cineraceus*	+	+	+	+			+		+			1.2.3.4.5.6.7.11.13.17

续附录一(4)

目、科、种	分布				居留情况				区系类型			资料来源
	太行山区	伏牛山区	豫东平原	大别桐柏山区	夏候鸟	冬候鸟	留鸟	旅鸟	古北种	东洋种	广布种	
254. 普通八哥 *Acridotheres cristatellus*		+		+			+			+		2.3.4.5.7.13.17
(四十三)鸦科 Corvidae												
255. 松鸦 *Garrulus glandarius*	+	+		+			+				+	1.2.3.4.5.7.13.17
256. 红嘴蓝鹊 *Cissa erythrorhyncha*	+	+	+	+			+			+		1.2.3.4.5.6.7.13.17
257. 灰喜鹊 *Cyanopica cyana*	+	+	+	+			+		+			1.2.3.4.5.6.7.11.13.17
258. 喜鹊 *Pica pica*	+	+	+	+			+		+			1.2.3.4.5.6.7.11.17
259. 星鸦 *Nucifraga caryocatactes*	+	+					+		+			1.2.17
260. 红嘴山鸦 *Pyrrhocorax pyrrhocorax*	+	+					+		+			1.2.13.18
261. 家鸦 *Corvus splendens*				+			+			+		17
262. 秃鼻乌鸦 *Corvus frugilegus*	+	+	+	+			+		+			1.2.4.5.6.7.11.13.17
263. 寒鸦 *Corvus monedula*		+	+				+		+			2.3.4.7.11.17
264. 大嘴乌鸦 *Corvus macrorhynchus*	+	+	+	+			+				+	1.2.3.4.5.6.7.11.17
265. 小嘴乌鸦 *Corvus corone*		+	+				+		+			2.3.7.11

续附录一(4)

目、科、种	分布				居留情况				区系类型			资料来源
	太行山区	伏牛山区	豫东平原	大别桐柏山区	夏候鸟	冬候鸟	留鸟	旅鸟	古北种	东洋种	广布种	
266. 白颈鸦 *Corvus torquatus*		+	+	+			+				+	2.3.4.5.6.7.11.17
(四十四)河乌科 Cinclidae												
267. 河乌 *Cinclus cinclus*												7
268. 褐河乌 *Cinclus pallasii*	+	+		+			+				+	1.2.3.4.5.7.13.17
(四十五)鹪鹩科 Troglodytidae												
269. 鹪鹩 *Troglodytes troglodytes*	+	+	+	+			+		+			1.2.3.5.6.7.11.13.17
(四十六)岩鹨科 Prunellidae												
270. 领岩鹨 *Prunella collaris*			+				+					11
271. 棕眉山岩鹨 *Prunella montanella*		+				+			+			2.3.7
(四十七)鹟科 Muscicapidae												
(Ⅰ)鸫亚科 Turdinae												
272. 蓝短翅鸫 *Brachypteryx montana*				+	+					+		5
273. 红点颏 *Luscinia calliope*	+		+					+				1.7.11.13

续附录一(4)

目、科、种	分布				居留情况				区系类型			资料来源
	太行山区	伏牛山区	豫东平原	大别桐柏山区	夏候鸟	冬候鸟	留鸟	旅鸟	古北种	东洋种	广布种	
274. 蓝点颏 *Luscinia svecica*			+					+				7.11
275. 蓝歌鸲 *Luscinia cyane*												7.13
276. 红胁蓝尾鸲 *Tarsiger cyanurus*	+		+	+				+	+			1.4.5.7.11.13.17
277. 鹊鸲 *Copsychus saularis*				+			+			+		4.5.7.17
278. 赭红尾鸲 *Phoenicurus ochruros*		+			+				+			2.3.7.17
279. 蓝额红尾鸲 *Phoenicurus frontalis*		+										13
280. 北红尾鸲 *Phoenicurus auroreus*	+	+	+	+			+		+			1.2.3.4.5.7.11.17
281. 红尾水鸲 *Rhyacrornis fuliginosus*	+	+		+			+				+	1.2.3.4.5.7.13.17
282. 小燕尾 *Enicurus scouleri*		+					+			+		2
283. 黑背燕尾 *Enicurus leschenaulti*	+	+		+			+			+		1.2.3.4.5.7.13.17
284. 黑喉石䳭 *Saxicola torquata*		+						+	+			2.3.7
285. 白顶䳭 *Oenanthe hispanica*												7
286. 白顶溪鸲 *Chatmarrornis leucocephalus*	+	+		+			+				+	1.2.3.4.5.7.17

续附录一(4)

目、科、种	分布				居留情况				区系类型			资料来源
	太行山区	伏牛山区	豫东平原	大别桐柏山区	夏候鸟	冬候鸟	留鸟	旅鸟	古北种	东洋种	广布种	
287. 蓝头矶鸫 *Monticola cinclorhynchus*												7
288. 蓝矶鸫 *Monticola solitaria*	+	+		+			+		+			1.2.3.4.5.7.11.13.17
289. 紫啸鸫 *Myiophoneus caeruleus*		+		+	+					+		2.4.5.13.17
290. 橙头地鸫 *Zoothera citrina*				+	+					+		4.5.7
291. 白眉地鸫 *Zoothera sibirica*	+							+				1
292. 虎斑山鸫 *Zoothera dauma*	+	+	+	+				+			+	1.2.5.7.11.17
293. 灰背鸫 *Turdus hortulorum*				+								7.17
294. 乌灰鸫 *Turdus cardis*												7
295. 乌鸫 *Turdus merula*		+		+			+			+		2.4.5.7.13.17
296. 白腹鸫 *Turdus pallidus*			+	+				+				5.7.11.13
297. 赤颈鸫 *Turdus ruficollis*	+		+			+						1.11
298. 斑鸫 *Turdus naumanni*	+	+	+	+		+				+		1.3.4.5.6.7.13.17
299. 宝兴歌鸫 *Turdus mupinensis*				+		+						5

续附录一(4)

目、科、种	分布				居留情况				区系类型			资料来源
	太行山区	伏牛山区	豫东平原	大别桐柏山区	夏候鸟	冬候鸟	留鸟	旅鸟	古北种	东洋种	广布种	
(Ⅱ)画眉亚科 Timaliinae												
300. 锈脸钩嘴鹛 *Pomatorhinus erythrogenys*	+	+					+			+		1.2.3.7.13
301. 棕颈钩嘴鹛 *Pomatorhinus ruficollis*	+	+		+			+			+		1.2.3.4.5.7.13.17
302. 黑脸噪鹛 *Garrulax perspicillatus*		+		+			+			+		2.3.4.5.7.13.17
303. 白喉噪鹛 *Garrulax albogularis*				+				迷				5
304. 黑领噪鹛 *Garrulax pectoralis*		+					+			+		2
305. 山噪鹛 *Garrulax davidi*	+	+	+				+			+		1.2.7.11
306. 画鹛 *Garrulax canorus*	+	+		+			+			+		1.2.3.4.5.7.13.17.18
307. 白颊噪鹛 *Garrulax sannio*		+					+			+		2.3
308. 橙翅噪鹛 *Garrulax ellioti*	+	+					+			+		1.2.3.7
309. 红嘴相思鸟 *Leiothrix lutea*				+			+			+		5.7.18
310. 棕头鸦雀 *Paradoxornis webbianus*	+	+	+	+			+				+	1.2.3.4.5.6.7.13.17
311. 山鹛 *Rhopophilus pekinensis*	+			+			+		+			1.5.7

续附录一(4)

目、科、种	分布				居留情况				区系类型			资料来源
	太行山区	伏牛山区	豫东平原	大别桐柏山区	夏候鸟	冬候鸟	留鸟	旅鸟	古北种	东洋种	广布种	
(Ⅲ)莺亚科 Sylviinae												
312. 短翅树莺 *Cettia diphone*	+	+	+		+						+	1.2.4.7.11.13.17
313. 山树莺 *Cettia fortipes*				+			+			+		5
314. 黄腹树莺 *Cettia acanthizoides*				+								20
315. 棕顶树莺 *Cettia brunnifrons*				+	+					+		4.7.17
316. 小蝗莺 *Locustella certhiola*												7
317. 矛斑蝗莺 *Locustella lanceolata*			+					+				11
318. 苍眉蝗莺 *Locustella fasciolata*				+								20
319. 大苇莺 *Acrocephalus arundinaccus*	+	+	+	+	+						+	1.2.4.5.6.7.11.13.17
320. 黑眉苇莺 *Acrocephalus bistrigiceps*		+			+				+			2.7
321. 稻田苇莺 *Acrocephalus agricola*				+	+				+			5.7
322. 芦莺 *Phragamaticola aedon*			+					+				7.11
323. 棕腹柳莺 *Phylloscopus subaffinis*												7

续附录一(4)

目、科、种	分布				居留情况				区系类型			资料来源
	太行山区	伏牛山区	豫东平原	大别桐柏山区	夏候鸟	冬候鸟	留鸟	旅鸟	古北种	东洋种	广布种	
324. 褐柳莺 *Phylloscopus fuscatus*		+	+		+				+			2.7.11
325. 巨嘴柳莺 *Phylloscopus schwarzi*												7
326. 黄眉柳莺 *Phylloscopus inornatus*	+	+	+	+	+				+			1.2.3.4.5.6.11.13.17
327. 黄腰柳莺 *Phylloscopus proregulus*	+	+	+	+	+				+			1.2.3.4.5.6.7.11.17
328. 极北柳莺 *Phylloscopus borealis*	+	+	+	+	+				+			1.2.4.5.6.7.11.13
329. 暗绿柳莺 *Phylloscopus trochiloides*				+				+				4.5.7
330. 冕柳莺 *Phylloscopus coronatus*				+								20
331. 冠纹柳莺 *Phylloscopus reguloides*												7
332. 戴菊 *Regulus regulus*												7
333. 金眶鹟莺 *Seicercus burkii*		+			+					+		2
334. 褐头鹪莺 *Prinia subflava*				+			+			+		7.17
(Ⅳ)鹟亚科 Muscicapinae												
335. 白眉姬鹟 *Ficedula zanthopygia*	+	+	+	+	+				+			1.2.4.5.7.11

续附录一(4)

目、科、种	分布				居留情况				区系类型			资料来源
	太行山区	伏牛山区	豫东平原	大别桐柏山区	夏候鸟	冬候鸟	留鸟	旅鸟	古北种	东洋种	广布种	
336. 鸲姬鹟 *Ficedula mugimaki*												7
337. 红喉姬鹟 *Ficedula parva*		+			+				+			2.3.7
338. 白腹蓝姬鹟 *Ficedula cyanomelana*				+				+				5.7
339. 棕腹仙鹟 *Niltava sundara*				+	+					+		5.7.11
340. 乌鹟 *Muscicapa sibirica*		+	+	+				+	+			2.5.7.11.13
341. 北灰鹟 *Muscicapa latirostris*			+	+				+				4.5.7.11
342. 方尾鹟 *Culicicapa ceylonensis*		+			+					+		2.3
343. 寿带 *Terpsiphone paradisi*	+	+	+	+	+					+		1.2.4.5.7.11.13.17.18
(四十八)山雀科 Paridae												
344. 大山雀 *Parus major*	+	+	+	+			+				+	1.2.3.4.5.7.11.17
345. 黄腹山雀 *Parus venustulus*		+		+			+			+		2.3.5.7
346. 煤山雀 *Parus ater*				+			+		+			4
347. 黑冠山雀 *Parus rubidiventris*				+				迷				5.7

续附录一(4)

目、科、种	分布				居留情况				区系类型			资料来源
	太行山区	伏牛山区	豫东平原	大别桐柏山区	夏候鸟	冬候鸟	留鸟	旅鸟	古北种	东洋种	广布种	
348. 沼泽山雀 *Parus palustris*			+	+			+		+			5.7.11.13.17
349. 褐头山雀 *Parus montanus*												7
350. 杂色山雀 *Parus varius*				+	+						+	4
351. 银喉长尾山雀 *Aegithalos caudatus*		+	+	+			+		+			2.3.4.5.7.11
352. 红头长尾山雀 *Aegithalos concinnus*	+	+	+	+			+			+		1.2.3.4.5.7.11.13
(四十九)䴓科 Sittidae												
353. 普通䴓 *Sitta europaea*		+		+			+		+			2.4.5.7
354. 红翅旋壁雀 *Tichodroma muraria*		+						+	+			2.7.13
(五十)攀雀科 Remizidae												
355. 攀雀 *Remiz pendulinus*												7
(五十一)太阳鸟科 Nectariniidae												
356. 叉尾太阳鸟 *Aethopyga christinae*		+										21
(五十二)绣眼鸟科 Zosteropidae												

续附录一(4)

目、科、种	分布				居留情况				区系类型			资料来源
	太行山区	伏牛山区	豫东平原	大别桐柏山区	夏候鸟	冬候鸟	留鸟	旅鸟	古北种	东洋种	广布种	
357. 暗绿绣眼鸟 *Zosterops japonica*		+	+	+	+					+		2.4.5.6.7.11.13
358. 红胁绣眼鸟 *Zosterops erythropleura*	+		+	+				+				1.5.7.11
(五十三)文鸟科 Ploceidae												
359. 树麻雀 *Passer montanus*	+	+	+	+			+				+	1.2.3.4.5.6.7.11.13.17
360. 山麻雀 *Passer rutilans*	+	+		+			+			+		1.2.3.4.5.7.13.17
361. 白腰文鸟 *Lonchura striata*	+			+			+			+		1.4.5.7.13.17
(五十四)雀科 Fringillidae												
362. 燕雀 *Fringilla montifringilla*	+	+	+	+				+	+			1.2.3.5.7.11.17
363. 金翅雀 *Carduelis sinica*	+	+	+	+			+				+	1.2.3.4.5.6.7.11.13.17
364. 黄雀 *Carduelis spinus*		+		+			+				+	2.5.7.11
365. 普通朱雀 *Carpodacus erythrinus*			+	+				+				5.7.11
366. 北朱雀 *Carpodacus roseus*				+				+	+			4.7
367. 红交嘴雀 *Loxia curvirostra*												7

续附录一(4)

目、科、种	分布				居留情况				区系类型			资料来源
	太行山区	伏牛山区	豫东平原	大别桐柏山区	夏候鸟	冬候鸟	留鸟	旅鸟	古北种	东洋种	广布种	
368. 黑头蜡嘴雀 *Eophona personata*		+	+					+	+			2.7.11
369. 黑尾蜡嘴雀 *Eophona migratorta*		+	+	+				+			+	2.3.4.5.7.11.13.17
370. 锡嘴雀 *Coccothraustes coccothraustes*		+	+	+				+	+			2.3.4.5.7.11.13.17
371. 斑翅拟蜡嘴雀 *Mycerobas melanozanthos*		+						+	+			2
372. 白头鹀 *Emberiza leucocephala*												7
373. 栗鹀 *Emberiza rutila*			+	+				+	+			4.5.7.11.17
374. 黄胸鹀 *Emberiza aureola*		+		+				+	+			2.4.5.7.13
375. 黄喉鹀 *Emberiza elegans*	+	+	+	+			+		+			1.2.3.4.5.6.7.11
376. 灰头鹀 *Emberiza spodocephala*	+	+	+	+				+	+			1.2.5.6.7.11.13
377. 灰眉岩鹀 *Emberiza cia*	+	+		+			+		+			1.2.3.5
378. 三道眉草鹀 *Emberiza ctoides*	+	+	+	+			+		+			1.2.3.4.5.6.7.13.17
379. 赤胸鹀 *Emberiza fucata*				+				+				5.7
380. 田鹀 *Emberiza rustica*		+	+	+		+		+				2.4.5.7.11.13

续附录一(4)

目、科、种	分布				居留情况				区系类型			资料来源
	太行山区	伏牛山区	豫东平原	大别桐柏山区	夏候鸟	冬候鸟	留鸟	旅鸟	古北种	东洋种	广布种	
381. 小鹀 *Emberiza pusilla*		+	+	+				+	+			2.3.4.5.7.11.13
382. 黄眉鹀 *Emberiza chrysophrys*	+		+	+			+		+			1.4.5.6.7.17
383. 白眉鹀 *Emberiza tristrami*				+				+	+			4.5.7
384. 苇鹀 *Emberiza pallasi*												7
385. 凤头鹀 *Melophus lathami*				+				+	+			4.5.7

附录二　河南省分布的国家重点保护陆生野生脊椎动物名录

纲、目、科	序号	中文名	学名	保护级别	
兽纲　MAMMALIA					
灵长目　PRIMATES					
猴　科　Cercopithecidae	1	猕猴	*Macaca mulatta*		Ⅱ
鳞甲目　PHOLIDOTA					
鲮鲤科　Manidae	2	穿山甲	*Manis pentadactyla*		Ⅱ
食肉目　CARNIVORA					
犬　科　Canidae	3	豺	*Cuon alpinus*		Ⅱ
鼬　科　Mustelidae	4	青鼬	*Marte flavigula*		Ⅱ
	*5	水獭	*Lutra lutra*		Ⅱ
灵猫科　Viverridae	6	大灵猫	*Viverra zibetha*		Ⅱ
	7	小灵猫	*Viverricula indica*		Ⅱ
猫　科　Felidae	8	金猫	*Felis temmincki*		Ⅱ
	9	豹	*Panthera pardus*	Ⅰ	
偶蹄目　ARTIODACTYLA					
鹿　科　Cervidae	10	原麝	*Moschus moschiferus*		Ⅱ
	11	林麝	*M. berezowskii*		Ⅱ
	12	河麂	*Hydropotes inermis*		Ⅱ
	13	梅花鹿	*Cervus nippon*	Ⅰ	
洞角科　Bovidae	14	鬣羚	*Capricornis sumatraensis*		Ⅱ
	15	斑羚	*Nemorhaedus goral*		Ⅱ
鸟纲　AVES					
鸊鷉目　PODICIPEDIFORMES					
鸊鷉科　Podicipedidae	1	角鸊鷉	*Podiceps auritus*		Ⅱ
	2	赤颈鸊鷉	*P. Grisegena*		Ⅱ
鹈形目　PELECANIFORMES					
鹈鹕科　Pelecanidae	3	白鹈鹕	*Pelecanus onocrotalus*		Ⅱ
	4	斑嘴鹈鹕	*P. philippensis*		Ⅱ
鹳形目　CICONIIFORMES					
鹭　科　Ardeidae	5	黄嘴白鹭	*Egretta eulophotes*		Ⅱ
	6	小苇鳽	*Ixobrychus minutus*		Ⅱ
鹳　科　Ciconiidae	7	白鹳	*Ciconia ciconia*	Ⅰ	
	8	黑鹳	*C. nigra*	Ⅰ	
鹮　科　Threskiornithidae	9	白鹮	*Threskiornis acthiopicus*		Ⅱ
	10	白琵鹭	*Platalea leucorodia*		Ⅱ

续附录二

纲、目、科	序号	中文名	学名	保护级别	
雁形目 ANSERIFORMES					
鸭 科 Anatidae	11	白额雁	*Anser albifrons*		Ⅱ
	12	大天鹅	*Cygnus cygnus*		Ⅱ
	13	小天鹅	*C. columbianus*		Ⅱ
	14	鸳鸯	*Aix galericulata*		Ⅱ
隼形目 FALCONIFORMES					
鹰 科 Accipitridae	15	金雕	*Aquila chrysaetos*	Ⅰ	
	16	白肩雕	*Aquila heliaca*	Ⅰ	
	17	玉带海雕	*Haliaeetus leucoryphus*	Ⅰ	
	18	白尾海雕	*H. albicila*	Ⅰ	
	19	凤头蜂鹰	*Pcrnis ptilorhyncus*		Ⅱ
	20	鸢	*Milvus korschun*		Ⅱ
	21	栗鸢	*Haliastur indus*		Ⅱ
	22	苍鹰	*Accipiter gentillis*		Ⅱ
	23	赤腹鹰	*A. Soloensis*		Ⅱ
	24	雀鹰	*A. Nisus*		Ⅱ
	25	松雀鹰	*A. Virgatus*		Ⅱ
	26	大鵟	*Buteo hemilasius*		Ⅱ
	27	普通鵟	*B. Buteo*		Ⅱ
	28	毛脚鵟	*B. lagopus*		Ⅱ
	29	草原雕	*Aquila rapax*		Ⅱ
	30	乌雕	*A. clanga*		Ⅱ
	31	白腹山雕	*A. fasciata*		Ⅱ
鹰 科 Accipitridae	32	蛇雕	*Spilornis cheela*		Ⅱ
	33	秃鹫	*Aegypinus monachus*		Ⅱ
	34	白尾鹞	*Circus cyaneus*		Ⅱ
	35	鹊鹞	*C. melanoleucos*		Ⅱ
	36	白头鹞	*C. aeruginosus*		Ⅱ
	37	白腹鹞	*Circus spilonotus*		Ⅱ
	38	鹗	*Pandion haliaetus*		Ⅱ
	39	小隼	*Microhierax melanoleucos*		Ⅱ
	40	猎隼	*Falco cherrug*		Ⅱ
	41	游隼	*F. peregrinus*		Ⅱ
	42	燕隼	*F. subbuteo*		Ⅱ

续附录二

纲、目、科	序号	中文名	学名	保护级别	
	43	灰背隼	*F. columbarius*		Ⅱ
	44	红脚隼	*F. vespertinus*		Ⅱ
	45	黄爪隼	*F. naumanni*		Ⅱ
	46	红隼	*F. tinnunculus*		Ⅱ
鸡形目　GALLIFORMES					
雉　科　Phasianidae	47	勺鸡	*Pucrasia macrolopha*		Ⅱ
	48	白冠长尾雉	*Syrmaticus reevesii*		Ⅱ
	49	红腹锦鸡	*Chrysolopus pictus*		Ⅱ
鹤形目　GRUIFORMES					
鹤　科　Gruidae	50	白头鹤	*Grus monacha*	Ⅰ	
	51	丹顶鹤	*G. japonensis*	Ⅰ	
	52	白鹤	*G. leucogeranus*	Ⅰ	
	53	灰鹤	*G. grus*		Ⅱ
	54	白枕鹤	*G. vipio*		Ⅱ
	55	蓑羽鹤	*Anthropides virgo*		Ⅱ
鸨　科　Otidae	56	大鸨	*Otis tarda*	Ⅰ	
	57	小鸨	*Otistetrax*	Ⅰ	
鸻形目　CHARADRIIFORMES					
鹬　科　Scolopacidae	58	小青脚鹬	*Tringa guttifer*		Ⅱ
鸽形目　COLUMBIFORMES					
鸠鸽科　Columbidae	59	斑尾鹃鸠	*Macropigia unchall*		Ⅱ
鹃形目　CUCULIFORMES					
杜鹃科　Cuculidae	60	小鸦鹃	*Centropus toulou*		Ⅱ
鸮形目　STRIGIFORMES					
鸱鸮科　Strigidae	61	黄嘴角鸮	*Otus spilocephalus*		Ⅱ
	62	红角鸮	*O. scops*		Ⅱ
	63	领角鸮	*O. bakkamocena*		Ⅱ
	64	雕鸮	*Bubu bubu*		Ⅱ
	65	毛脚鱼鸮	*Ketupa flavipes*		Ⅱ
	66	领鸺鹠	*Glaucidium brodiei*		Ⅱ
	67	斑头鸺鹠	*G. cuculoides*		Ⅱ
	68	鹰鸮	*Ninox scutulata*		Ⅱ
	69	纵纹腹小鸮	*Athene noctua*		Ⅱ
	70	灰林鸮	*Strix aluco*		Ⅱ

续附录二

纲、目、科	序号	中文名	学名	保护级别	
	71	褐林鸮	S. *leptogrammica*		Ⅱ
	72	长尾林鸮	S. *uralensis*		Ⅱ
	73	长耳鸮	*Asio otus*		Ⅱ
	74	短耳鸮	A. *flammeus*		Ⅱ
雀形目　PASSERIFORMES					
八色鸫科　Pittidae	75	蓝翅八色鸫	*Pitta brachyura*		Ⅱ
两栖纲　AMPHIBIA					
有尾目　CAUDATA (URADELA)					
隐鳃鲵科　Cryptobranchidae	*1	大鲵	*Andrias davidianus*		Ⅱ
无尾目　ANURA (SALIENTIA)					
蛙　科　Ranidae	2	虎纹蛙	*Rana tigrina*		Ⅱ

注:标“*”者为农业部行政主管部门管理。“保护级别”栏中,Ⅰ代表一级,Ⅱ代表二级。

附录三 河南省重点保护陆生野生脊椎动物名录

纲、目、科	序号	中文名	学名
兽纲 MAMMALIA			
食肉目 CARNIVORA			
犬 科 Canidae	1	狐(华北亚种)	*Vulpes vulpes*
	2	貉	*Nyctetereutes proccyonoides*
鼬 科 Mustelidae	3	青鼬	*Marte flavigula*
猫 科 Felidae	4	豹猫	*Felis bengalensis*
偶蹄目 ARTIODACTYLA			
鹿 科 Cervidae	5	小麂	*Muntiacus reevesii*
	6	狍	*Capreolus capreolus*
啮齿目 RODENTLA			
鼯鼠科 Petauristidae	7	小飞鼠	*Pteromys volans*
	8	复齿鼯鼠	*Trogopterus xanthipes*
豪猪科 Hystricidae	9	豪猪	*Hystrix hodgsoni*
鸟纲 AVES			
䴙䴘目 PODICIPEDIFORMES			
䴙䴘科 Podicipedidae	1	凤头䴙䴘	*Podiceps cristatus*
鹳形目 CICONIIFORMES			
鹭 科 Ardeidae	2	草鹭	*Ardea purpurea*
	3	大白鹭	*Egretta akba*
鹳 科 Ciconiidae	4	苍鹭	*Ardea cinerea*
雁形目 ANSERIFORMES			
鸭 科 Anatidae	5	鸿雁	*Anser cygnoides*
	6	灰雁	*A. anser*
鸻形目 CHARADRIIFORMES			
鹬 科 Scolopacidae	7	红脚鹬	*Tringa totanus*
	8	丘鹬	*Scolopax rusticola*
	9	中杓鹬	*Numenius phaeopus*
鸻 科 Charadriidae	10	铁嘴沙鸻	*Charadrius leschenaultii*
鹃形目 CUCULIFORMES			
杜鹃科 Cuculidae	11	红翅凤头鹃	*Clamator coromandus*
	12	鹰鹃	*Cuculus sparverioides*
	13	八声杜鹃	*C. merulinus*
夜鹰目 CAPRIMULGIFORMES			
夜鹰科 Caprimulgidae	14	普通夜鹰	*Caprimulgus indicus*

续附录三

纲、目、科	序号	中文名	学名
佛法僧目 CORADIIFORMES			
蜂虎科 Meropidae	15	栗头蜂虎	*Merops viridis*
佛法僧科 Coraciidae	16	三宝鸟	*Eurystomus orientalis*
翠鸟科 Alcedinidae	17	白胸翡翠	*Halcyon smyrnensis*
鴷形目 PICIFORMES			
啄木鸟科 Picidae	18	姬啄木鸟	*Picumnus innominatus*
雀形目 PASSERIFORMES			
黄鹂科 Oriolidae	19	黑枕黄鹂	*Oriolus chinensis*
鸦 科 Corvidae	20	红嘴山鸦	*Pyrrhocorax pyrrhocorax*
鹟 科 Muscicapidae	21	寿带	*Terpsiphone paradisi*
	22	红嘴相思鸟	*Leiothrix lutea*
	23	画眉	*Garrulax canorus*
爬行纲 REPTILIA			
龟鳖目 TESTUDOFORMES			
龟 科 Testudinidae	*1	黄缘盒龟	*Cuora flavomarginata*
两栖纲 AMPHIBIA			
有尾目 CAUDATA (URADELA)			
小鲵科 Hynobiidae	*1	商城肥鲵	*Pachyphynobius shangchengensis*
无尾目 ANURA (SALIENTIA)			
蛙 科 Ranidae	*2	黑斑蛙	*Rana nigromaculata*

注:标"*"者为渔业行政主管部门主管。

附录四　河南省分布的国家重点保护野生植物名录

类	科	中文名	学名	保护级别
裸子植物　Gymnospermae	松科　Pinaceae	秦岭冷杉	*Abies chensiensis*	2
裸子植物　Gymnospermae	松科　Pinaceae	大果青杆	*Picea neoveitchii*	2
裸子植物　Gymnospermae	松科　Pinaceae	大别山五针松	*Pinus dabeshanensis*	2
裸子植物　Gymnospermae	松科　Pinaceae	金钱松	*Pseudoiarix amabilis*	2
裸子植物　Gymnospermae	红豆杉科　Taxaceae	红豆杉	*Taxus chinensis*	1
裸子植物　Gymnospermae	红豆杉科　Taxaceae	南方红豆杉	*Taxus chinensis* var. *mairei*	1
裸子植物　Gymnospermae	红豆杉科　Taxaceae	巴山榧树	*Torreya fargesii*	2
被子植物　Angiospermae	连香树科　Cercidiphyllaceae	连香树	*Cercidiphyllum japonicum*	2
被子植物　Angiospermae	禾本科　Gramineae	* 中华结缕草	*Zoysia sinica*	2
被子植物　Angiospermae	樟科　Lauraceae	闽楠	*Phoebe bournei*	2
被子植物　Angiospermae	樟科　Lauraceae	楠木	*Phoebe zhennan*	2
被子植物　Angiospermae	豆科　Leguminosae	花榈木(花梨木)	*Ormosia henryi*	2
被子植物　Angiospermae	豆科　Leguminosae	红豆树	*Ormosia hosiei*	2
被子植物　Angiospermae	豆科　Leguminosae	* 野大豆	*Glycine soja*	2
被子植物　Angiospermae	木兰科　Magnoliaceae	水青树	*Tetracentron* Sinense	2
被子植物　Angiospermae	木犀科　Oleaceae	水曲柳	*Fraxinus mandshurica*	2
被子植物　Angiospermae	茜草科　Rubiaceae	香果树	*Emmenopterys henryi*	2
被子植物　Angiospermae	芸香科　Rutaceae	黄檗(黄菠萝)	*Phellodendron amurense*	2
被子植物　Angiospermae	芸香科　Rutaceae	川黄檗(黄皮树)	*Phellodendron chinense*	2
被子植物　Angiospermae	安息香科　Styraceae	秤锤树	*Sinojackia xylocarpa*	2
被子植物　Angiospermae	榆科　Ulmaceae	榉树	*Zelkova schneideriana*	2

注:标 * 者由农业行政主管部门或渔业行政主管部门主管;未标 * 者由林业行政主管部门主管。“保护级别”栏中,1 代表一级,2 代表二级。

附录五　河南省自然保护区名录

序号	自然保护区名称	级别	自然保护区类型	主要保护对象	面积（hm^2）	行政区域	批建时间（年·月）	主管部门
1	鸡公山国家级自然保护区	国家级	森林生态系统类型	过渡带森林生态系统及珍稀动植物	2 917	信阳市	1988.1	林业
2	内乡宝天曼国家级自然保护区	国家级	森林生态系统类型	过渡带森林生态系统及珍稀动植物	5 413	内乡县	1988.1	林业
3	豫北黄河故道湿地鸟类国家级自然保护区	国家级	野生动物类型	天鹅、鹤及湿地	24 780	新乡市	1996.11	环保
4	伏牛山国家级自然保护区	国家级	森林生态系统类型	过渡带森林生态系统及珍稀动植物	56 000	洛阳市、南阳市、平顶山市	1997.11	林业
5	太行山国家级自然保护区	国家级	野生动物类型	过渡带森林生态系统及珍稀动植物	56 600	济源市、焦作市、新乡市	1998.8	林业
6	董寨国家级自然保护区	国家级	森林生态系统类型	鸟类、野生动植物	46 800	罗山县	2001.6	林业
7	灵宝小秦岭禁猎禁伐区	省级	森林生态系统类型	森林生态系统及珍稀野生动植物	4 080	灵宝市	1982.6	林业
8	卢氏大鲵省级自然保护区	省级	野生动物类型	大鲵及其生境	1 000	卢氏县	1982.6	渔业
9	商城金刚台省级自然保护区	省级	森林生态系统类型	过渡森林生态系统及珍稀动植物	2 972	商城县	1982.6	林业
10	桐柏太白顶省级自然保护区	省级	森林生态系统类型	淮源水源涵养林及森林生态系统	4 924	桐柏县	1982.6	林业
11	西峡大鲵省级自然保护区	省级	野生动物类型	大鲵及其生境	1 000	西峡县	1982.6	渔业
12	新县连康山省级自然保护区	省级	森林生态系统类型	森林生态系统及野生动植物	2 000	新县	1982.6	林业
13	开封柳园口湿地省级自然保护区	省级	湿地生态系统类型	湿地生态系统及野生动植物	16 148	开封市	1994.6	林业
14	三门峡库区省级自然保护区	省级	湿地生态系统类型	天鹅、鹤等珍稀鸟类及其生境	19 544	三门峡市	1995.1	林业
15	孟津黄河滩湿地省级自然保护区	省级	湿地生态系统类型	湿地生态系统及珍稀鸟类	6 206	孟津县	1995.8	林业
16	吉利黄河湿地省级自然保护区	省级	湿地生态系统类型	湿地生态系统及珍稀鸟类	4 000	洛阳市吉利区	1999.9	林业
17	淅川丹江口库区湿地省级自然保护区	省级	湿地生态系统类型	湿地生态系统及珍稀鸟类	64 000	淅川县	2001	林业
18	内乡湍河湿地省级自然保护区	省级	湿地生态系统类型	湿地生态系统及珍稀鸟类	4 547	内乡县	2001	林业
19	汝南宿鸭湖湿地省级自然保护区	省级	湿地生态系统类型	湿地生态系统及珍稀鸟类	16 700	汝南县	2001	林业
20	新安曹村县级自然保护区	县级	野生动物类型	大鲵及其生境	9 000	新安县	1988.11	环保
21	栾川大鲵自然保护区	县级	野生动物类型	大鲵及其生境	800	栾川县	1996	渔业
22	嵩县大鲵自然保护区	县级	野生动物类型	大鲵及其生境	600	嵩县	1998	渔业

注： 统计截止日期 2001 年 6 月 30 日。

附：河南省国家级自然保护区简介

附：

河南省国家级自然保护区简介

1.河南内乡宝天曼国家级自然保护区

宝天曼自然保护区，位于南阳市内乡县境区内。北依嵩山，东南与南召县相邻，西南与内乡县国营万沟林场接壤。地理坐标介于东经111°53′～112°00′，北纬33°25′～33°32′。总面积5 413 hm^2，其中核心区3 150 hm^2。该保护区前身为1980年4月经河南省人民政府批建的全省第一个省级自然保护区。1988年5月经国务院批准升为国家级自然保护区，并成立河南内乡宝天曼国家级自然保护区管理处，1989年8月经中共南阳地委批准为副县级单位，主管部门为河南省林业厅。

保护区管理处现有137人，其中干部15人，工人122人，管理处下设办公室、财务室、科研室、护林组、通讯组、接待站，并分设13个林区，2个观察站，11个观察点。建区以来修建林区公路3条，共25 km，配备了保护设施和通讯器材，建立了动植物标本馆。

保护区处于我国第二级地貌分阶向第三级地貌分阶过渡的边缘，是伏牛山向东南延伸的最高山体，海拔1 830 m。既挡住了西北寒流的侵袭，又截留了亚热带温湿气流，属典型的北亚热带向暖温带过渡气候。土壤肥沃，生态环境独特，植物资源丰富。许多古代遗存的植物仍在这里繁衍生息。保护区植物有2 911种及变种，隶属256科1 054属，占河南植物总数的73%。得天独厚的自然条件，也为野生动物创造了极其优越的生活环境。区内共有陆生野生动物201种，隶属64科，其中兽类18科48种，爬行动物8科26种，两栖动物4科11种，鸟类34科116种。列为国家重点保护的动物48种，其中属国家一类重点保护的鸟类4种、兽类1种，二类保护的鸟类有32种、兽类11种；此外，区内还有昆虫8 000余种，是生物资源天然基因库。

宝天曼自然保护区林涛似海，云遮雾障，峰回路转，区内有拔地而起的扫帚峭壁、牧虎顶、化石尖、中心垛等自然景观。登峰鸟瞰，四周群山如簇，峭崖森严，云来雾去，气象万千。座座奇峰参差排列，或挺拔，或雄伟，或秀丽，或诡奇，形态各异，奇中见秀。在一派堆绿凝翠的碧海中，除上述几处景物外，还有姑娘楼峰若隐若现，似云中楼阁；观音帽峰危若垒卵，宛如菩萨仙冠；挂钓崖峪谷似壁；刀切岭石柱擎天等，危峰陡壁，险峻峭拔，巨石欲坠，形胜壮观。七潭山飞瀑鸣鸿，印石潭水明澈如镜，真是一幅江山多娇的图画。她像一颗灿烂的明珠镶嵌在豫西南边沿。

2.河南鸡公山国家级自然保护区

河南鸡公山国家级自然保护区位于河南与湖北交界处，大别山西麓。地理坐标为东经114°01′～114°06′，北纬31°46′～31°52′，总面积2 917 hm^2。保护区前身为1982年经河南省人民政府批准的河南信阳鸡公山省级自然保护区，1988年经国务院批准为河南鸡公山国家级自然保护区，并成立河南鸡公山国家级自然保护区管理局。该保护区在划为省级保护区之前即是副处级单位，升格为国家级自然保护区后行政级别不变，主管部门为河南省林业厅。

保护区管理局定编人员170人，其中技术人员占30%，管理人员占16%。管理局内设5个保护站，1个林业派出所，1个综合加工厂，1个招待所，1个科教中心，4科1室等职能配套机构。配备有交通、通讯、瞭望、灭火器材等成套设施，建设了动植物标本馆。近年来，保护区积极调整产业结构，开展多种经营，取得了较好的经济效益，基本解决了资金不足问题，增加了保护区自身建设能力。

鸡公山自然保护区位于暖温带向北亚热带过渡地带，被称为"生物宝库"，有生物物种3 000多种，其中植物251科915属2 260种；陆生脊椎动物28目69科258种。列为国家重点保护的植物27种，如水杉、水松、秃杉、珙桐、红豆杉、银杏等。列为国家重点保护动物29种，如金钱豹、小灵猫、大鲵、白冠长尾雉、环颈雉等。

鸡公山自然保护区建区以来，先后独立开展或与中国林科院、河南林科所及信阳市林科所、有关院校合作开展了几十项科学研究，发表论文数十篇，从动物、植物、水文、地质、土壤等各个方面，不同程度地进行了专题或综合研究，取得了一批科研成果和基础资料。1999年12月被国家环保局、林业局、农业部、国土资源部联合授予全国自然保护区"先进集体"荣誉称号，2001年被中共信阳市委政府授予"国家级生态示范区建设窗口单位"。鸡公山自然保护区还是中国人与生物圈成员单位。

鸡公山层峦叠嶂，沟壑纵横，峭石嵯峨，"清分楚豫，气压嵩衡"这是前人描写鸡公山的点睛之笔。山上主峰突兀，酷似雄鸡，乘云驾雾，翩翩起舞，山里溪流泉涌，林木深秀，珍禽竞奔，百鸟争鸣，天然美景如画！山间夏季凉爽，午前如春，午后如秋，夜如初冬，与庐山、莫干山、北戴河并称为我国四大避暑胜地。

3. 河南伏牛山国家级自然保护区

河南伏牛山国家级自然保护区位于河南省西部，地理坐标为东经110°30′～113°05′，北纬32°45′～34°00′，区内全部为国有林区，总面积56 000 hm^2。1997年经国务院批准建立，主管部门为河南省林业厅。该保护区由1982年河南省人民政府批建的栾川老君山、嵩县龙池漫、鲁山石人山、南召宝天曼、西峡老界岭等5个省级自然保护区合并而成，并将南召乔端林场、内乡万沟林场、西峡黄石庵林场、嵩县五马寺林场的部分林区划入在内，行政区划包括南阳市西峡、内乡和南召3县的大部分山区，洛阳市栾川、嵩县2县的南部山区，平顶山市鲁山县西部山区，主管部门为河南省林业厅。

保护区规划编制622人，其中管理人员100人，技术人员218人，其他人员304人。内设科研等9个科(室、所)，19个保护站，56个保护点，13个检查站，16个瞭望台等。

伏牛山是我国北亚热带和暖温带的气候分区线和中国动物区划古北界和东洋界的分界线，也是华北、华中、西南植物的镶嵌地带，属暖温带落叶阔叶林和北亚热带常绿落叶混交林的过渡区。区内森林植被保存完好，森林覆盖率达88%，是北亚热带和暖温带地区天然阔叶林保存较完整的地段。特殊的地理位置和复杂多样的生态环境条件，加之人为干扰较小，使本区保存了丰富的生物多样性资源。区内维管束植物共有175科892属2 879种(含10亚种206变种12变型)；陆生脊椎动物320种，其中两栖类4科6属14种，爬行类8科18属31种，鸟类44科133属213种，兽类19科47属62种。列为国家重点保护的陆生脊椎动物有 49 种，河南省重点保护脊椎动物 31 种；列为国家重点保护植物 31 种，省重点保护植物 33 种。

4. 河南太行山国家级自然保护区

河南太行山国家级自然保护区位于河南省北部济源、沁阳、修武和辉县 4 县(市)境内，地理坐标为东经 112°02′～112°52′，北纬 34°54′～35°16′，总面积 5.66 万 hm^2。1998 年经国务院批准建立，主管部门为河南省林业厅。该保护区由河南省人民政府 1982 年批建的济源省级猕猴自然保护区、济源省级禁猎区及河南省人民政府 1991 批建的沁阳白松岭省级自然保护区和辉县石门沟自然保护区合并而成，并包括修武林场和焦作市林场的部分林区。

保护区编制 180 人，其中管理人员 33 人，科技人员 96 人，其他人员 51 人。

区内维管束植物 163 科 734 属1 689种，其中二级国家保护植物 3 种，三级国家保护植物 10 种；共有陆生脊椎动物 201 种，其中两栖类 4 科 8 种，爬行类 8 科 19 种，鸟类 39 科 140 种，兽类 17 科 34 种。全区共有国家重点保护动物 32 种，其中一级保护动物 5 种，二级保护动物 27 种。

5. 豫北黄河故道湿地鸟类国家级自然保护区

豫北黄河故道湿地鸟类国家级自然保护区位于新乡市所辖的卫辉、延津 2 县(市)接壤的大沙河地段与新乡市封丘县境内黄河滩涂和背河洼地。地理坐标为东经 114°07′～114°29′，北纬 34°54′～35°24′，总面积24 780 hm^2。其前身为 1988 年河南省人民政府批建的豫北黄河故道省级湿地鸟类自然保护区，1997 年经国务院批准由省级保护区升为国家级，主管部门为河南省环保局。

保护区编制由新乡市编委审批，实编人员 50 人，其中管理人员占 20%，科技人员占 40%。保护区设管理处，内设办公室、管护科等 6 个科(室、所)。目前保护区内物种标本采集记录已完成，核心区勘界、打桩定位已完毕，已实行封闭管理，并于 1999 年全面启动黄河故道湿地鸟类保护工程。

保护区内维管束植物计有 55 科 256 种，其中木本植物 3 种，草本植物 218 种。全区共有陆生脊椎动物 155 种，其中两栖动物 3 科 5 种，爬行动物 5 科 9 种，鸟类 38 科 129 种，兽类 7 科 12 种。区内共有国家重点保护鸟类 34 种，属国家一级重点保护的鸟类 7 种，属国家二级重点保护的鸟类 27 种。

6. 河南董寨国家级自然保护区

董寨国家级自然保护区位于豫鄂两省交界的大别山北麓，罗山县最南端，距信阳市 32 km。2001 年 6 月，董寨国家级自然保护区经国务院批准成立，总面积 4.68 万 hm^2，是一个集自然保护、生态旅游、鸟类观赏、科学考察、教学实习、休闲娱乐、避暑疗养于一体的多功能综合性自然保护区。

董寨保护区地处我国南北气候分界线上，独特的地理位置和温和湿润的气候特征，形成了良好的森林生态系统，孕育出丰富多样的物种和生物资源库，保护区内现分布有植物

1 879种，兽类 37 种，两栖爬行类 44 种，鸟类 237 种。它既是《中国生物多样性保护行动计划》中北亚热带地区优先保护的生态系统区域，又是世界自然基金会（WWF）优先保护区及国家和全球有重大意义的区域。

董寨保护区被誉为“鸟类乐园”。董寨的鸟类之多，确为同一纬度和同一经度保护区中所罕见的，鸟类种类占河南省的 79%，占全国的 20%，其中国家重点保护鸟类 39 种，列入中日候鸟保护协定名录的有 95 种，国家二级保护鸟类白冠长尾雉种群密度居全国之首。董寨是个观鸟的好地方，在董寨观鸟，什么惊喜的事都可能发生，一天观鸟下来，一般能看到六七十种鸟类，最多能看到八九十种。董寨保护区每年接待全国各地的观鸟游客达数百万人次，北师大、河师大等多所高等院校都把董寨作为固定的教学实习基地。保护区开展鸟类科学研究起步较早，经过几十年的科研攻关，取得省、市级科研成果 25 项。保护区现建设有全国最大的白冠长尾雉人工驯养繁殖基地和种类齐全的鸟类标本馆。众多为益鸟招引悬挂的人工鸟巢，成为保护区生态旅游又一道亮丽的风景线。

保护区内峰峦叠嶂，森林茂密，山清水秀，鸟语花香，人文和自然景观分布较多，具有很高的生态旅游价值。位于保护区灵山保护站的灵山，古称霸山，海拔 827.7 m，因其“山脉走向，峰峦气势，酷似释迦牟尼成佛的印度天竺灵鹫山”和“每云必雨，验之信然”而称灵山。现有 6 大景区 72 洞天 108 景点，以其“山秀、寺古、石奇、洞幽、水美、物华”而享誉海内外。坐落在灵山脚下的灵山寺是中原 4 大古寺之一，佛教历史源远流长，文化内涵博大精深。千百年来，以“庙门东开、僧尼同寺、带发修行”在宗教界独树一帜，被誉为“灵山三奇”。灵山与鸡公山、南湾湖构成了信阳旅游的“金三角”，灵山已成为豫鄂皖旅游热点。

董寨保护区将观鸟活动与幽雅的森林生态环境和自然景观、神奇的人文景观、浓郁的佛教氛围、灿烂的红色文化融为一体，给人们提供了一个别具特色的生态旅游环境。

附录六　中华人民共和国野生动物保护法

（1988 年 11 月 8 日第七届全国人民代表大会
常务委员会第四次会议通过）

第一章　总　则

第一条　为保护、拯救珍贵、濒危野生动物，保护、发展和合理利用野生动物资源，维护生态平衡，制定本法。

第二条　在中华人民共和国境内从事野生动物的保护、驯养繁殖、开发利用活动，必须遵守本法。本法规定保护的野生动物，是指珍贵、濒危的陆生、水生野生动物和有益的或者有重要经济、科学研究价值的陆生野生动物。本法各条款所提野生动物，均系指前款规定的受保护的野生动物。珍贵、濒危的水生野生动物以外的其他水生野生动物的保护，适用渔业法的规定。

第三条　野生动物资源属于国家所有。国家保护依法开发利用野生动物资源的单位和个人的合法权益。

第四条　国家对野生动物实行加强资源保护、积极驯养繁殖、合理开发利用的方针，鼓励开展野生动物科学研究。在野生动物资源保护、科学研究和驯养繁殖方面成绩显著的单位和个人，由政府给予奖励。

第五条　中华人民共和国公民有保护野生动物资源的义务，对侵占或者破坏野生动物资源的行为有权检举和控告。

第六条　各级政府应当加强对野生动物资源的管理，制定保护、发展和合理利用野生动物资源的规划和措施。

第七条　国务院林业、渔业行政主管部门分别主管全国陆生、水生野生动物管理工作。省、自治区、直辖市政府林业行政主管部门主管本行政区域内陆生野生动物管理工作。自治州、县和市政府陆生野生动物管理工作的行政主管部门，由省、自治区、直辖市政府确定。县级以上地方政府渔业行政主管部门主管本行政区域内水生野生动物管理工作。

第二章　野生动物保护

第八条　国家保护野生动物及其生存环境，禁止任何单位和个人非法猎捕或者破坏。

第九条　国家对珍贵、濒危的野生动物实行重点保护。国家重点保护的野生动物分为一级保护野生动物和二级保护野生动物。国家重点保护的野生动物名录及其调整，由国务院野生动物行政主管部门制定，报国务院批准公布。地方重点保护野生动物，是指国家重点保护野生动物以外，由省、自治区、直辖市重点保护的野生动物。地方重点保护的野生动物名录，由省、自治区、直辖市政府制定并公布，报国务院备案。国家保护的有益的或者有重要经济、科学研究价值的陆生野生动物名录及其调整，由国务院野生动物行政主管部门制定并公布。

第十条 国务院野生动物行政主管部门和省、自治区、直辖市政府,应当在国家和地方重点保护野生动物的主要生息繁衍的地区和水域,划定自然保护区,加强对国家和地方重点保护野生动物及其生存环境的保护管理。自然保护区的划定和管理,按照国务院有关规定办理。

第十一条 各级野生动物行政主管部门应当监视、监测环境对野生动物的影响。由于环境影响对野生动物造成危害时,野生动物行政主管部门应当会同有关部门进行调查处理。

第十二条 建设项目对国家或者地方重点保护野生动物的生存环境产生不利影响的,建设单位应当提交环境影响报告书,环境保护部门在审批时,应当征求同级野生动物行政主管部门的意见。

第十三条 国家和地方重点保护野生动物受到自然灾害威胁时,当地政府应当及时采取拯救措施。

第十四条 因保护国家和地方重点保护野生动物,造成农作物或者其他损失的,由当地政府给予补偿,补偿办法由省、自治区、直辖市政府制定。

第三章 野生动物管理

第十五条 野生动物行政主管部门应当定期组织对野生动物资源的调查,建立野生动物资源档案。

第十六条 禁止猎捕、杀害国家重点保护野生动物。因科学研究、驯养繁殖、展览或者其他特殊情况,需要捕捉、捕捞国家一级保护野生动物的,必须向国务院野生动物行政主管部门申请特许猎捕证;猎捕国家二级保护野生动物的,必须向省、自治区、直辖市政府野生动物行政主管部门申请特许猎捕证。

第十七条 国家鼓励驯养繁殖野生动物。驯养繁殖国家重点保护野生动物的,应当持有许可证。许可证的管理办法由国务院野生动物行政主管部门制定。

第十八条 猎捕非国家重点保护野生动物的,必须取得狩猎证,并且服从猎捕量限额管理。持枪猎捕的,必须取得县、市公安机关核发的持枪证。

第十九条 猎捕者应当按照特许猎捕证、狩猎证规定的种类、数量、地点和期限进行猎捕。

第二十条 在自然保护区、禁猎区和禁猎期内,禁止猎捕和其他妨碍野生动物生息繁衍的活动。禁猎区和禁猎期以及禁止使用的猎捕工具和方法,由县级以上政府或者其野生动物行政主管部门规定。

第二十一条 禁止使用军用武器、毒药、炸药进行猎捕。猎枪及弹具的生产、销售和使用管理办法,由国务院林业行政主管部门会同公安部门制定,报国务院批准施行。

第二十二条 禁止出售、收购国家重点保护野生动物或者其产品。因科学研究、驯养繁殖、展览等特殊情况,需要出售、收购、利用国家一级保护野生动物或者其产品的,必须经国务院野生动物行政主管部门或者其授权的单位批准;需要出售、收购、利用国家二级保护野生动物或者其产品的,必须经省、自治区、直辖市政府野生动物行政主管部门或者其授权的单位批准。驯养繁殖国家重点保护野生动物的单位和个人可以凭驯养繁殖许可证向政府指定的收购单位,按照规定出售国家重点保护野生动物或者其产品。工商行政管理部门对进入市场的野生动物或者其产品,应当进行监督管理。

第二十三条 运输、携带国家重点保护野生动物或者其产品出县境的,必须经省、自治区、直辖市政府野生动物行政主管部门或者其授权的单位批准。

第二十四条 出口国家重点保护野生动物或者其产品的,进出口中国参加的国际公约所限制进出口的野生动物或者其产品的,必须经国务院野生动物行政主管部门或者国务院批准,并取得国家濒危物种进出口管理机场核发的允许进出口证明书。海关凭允许进出口证明书查验放行。涉及科学技术保密的野生动物物种的出口,按照国务院有关规定办理。

第二十五条 禁止伪造、倒卖、转让特许猎捕证、狩猎证,驯养繁殖许可证和允许进出口证明书。

第二十六条 外国人在中国境内对国家重点保护野生动物进行野外考察或者在野外拍摄电影、录像,必须经国务院野生动物行政主管部门或者其授权单位批准。建立对外国人开放的捕猎场所,必须经国务院野生动物行政主管部门批准。

第二十七条 经营利用野生动物或者其产品的,应当缴纳野生动物资源保护管理费。收费标准和办法由国务院野生动物行政主管部门会同财政、物价部门制定,报国务院批准后施行。

第二十八条 因猎捕野生动物造成农作物或者其他损失的,由猎捕者负责赔偿。

第二十九条 有关地方政府应当采取措施,预防、控制野生动物所造成的危害,保障人畜安全和农业、林业生产。

第三十条 地方重点保护野生动物和其他非国家重点保护野生动物的管理办法,由省、自治区、直辖市人民代表大会常务委员会制定。

第四章 法律责任

第三十一条 非法捕杀国家重点保护野生动物的,依照关于惩治捕杀国家重点保护的珍贵、濒危野生动物犯罪的补充规定追究刑事责任。

第三十二条 违反本法规定,在禁猎区、禁猎期或者使用禁用的工具、方法猎捕野生动物的,由野生动物行政主管部门没收猎获物、猎捕工具和违法所得,处以罚款;情节严重、构成犯罪的,依照刑法第一百三十条的规定追究刑事责任。

第三十三条 违反本法规定,未取得狩猎证或者未按狩猎证规定猎捕野生动物的,由野生动物行政主管部门没收猎获物和违法所得,处以罚款,并可以没收猎捕工具,吊销狩猎证。违反本法规定,未取得持枪证持枪猎捕野生动物的,由公安机关比照治安管理处罚条例的规定处罚。

第三十四条 违反本法规定,在自然保护区、禁猎区破坏国家或者地方重点保护野生动物主要生息繁衍场所的,由野生动物行政主管部门责令停止破坏行为,限期恢复原状,处以罚款。

第三十五条 违反本法规定,出售、收购、运输、携带国家或者地方重点保护野生动物或者其产品的,由工商行政管理部门没收实物和违法所得,可以并处罚款。违反本法规定,出售、收购国家重点保护野生动物或者其产品,情节严重、构成投机倒把罪、走私罪的,依照刑法有关规定追究刑事责任。没收的实物,由野生动物行政主管部门或者其授权的单位按照规定处理。

第三十六条 非法进出口野生动物或者其产品的,由海关依照海关法处罚;情节严重、构成犯罪的,依照刑法关于走私罪的规定追究刑事责任。

第三十七条 伪造、倒卖、转让特许猎捕证、狩猎证、驯养繁殖许可证或者允许进出口证明书的,由野生动物行政主管部门或者工商行政管理部门吊销证件,没收违法所得,可以并处罚款。伪造、倒卖特许猎捕证或者允许进出口证明书,情节严重,构成犯罪的,比照刑法第一百六十七条的规定追究刑事责任。

第三十八条 野生动物行政主管部门的工作人员玩忽职守、滥用职权、徇私舞弊的,由其所在单位或者上级主管机关给予行政处分;情节严重、构成犯罪的,依法追究刑事责任。

第三十九条 当事人对行政处罚决定不服的,可以在接到处罚通知之日起15日内,向作出处罚决定机关的上一级机关申请复议;对上一级机关的复议决定不服的,可以在接到复议决定通知之日起15日内,向法院起诉。当事人也可以在接到处罚通知之日起15日内,直接向法院起诉。当事人逾期不申请复议或者不向法院起诉又不履行处罚决定的,由作出处罚决定的机关申请法院强制执行。对海关处罚或者治安管理处罚不服的,依照海关法或者治安管理处罚条例的规定办理。

第五章 附 则

第四十条 中华人民共和国缔结或者参加的与保护野生动物有关的国际条约与本法有不同规定的,适用国际条约的规定,但中华人民共和国声明保留的条款除外。

第四十一条 国务院野生动物行政主管部门根据本法制定实施条例,报国务院批准施行。省、自治区、直辖市人民代表大会常务委员会可以根据本法制定实施办法。

第四十二条 本法自1989年3月1日起施行。

附:国家重点保护野生动物名录(陆生野生脊椎动物部分)

附：

国家重点保护野生动物名录
（陆生野生脊椎动物部分）

（1988年12月10日国务院批准，1989年1月14日林业部、农业部发布）

一级保护动物名录

1. 兽类

蜂猴（所有种） 熊猴 台湾猴 豚尾猴 叶猴（所有种） 长臂猿（所有种） 大熊猫 紫貂 貂熊 熊狸 豹 虎 雪豹 儒艮 白暨豚 亚洲象 黑鹿 蒙古野驴 西藏野驴 野马 麋鹿 白唇鹿 坡鹿 梅花鹿 豚鹿 野牛 野牦牛 普氏原羚 藏羚 高鼻羚羊 台湾鬣羚 赤斑羚 塔尔羊 北山羊 河狸 金丝猴（所有种） 云豹 中华白海豚 野骆驼 麋鹿 扭角羚 马来熊

2. 两栖爬行动物

四爪陆龟 鼋 鳄蜥 巨蜥 蟒 扬子鳄

3. 鸟类

短尾信天翁 白腹军舰鸟 白鹳 黑鹳 朱鹮 中华秋沙鸭 金雕 白肩雕 玉带海雕 白尾海雕 虎头海雕 拟兀鹫 胡兀鹫 细嘴松鸡 斑尾榛鸡 雉鹑 四川山鹧鸪 海南山鹧鸪 黑头角雉 红胸角雉 灰腹角雉 黄腹角雉 虹雉（所有种） 褐马鸡 蓝鹇 黑颈长尾雉 白颈长尾雉 黑长尾雉 孔雀雉 绿孔雀 黑颈鹤 白头鹤 丹顶鹤 白鹤 赤颈鹤 鸨（所有种） 遗鸥

二级保护动物名录

1. 兽类

短尾猴 猕猴 藏酋猴 穿山甲 豺 黑熊 棕熊（包括马熊） 小熊猫 石貂 黄喉貂 水獭（所有种） 小爪水獭 斑林狸 大灵猫 小灵猫 草原斑猫 荒漠猫 丛林猫 猞猁 兔狲 金猫 渔猫 麝（所有种） 河麂 马鹿（包括白臀鹿） 水鹿 驼鹿 斑羚 藏原羚 鹅喉羚 鬣羚 黄羊 盘羊 岩羊 海南兔 雪兔 塔里木兔 巨松鼠 鳍足目（所有种） 鲸目（除一类外其他鲸类）

2. 两栖爬行动物

三线闭壳龟 玳瑁 镇海疣螈 云南闭壳龟 蠵龟 凹甲陆龟 大鲵 大壁虎 细痣疣螈 棱皮龟 细痣疣螈 绿海龟 山瑞鳖 贵州疣螈 大凉疣螈 太平洋丽龟

虎纹蛙　凹甲陆龟　细痣疣螈　地龟

3. 鸟类

角䴙䴘　赤颈䴙䴘　鹈鹕(所有种)　鲣鸟(所有种)　海鸬鹚　岩鹭　海南虎斑鳽
小苇鳽　彩鹳　白鹮　白琵鹭　黑脸琵鹭　红胸黑雁　白额雁　天鹅(所有种)
隼科(所有种)　鹰科其他鹰类　黑琴鸡　柳雷鸟　岩雷鸟　雪鸡　血雉　红腹角雉
藏马鸡　蓝马鸡　原鸡　勺鸡　白冠长尾雉　锦鸡(所有种)　灰鹤　蓑羽鹤　长脚秧鸡
姬田鸡　棕背田鸡　花田鸡　黑嘴端凤头燕鸥　鹃鸠(所有种)　蓝耳翠鸟　黑鹮
八色鸫科(所有种)　小青脚鹬　灰燕鸻　小鸥　黑浮鸥　黄嘴河燕鸥　鸳鸯　镰翅鸟
黑鹇　沙丘鹤　铜翅水雉　黑腹沙鸡　绿鸠(所有种)　黑颏果鸠　皇鸠(所有种)
斑尾林鸽　黑颈鸬鹚　白鹇　彩鹮　黄嘴白鹭　花尾榛鸡　鸦鹃(所有种)　鸮形目
灰喉针尾雨燕　凤头雨燕　橙胸咬鹃　白枕鹤　小杓鹬　鹦鹉科(所有种)
鹳嘴翠鸟　黑胸蜂虎　绿喉蜂虎　犀鸟科(所有种)　白腹黑啄木鸟　阔嘴鸟科(所有种)

附录七　中华人民共和国陆生野生动物保护实施条例

（1992年2月12日国务院批准发布施行）

第一章　总　则

第一条　根据《中华人民共和国野生动物保护法》（以下简称《野生动物保护法》）的规定，制定本条例。

第二条　本条例所称陆生野生动物，是指依法受保护的珍贵、濒危、有益的和有重要经济、科学研究价值的陆生野生动物（以下简称野生动物）；所称野生动物产品，是指陆生野生动物的任何部分及其衍生物。

第三条　国务院林业行政主管部门主管全国陆生野生动物管理工作。省、自治区、直辖市人民政府林业行政主管部门主管本行政区域内陆生野生动物管理工作。自治州、县和市人民政府陆生野生动物管理工作的行政主管部门，由省、自治区、直辖市人民政府确定。

第四条　县级以上各级人民政府有关主管部门应当鼓励、支持有关科研、教学单位开展野生动物科学研究工作。

第五条　野生动物行政主管部门有权对《野生动物保护法》和本条例的实施情况进行监督检查，被检查的单位和个人应当给予配合。

第二章　野生动物保护

第六条　县级以上地方各级人民政府应当开展保护野生动物的宣传教育，可以确定适当时间为保护野生动物宣传月、爱鸟周等，提高公民保护野生动物的意识。

第七条　国务院林业行政主管部门和省、自治区、直辖市人民政府林业行政主管部门，应当定期组织野生动物资源调查，建立资源档案，为制订野生动物资源保护发展方案、制定和调整国家和地方重点保护野生动物名录提供依据。野生动物资源普查每10年进行一次，普查方案由国务院林业行政主管部门或者省、自治区、直辖市人民政府林业行政主管部门批准。

第八条　县级以上各级人民政府陆生野生动物行政主管部门，应当组织社会各方面力量，采取生物技术措施和工程技术措施，维护和改善陆生野生动物生存环境，保护和发展陆生野生动物资源。禁止任何单位和个人破坏国家和地方重点保护陆生野生动物的生息繁衍场所和生存条件。

第九条　任何单位和个人发现受伤、病弱、饥饿、受困、迷途的国家和地方重点保护野生动物时，应当及时报告当地野生动物行政主管部门，由其采取救护措施；也可以就近送具备救护条件的单位救护，救护单位应当立即报告野生动物行政主管部门，并按照国务院林业行政主管部门的规定办理。

第十条　有关单位和个人对国家和地方重点保护野生动物可能造成的危害,应当采取防范措施。因保护国家和地方重点保护野生动物受到损失的,可以向当地人民政府野生动物行政主管部门提出补偿要求。经调查属实并确实需要补偿的,由当地人民政府按照省、自治区、直辖市人民政府的有关规定给予补偿。

第三章　野生动物猎捕管理

第十一条　禁止猎捕、杀害国家重点保护野生动物。有下列情形之一,需要猎捕国家重点保护野生动物的,必须申请特许猎捕证:

(一)为进行野生动物科学考察、资源调查,必须猎捕的;

(二)为驯养繁殖国家重点保护野生动物,必须从野外获取种源的;

(三)为承担省级以上科学研究项目或者国家医药生产任务,必须从野外获取国家重点保护野生动物的;

(四)为宣传、普及野生动物知识或者教学、展览的需要,必须从野外获取国家重点保护野生动物的;

(五)因国事活动的需要,必须从野外获取国家重点保护野生动物的;

(六)为调控国家重点保护野生动物种群数量和结构,经科学论证必须猎捕的;

(七)因其他特殊情况,必须捕捉、猎捕国家重点保护野生动物的。

第十二条　申请特许猎捕证的程序如下:

(一)需要捕捉国家一级保护野生动物的,必须附具申请人所在地和捕捉地的省、自治区、直辖市人民政府林业行政主管部门签署的意见,向国务院林业行政主管部门申请特许猎捕证。

(二)需要在本省、自治区、直辖市猎捕国家二级保护野生动物的,必须附具申请人所在地的县级人民政府野生动物行政主管部门签署的意见,向省、自治区、直辖市人民政府林业行政主管部门申请特许猎捕证。

(三)需要跨省、自治区、直辖市猎捕国家二级保护野生动物的,必须附具申请人所在地的省、自治区、直辖市人民政府林业行政主管部门签署的意见,向猎捕地的省、自治区、直辖市人民政府林业行政主管部门申请特许猎捕证。动物园需要申请捕捉国家一级保护野生动物的,在向国务院林业行政主管部门申请特许猎捕证前,须经国务院建设行政主管部门审核同意;需要申请捕捉国家二级保护野生动物的,在向申请人所在地的省、自治区、直辖市人民政府林业行政主管部门申请特许猎捕证前,须经同级政府建设行政主管部门审核同意。负责核发特许猎捕证的部门接到申请后,应当在3个月内作出批准或者不批准的决定。

第十三条　有下列情形之一的,不予发放特许猎捕证:

(一)申请猎捕者有条件以合法的非猎捕方式获得国家重点保护野生动物的种源、产品或者达到所需目的的;

(二)猎捕申请不符合国家有关规定或者申请使用的猎捕工具、方法以及猎捕时间、地点不当的;

(三)根据野生动物资源现状不宜捕捉、猎捕的。

第十四条 取得特许猎捕证的单位和个人,必须按照特许猎捕证规定的种类、数量、地点、期限、工具和方法进行猎捕,防止误伤野生动物或者破坏其生存环境。猎捕作业完成后,应当在10日内向猎捕地的县级人民政府野生动物行政主管部门申请查验。

县级人民政府野生动物行政主管部门对在本行政区域内猎捕国家重点保护野生动物的活动,应当进行监督检查,并及时向批准猎捕的机关报告监督检查结果。

第十五条 猎捕非国家重点保护野生动物的,必须持有狩猎证,并按照狩猎证规定的种类、量、地点、期限、工具和方法进行猎捕。狩猎证由省、自治区、直辖市人民政府林业行政主管部门按照国务院林业行政主管部门的规定印制,县级以上地方人民政府野生动物行政主管部门或者其授权的单位核发。狩猎证每年验证一次。

第十六条 省、自治区、直辖市人民政府林业行政主管部门,应当根据本行政区域内非国家重点保护野生动物的资源现状,确定狩猎动物种类,并实行年度猎捕量限额管理。狩猎动物种类和年度猎捕量限额,由县级人民政府野生动物行政主管部门按照保护资源、永续利用的原则提出,经省、自治区、直辖市人民政府林业行政主管部门批准,报国务院林业行政主管部门备案。

第十七条 县级以上地方各级人民政府野生动物行政主管部门应当组织狩猎者有计划地开展狩猎活动。在适合狩猎的区域建立固定狩猎场所的,必须经省、自治区、直辖市人民政府林业行政主管部门批准。

第十八条 禁止使用军用武器、汽枪、毒药、炸药、地枪、排铳、非人为直接操作并危害人畜安全的狩猎装置、夜间照明行猎、歼灭性围猎、火攻、烟熏以及县级以上各级人民政府或者其野生动物行政主管部门规定禁止使用的其他狩猎工具和方法狩猎。

第十九条 科研、教学单位对国家重点保护野生动物进行野外考察、科学研究,涉及国家一级保护野生动物的,由国务院林业行政主管部门统一安排;涉及国家二级保护野生动物的,省、自治区、直辖市人民政府林业行政主管部门统一安排。当地野生动物行政主管部门应当给予支持。

第二十条 外国人在中国境内对国家重点保护野生动物进行野外考察,标本采集或者在野外拍摄电影、录像的,必须向国家重点保护野生动物所在地的省、自治区、直辖市人民政府林业行政主管部门提出申请,经其审核后,报国务院林业行政主管部门或者其授权的单位批准。

第二十一条 外国人在中国境内狩猎,必须在国务院林业行政主管部门批准的对外国人开放的狩猎场所内进行,并遵守中国有关法律、法规的规定。

第四章 野生动物驯养繁殖管理

第二十二条 驯养繁殖国家重点保护野生动物的,应当持有驯养繁殖许可证。以生产经营为主要目的驯养繁殖国家重点保护野生动物的,必须凭驯养繁殖许可证向工商行政管理部门申请登记注册。国务院林业行政主管部门和省、自治区、直辖市人民政府林业行政主管部门可以根据实际情况和工作需要,委托同级有关部门审批或者核发国家重点保护野生动物驯养繁殖许可证。动物园驯养繁殖国家重点保护野生动物的,林业行政主管部门可以委托同级建设行政主管部门核发驯养繁殖许可证。驯养繁殖许可证由国务院林业行政主管部门印制。

第二十三条 从国外或者外省、自治区、直辖市引进野生动物进行驯养繁殖的，应当采取适当措施，防止其逃至野外；需要将其放生于野外的，放生单位应当向所在省、自治区、直辖市人民政府林业行政主管部门提出申请，经省级以上人民政府林业行政主管部门指定的科研机构进行科学论证后，报国务院林业行政主管部门或者其授权的单位批准。擅自将引进的野生动物放生于野外或者因管理不当使其逃至野外的，由野生动物行政主管部门责令限期捕回或者采取其他补救措施。

第二十四条 从国外引进的珍贵、濒危野生动物，经国务院林业行政主管部门核准，可以视为国家重点保护野生动物；从国外引进的其他野生动物，经省、自治区、直辖市人民政府林业行政主管部门核准，可以视为地方重点保护野生动物。

第五章 野生动物经营利用管理

第二十五条 收购驯养繁殖的国家重点保护野生动物或者其产品的单位，由省、自治区、直辖市人民政府林业行政主管部门商有关部门提出，经同级人民政府或者其授权的单位批准，凭批准文件向工商行政管理部门申请登记注册。依照前款规定经核准登记的单位，不得收购未经批准出售的国家重点保护野生动物或者其产品。

第二十六条 经营利用非国家重点保护野生动物或者其产品的，应当向工商行政管理部门申请登记注册。

经核准登记经营利用非国家重点保护野生动物或者其产品的单位和个人，必须在省、自治区、直辖市人民政府林业行政主管部门或者其授权单位核定的年度经营利用限额指标内，从事经营利用活动。

第二十七条 禁止在集贸市场出售、收购国家重点保护野生动物或者其产品。持有狩猎证的单位和个人需要出售依法获得的非国家重点保护野生动物或者其产品的，应按照狩猎证规定的种类、数量向经核准登记的单位出售，或者在当地人民政府有关部门指定的集贸市场出售。

第二十八条 县级以上各级人民政府野生动物行政主管部门和工商行政管理部门，应当对野生动物或者其产品的经营利用建立监督检查制度，加强对经营利用野生动物或者其产品的监督管理。对进入集贸市场的野生动物或者其产品，由工商行政管理部门进行监督管理；在集贸市场以外经营野生动物或者其产品，由野生动物行政主管部门、工商行政管理部门或者其授权的单位进行监督管理。

第二十九条 运输、携带国家重点保护野生动物或者其产品出县境的，应当凭特许猎捕证、养繁殖许可证，向县级人民政府野生动物行政主管部门提出申请，报省、自治区、直辖市人民政府林业行政主管部门或者其授权的单位批准。动物园之间因繁殖动物，需要运输国家重点保护野生动物的，可以由省、自治区、直辖市人民政府林业行政主管部门授权同级建设行政主管部门审批。

第三十条 出口国家重点保护野生动物或者其产品的，以及进出口中国参加的国际公约所限制进出口的野生动物或者其产品的，必须经进出口单位或者个人所在地的省、自治区、直辖市人民政府林业行政主管部门审核，报国务院林业行政主管部门或者国务院批准;属于贸易性进出口活动的,必须由具有有关商品进出口权的单位承担。动物园因交换动物需要进出口前款所称野生动物的,国务院林业行政主管部门批准前或者国务院林业行政主管部门报请国务院批准前,应当经国务院建设行政主管部门审核同意。

第三十一条　利用野生动物或者其产品举办出国展览等活动的经济收益,主要用于野生动物保护事业。

第六章　奖励和惩罚

第三十二条　有下列事迹之一的单位和个人,由县级以上人民政府或者其野生动物行政主管部门给予奖励:

(一)在野生动物资源调查、保护管理、宣传教育、开发利用方面有突出贡献的;

(二)严格执行野生动物保护法规、成绩显著的;

(三)拯救、保护和驯养繁殖珍贵、濒危野生动物取得显著成效的;

(四)发现违反野生动物保护法规行为,及时制止或者检举有功的;

(五)在查处破坏野生动物资源案件中有重要贡献的;

(六)在野生动物科学研究中取得重大成果或者在应用推广科研成果中取得显著效益的;

(七)在基层从事野生动物保护管理工作 5 年以上并取得显著成绩的;

(八)在野生动物保护管理工作中有其他特殊贡献的。

第三十三条　非法捕杀国家重点保护野生动物的,依照全国人民代表大会常务委员会关于惩治捕杀国家重点保护的珍贵、濒危野生动物犯罪的补充规定追究刑事责任;情节显著轻微危害不大的,或者犯罪情节轻微不需要判处刑罚的,由野生动物行政主管部门没收猎获物、猎捕工具和违法所得,吊销特许猎捕证,并处以相当于猎获物价值 10 倍以下的罚款,没有猎获物的处 1 万元以下罚款。

第三十四条　违反野生动物保护法规,在禁猎区、禁猎期或者使用禁用的工具、方法猎捕非国家重点保护野生动物,依照《野生动物保护法》第三十二条的规定处以罚款的,按照下列规定执行:

(一)有猎获物的,处以相当于猎获物价值 8 倍以下的罚款;

(二)没有猎获物的,处2 000元以下罚款。

第三十五条　违反野生动物保护法规,未取得狩猎证或者未按照狩猎证规定猎捕非国家重点保护野生动物,依照《野生动物保护法》第三十三条的规定处以罚款的,按照下列规定执行:

(一)有猎获物的,处以相当于猎获物价值 5 倍以下的罚款;

(二)没有猎获物的,处1 000元以下罚款。

第三十六条　违反野生动物保护法规,在自然保护区、禁猎区破坏国家或者地方重点保护野生动物主要生息繁衍场所,依照《野生动物保护法》第三十四条的规定处以罚款的,按照相当于恢复原状所需费用 3 倍以下的标准执行。在自然保护区、禁猎区破坏非国家或者地方重点保护野生动物主要生息繁衍场所的,由野生动物行政主管部门责令停止破坏行为,限期恢复原状,并处以恢复原状所需费用 2 倍以下的罚款。

第三十七条　违反野生动物保护法规，出售、收购、运输、携带国家或者地方重点保护野生动物或者其产品的，由工商行政管理部门或者其授权的野生动物行政主管部门没收实物和违法所得，可以并处相当于实物价值10倍以下的罚款。

第三十八条　伪造、倒卖、转让狩猎证或者驯养繁殖许可证，依照《野生动物保护法》第三十七条的规定处以罚款的，按照5 000元以下的标准执行。伪造、倒卖、转让特许猎捕证或者允许进出口证明书，依照《野生动物保护法》第三十七条的规定处以罚款的，按照5万元以下的标准执行。

第三十九条　违反野生动物保护法规，未取得驯养繁殖许可证或者超越驯养繁殖许可证规定范围驯养繁殖国家重点保护野生动物的，由野生动物行政主管部门没收违法所得，处3 000元以下罚款，可以并处没收野生动物、吊销驯养繁殖许可证。

第四十条　外国人未经批准在中国境内对国家重点保护野生动物进行野外考察、标本采集或者在野外拍摄电影、录像的，由野生动物行政主管部门没收考察、拍摄的资料以及所获标本，可以并处5万元以下罚款。

第四十一条　有下列行为之一，尚不构成犯罪的，由公安机关依照《中华人民共和国治安管理处罚条例》的规定处罚：

(一)拒绝、阻碍野生动物行政管理人员依法执行职务的；

(二)偷窃、哄抢或者故意损坏野生动物保护仪器设备或者设施的；

(三)偷窃、哄抢、抢夺非国家重点保护野生动物或者其产品的；

(四)未经批准猎捕少量非国家重点保护野生动物的。

第四十二条　违反野生动物保护法规，被责令限期捕回而不捕的，被责令限期恢复原状而未恢复的，野生动物行政主管部门或者其授权的单位可以代为捕回或者恢复原状，由被责令限期捕回者或者被责令限期恢复原状者承担全部捕回或者恢复原状所需的费用。

第四十三条　违反野生动物保护法规、构成犯罪的，依法追究刑事责任。

第四十四条　依照野生动物保护法规没收的实物，按照国务院林业行政主管部门的规定处理。

第七章　附　则

第四十五条　本条例由国务院林业行政主管部门负责解释。

第四十六条　本条例自发布之日起施行。

附录八　中华人民共和国野生植物保护条例

（1996年9月30日中华人民共和国国务院令第204号发布，自1997年1月1日起施行）

第一章　总　则

第一条　为了保护、发展和合理利用野生植物资源，保护生物多样性，维护生态平衡，制定本条例。

第二条　在中华人民共和国境内从事野生植物的保护、发展和利用活动，必须遵守本条例。

本条例所保护的野生植物，是指原生地天然生长的珍贵植物和原生地天然生长并具有重要经济、科学研究、文化价值的濒危、稀有植物。

药用野生植物和城市园林、自然保护区、风景名胜区内的野生植物的保护，同时适用有关法律、行政法规。

第三条　国家对野生植物资源实行加强保护、积极发展、合理利用的方针。

第四条　国家保护依法开发利用和经营管理野生植物资源的单位和个人的合法权益。

第五条　国家鼓励和支持野生植物科学研究、野生植物的就地保护和迁地保护。

在野生植物资源保护、科学研究、培育利用和宣传教育方面成绩显著的单位和个人，由人民政府给予奖励。

第六条　县级以上各级人民政府有关主管部门应当开展保护野生植物的宣传教育，普及野生植物知识，提高公民保护野生植物的意识。

第七条　任何单位和个人都有保护野生植物资源的义务，对侵占或者破坏野生植物及其生长环境的行为有权检举和控告。

第八条　国务院林业行政主管部门主管全国林区内野生植物和林区外珍贵野生树木的监督管理工作。国务院农业行政主管部门主管全国其他野生植物的监督管理工作。

国务院建设行政部门负责城市园林、风景名胜区内野生植物的监督管理工作。国务院环境保护部门负责对全国野生植物环境保护工作的协调和监督。国务院其他有关部门依照职责分工负责有关的野生植物保护工作。

县级以上地方人民政府负责野生植物管理工作的部门及其职责，由省、自治区、直辖市人民政府根据当地具体情况规定。

第二章　野生植物保护

第九条　国家保护野生植物及其生长环境。禁止任何单位和个人非法采集野生植物或者破坏其生长环境。

第十条　野生植物分为国家重点保护野生植物和地方重点保护野生植物。

国家重点保护野生植物分为国家一级保护野生植物和国家二级保护野生植物。国家重点保护野生植物名录，由国务院林业行政主管部门、农业行政主管部门（以下简称国务院野生植物行政主管部门）商国务院环境保护、建设等有关部门制定，报国务院批准公布。

地方重点保护野生植物，是指国家重点保护野生植物以外，由省、自治区、直辖市保护的野生植物。地方重点保护野生植物名录，由省、自治区、直辖市人民政府制定并公布，报国务院备案。

第十一条 在国家重点保护野生植物物种和地方重点保护野生植物物种的天然集中分布区域，应当依照有关法律、行政法规的规定，建立自然保护区；在其他区域，县级以上地方人民政府野生植物行政主管部门和其他有关部门可以根据实际情况建立国家重点保护野生植物和地方重点保护野生植物的保护点或者设立保护标志。

禁止破坏国家重点保护野生植物和地方重点保护野生植物的保护点的保护设施和保护标志。

第十二条 野生植物行政主管部门及其他有关部门应当监视、监测环境对国家重点保护野生植物生长和地方重点保护野生植物生长的影响，并采取措施，维护和改善国家重点保护野生植物和地方重点保护野生植物的生长条件。由于环境影响对国家重点保护野生植物和地方重点保护野生植物的生长造成危害时，野生植物行政主管部门应当会同其他有关部门调查并依法处理。

第十三条 建设项目对国家重点保护野生植物和地方重点保护野生植物的生长环境产生不利影响的，建设单位提交的环境影响报告书中必须对此作出评价；环境保护部门在审批环境影响报告书时，应当征求野生植物行政主管部门的意见。

第十四条 野生植物行政主管部门和有关单位对生长受到威胁的国家重点保护野生植物和地方重点保护野生植物应当采取拯救措施，保护或者恢复其生长环境，必要时应当建立繁育基地、种质资源库或者采取迁地保护措施。

第三章 野生植物管理

第十五条 野生植物行政主管部门应当定期组织国家重点保护野生植物和地方重点保护野生植物资源调查，建立资源档案。

第十六条 禁止采集国家一级保护野生植物。因科学研究、人工培育、文化交流等特殊需要，采集国家一级保护野生植物的，必须经采集地的省、自治区、直辖市人民政府野生植物行政主管部门签署意见后，向国务院野生植物行政主管部门或者其授权的机构申请采集证。

采集国家二级保护野生植物的，必须经采集地的县级人民政府野生植物行政主管部门签署意见后，向省、自治区、直辖市人民政府野生植物行政主管部门或者其授权的机构申请采集证。

采集城市园林或者风景名胜区的国家一级或者二级保护野生植物的，须先征得城市园林或者风景名胜区管理机构同意，分别依照前两款的规定申请采集证。

采集珍贵野生树木或者林区内、草原上的野生植物的，依照森林法、草原法的规定办理。

野生植物行政主管部门发放采集证后，应当抄送环境保护部门备案。

采集证的格式由国务院野生植物行政主管部门制定。

第十七条 采集国家重点保护野生植物的单位和个人，必须按照采集证规定的种类、数量、地点、期限和方法进行采集。

县级人民政府野生植物行政主管部门对在本行政区域内采集国家重点保护野生植物的活动，应当进行监督检查，并及时报告批准采集的野生植物行政主管部门或者其授权的机构。

第十八条 禁止出售、收购国家一级保护野生植物。

出售、收购国家二级保护野生植物的，必须经省、自治区、直辖市人民政府野生植物行政主管部门或者其授权的机构批准。

第十九条 野生植物行政主管部门应当对经营利用国家二级保护野生植物的活动进行监督检查。

第二十条 出口国家重点保护野生植物或者进出口中国参加的国际公约所限制进出口的野生植物的，必须经进出口者所在地的省、自治区、直辖市人民政府野生植物行政主管部门审核，报国务院野生植物行政主管部门批准，并取得国家濒危物种进出口证明书或者标签查验放行。国务院野生植物行政主管部门应当将有关野生植物进出口的资料抄送国务院环境保护部门。

禁止出口未定名的或者新发现并有重要价值的野生植物。

第二十一条 外国人不得在中国境内采集或者收购国家重点保护野生植物。

外国人在中国境内对国家重点保护野生植物进行野外考察的，必须向国家重点保护野生植物所在地的省、自治区、直辖市人民政府野生植物行政主管部门提出申请，经其审核后，报国务院野生植物行政主管部门或者其授权的机构批准；直接向国务院野生植物行政主管部门提出申请的，国务院野生植物行政主管部门在批准前，应当征求有关省、自治区、直辖市人民政府野生植物行政主管部门的意见。

第二十二条 地方重点保护野生植物的管理办法，由省、自治区、直辖市人民政府制定。

第四章 法律责任

第二十三条 未取得采集证或者未按照采集证的规定采集国家重点保护野生植物的，由野生植物行政主管部门没收所采集的野生植物和违法所得，可以并处违法所得10倍以下的罚款；有采集证的，并可以吊销采集证。

第二十四条 违反本条例规定，出售、收购国家重点保护野生植物的，由工商行政管理部门或者野生植物行政主管部门按照职责分工没收野生植物和违法所得，可以并处违法所得10倍以下的罚款。

第二十五条 非法进出口野生植物的，由海关依照海关法的规定处罚。

第二十六条 伪造、倒卖、转让采集证、允许进出口证明书或者有关批准文件、标签的，由野生植物行政主管部门或者工商行政管理部门按照职责分工收缴，没收违法所得，可以并处5万元以下的罚款。

第二十七条 外国人在中国境内采集、收购国家重点保护野生植物,或者未经批准对国家重点保护野生植物进行野外考察的,由野生植物行政主管部门没收所采集、收购的野生植物和考察资料,可以并处5万元以下的罚款。

第二十八条 违反本条例规定,构成犯罪的,依法追究刑事责任。

第二十九条 野生植物行政主管部门的工作人员滥用职权、玩忽职守、徇私舞弊,构成犯罪的,依法追究刑事责任;尚不构成犯罪的,依法给予行政处分。

第三十条 依照本条例规定没收的实物,由作出没收决定的机关按照国家有关规定处理。

第五章 附 则

第三十一条 中华人民共和国缔结或者参加的与保护野生植物有关的国际条约与本条例有不同规定的,适用国际条约的规定;但是,中华人民共和国声明保留的条款除外。

第三十二条 本条例自1997年1月1日起施行。

附:国家重点保护野生植物名录(第一批)

附：

国家重点保护野生植物名录(第一批)

(1999年8月4日国务院批准,1999年9月9日国家林业局、农业部发布)

一级保护植物名录

1. 蕨类植物(所有种)

光叶蕨　玉龙蕨　*水韭属(所有种)

2. 裸子植物

巨柏　苏铁属(所有种)　银杏　百山祖冷杉　梵净山冷杉　元宝山冷杉　资源冷杉(大院冷杉)　银杉　巧家五针松　长白松　台湾穗花杉　云南穗花杉　红豆杉属(所有种)　水松　水杉

3. 被子植物

*长喙毛茛泽泻　普陀鹅耳枥　天目铁木　伯乐树(钟萼木)　膝柄木　萼翅藤　*革苞菊　东京龙脑香　狭叶坡垒　坡垒　多毛坡垒　望天树　*貉藻　瑶山苣苔　单座苣苔　报春苣苔　辐花苣苔　*华山新麦草　银缕梅　长蕊木兰　单性木兰　落叶木莲　华盖木　峨眉拟单性木兰　藤枣　*莼菜　珙桐　光叶珙桐　云南蓝果树　合柱金莲木　独叶草　异形玉叶金花　掌叶木

二级保护植物名录

1. 蕨类植物

法斗观音座莲　二回原始观音座莲　亨利原始观音座莲　对开蕨　苏铁蕨　天星蕨　桫椤科(所有种)　蚌壳蕨科(所有种)　单叶贯众　七指蕨　*水蕨属(所有种)　鹿角蕨　扇蕨　中国蕨

2. 裸子植物

贡山三尖杉　蓖子三尖杉　翠柏　红桧　岷江柏木　福建柏　朝鲜崖柏　秦岭冷杉　台湾油杉　海南油杉　柔毛油杉　太白红杉　四川红杉　油麦吊云杉　大果青杆　兴凯赤松　华南五针松(广东松)　大别山五针松　红松、毛枝五针松　金钱松　黄杉属(所有种)　白豆杉　榧属(所有种)　台湾杉(秃杉)

3. 被子植物

芒苞草　梓叶槭　羊角槭　云南金钱槭　＊浮叶慈菇　富宁藤　蛇根木　驼峰藤　盐桦
金平桦　天台鹅耳枥　＊拟花蔺　七子花　金铁锁　十齿花　永瓣藤　连香树　千果榄仁
＊画笔菊　四数木　无翼坡垒(铁凌)　广西青梅　青皮(青梅)　翅果油树　东京桐
华南锥　台湾水青冈　三棱栎　＊瓣鳞花　＊辐花　秦岭石蝴蝶　酸竹　＊沙芦草
＊异颖草　＊短芒披碱草　＊无芒披碱草　＊毛披碱草　＊内蒙古大麦　＊药用野生稻
＊普通野生稻　＊四川狼尾草　＊三蕊草　＊拟高粱　＊箭叶大油芒　＊中华结缕草
乌苏里狐尾藻　山铜材　长柄双花木　半枫荷　四药门花　水菜花　子宫草　油丹
樟树(香樟)　普陀樟　油樟　卵叶桂　润楠　舟山新木姜子　闽楠　浙江楠　楠木
＊线苞两型豆　黑黄檀(版纳黑檀)　降香(降香檀)　格木　山豆根(胡豆莲)　绒毛皂荚
＊野大豆　＊烟豆　＊短绒野大豆　花榈木(花梨木)红豆树　缘毛红豆　紫檀(青龙木)
油楠(蚌壳树)　任豆(任木)　＊盾鳞狸藻　地枫皮　鹅掌楸　大叶木兰　馨香玉兰
厚朴　凹叶厚朴　长喙厚朴　圆叶玉兰　西康玉兰　宝华玉兰　香木莲　大果木莲
毛果木莲　大叶木莲　厚叶木莲　石碌含笑　峨眉含笑　云南拟单性木兰　合果木
水青树　粗枝崖摩　红椿　毛红椿　海南风吹楠　滇南风吹楠　云南肉豆蔻　＊高雄茨藻
＊拟纤维茨藻　＊莲　＊贵州萍逢草　＊雪白睡莲　喜树(旱莲木)　蒜头果　水曲柳
董棕　小钩叶藤　龙棕　＊红花绿绒蒿　斜翼　＊川藻(石蔓)　＊金荞麦　＊羽叶点地梅
粉背叶人字果　马尾树　绣球茜　香果树　丁茜　黄檗(黄菠椤)　川黄檗(黄皮树)
钻天柳　伞花木　海南紫荆木　紫荆木　黄山梅　蛛网萼　＊冰沼草　＊胡黄连
呆白菜(崖白菜)　＊山莨菪　＊北方黑三棱　广西火桐　丹霞梧桐　海南梧桐
蝴蝶树　平当树　景东翅子树　勐仑翅子树　长果安息香　秤锤树　土沉香　柄翅果
蚬木　滇桐　海南椴　紫椴　＊野菱　长序榆　榉树　＊珊瑚菜(北沙参)　海南石梓(苦梓)
茴香砂仁　拟豆蔻　长果姜

4. 蓝藻

＊发菜

5. 真菌

＊虫草(冬虫夏草)　松口蘑(松茸)

注: 标“＊”者由农业行政主管部门或渔业行政主管部门主管;未标“＊”者由林业行政主管部门主管。

附录九　河南省实施《中华人民共和国野生动物保护法》办法

（1995年7月19日河南省人大常委会批准发布实施）

第一章　总　则

第一条　根据《中华人民共和国野生动物保护法》（以下简称《野生动物保护法》）和国家有关规定，结合河南省实际情况，制定本办法。

第二条　在本省行政区域内从事野生动物的保护、管理、驯养繁殖、开发利用和科学研究等活动，必须遵守本办法。

第三条　本办法规定保护的野生动物，是指国家和省重点保护的珍贵、濒危陆生、水生野生动物以及国家保护的有益的或者有重要经济价值、科学研究价值的陆生野生动物。

本办法所称野生动物产品，是指野生动物的任何部分及其衍生物。

第四条　各级人民政府应当加强对本行政区域内野生动物保护管理工作的领导。

县级以上人民政府林业、渔业行政主管部门（以下简称野生动物行政主管部门）分别主管本行政区域内陆生、水生野生动物的保护管理工作。公安、工商行政管理、海关、医药、卫生、邮政、运输等有关部门应当协同野生动物行政主管部门做好野生动物的保护管理工作。

第五条　公民有保护野生动物资源的义务。对侵占或者破坏野生动物资源的行为有权检举和控告。

第六条　对在野生动物资源保护、科学研究和驯养繁殖等方面成绩显著的单位和个人，由县级以上人民政府或者其野生动物行政主管部门给予奖励。

第二章　野生动物保护

第七条　各级人民政府应当组织开展保护野生动物的宣传教育，提高公民保护野生动物的意识。

每年4月21日至27日为河南省“爱鸟周”。每年10月为河南省“野生动物保护宣传月”。

第八条　省野生动物行政主管部门对本省内野生动物资源每五年调查一次，每十年普查一次，并建立健全资源档案，为制定野生动物资源保护发展方案、制定和调整本省内野生动物名录提供依据。

省重点保护野生动物名录及其调整，由省野生动物行政主管部门提出，报省人民政府批准公布，并报国务院备案。

第九条　省人民政府应当在国家和省重点保护野生动物的主要生息繁衍地区和水域，划定自然保护区。自然保护区的划定和管理，按照国务院和省人民政府的有关规定执行。

对已批准建立自然保护区的，非经原批准机关批准，不得改变自然保护区的性质和范围。

禁猎区、禁渔区和禁猎期、禁渔期由县级以上人民政府或者其野生动物行政主管部门规定。地区行政公署、市、县(市、区)人民政府或者其野生动物行政主管部门规定的禁猎区、禁渔区和禁猎期、禁渔期应报省野生动物行政主管部门备案。

第十条 建设项目对国家和省重点保护野生动物的生存环境产生不利影响的，建设单位应提交环境影响报告书，并报野生动物行政主管部门。环境保护部门在审批时，应当征求同级野生动物行政主管部门的意见。

第十一条 县级以上野生动物行政主管部门应当采取生物技术措施和工程技术措施，维护和改善野生动物生存环境，保护和发展野生动物资源。

禁止任何单位和个人破坏野生动物的生息繁衍场所和生存条件。

第十二条 任何单位和个人发现国家和省重点保护野生动物受到自然灾害或者疾病威胁，以及受伤、迷途、被困时，应当采取紧急救护措施，并及时报告当地野生动物行政主管部门，也可以要求附近有救护条件的单位采取救护措施。

误捕野生动物的，应当无条件放生；对已死亡的野生动物，交由野生动物行政主管部门处理。

第十三条 在自然保护区以及国家和省重点保护野生动物集中繁殖地、越冬地、停歇地、产卵场、洄游通道、索饵场等，禁止排放工业污水、废气；禁止堆积、倾倒工业废渣、生活垃圾；禁止使用危及国家和省重点保护野生动物生存的剧毒药物。因特殊情况确需使用剧毒药物的，应报经当地县级野生动物行政主管部门批准，并采取有效的防范措施。

第十四条 省野生动物行政主管部门可以根据需要设立野生动物保护基金。基金来源包括财政专项拨款、野生动物保护机构自行筹集和国内外单位或个人捐赠等。基金的具体筹措、管理、使用办法由省人民政府另行制定。

第十五条 对危害人畜安全和农业、林业生产的野生动物，当地人民政府及其有关单位和个人应当采取预防、控制措施。

为预防、控制野生动物造成的危害，确需采取必要措施时，须报省野生动物行政主管部门批准。

凡因自卫而击伤、击毙野生动物的，应当报当地野生动物行政主管部门调查处理。所获野生动物交当地野生动物行政主管部门处理。

第三章 野生动物猎捕、驯养繁殖和经营利用管理

第十六条 禁止非法猎捕、杀害野生动物。

因科学研究、驯养繁殖、展览或者其他特殊情况需要猎捕省重点保护野生动物和国家保护的有益的或者有重要经济价值、科学研究价值的陆生野生动物的，猎捕单位或者个人应当向野生动物行政主管部门提交猎捕申请书，经批准后发给狩猎证或者捕捉证。，

经批准获得狩猎证或者捕捉证的，猎捕者应当按照规定实施猎捕活动。

第十七条 猎捕省重点保护野生动物的，经县(市、区)野生动物行政主管部门签署意见，报省野生动物行政主管部门批准。

猎捕国家保护的有益的或者有重要经济价值、科学研究价值的陆生野生动物的，在本省辖市的，经县(市、区)野生动物行政主管部门签署意见，报省辖市野生动物行政主管部门或者其授权单位批准。跨省辖市以及外省单位和个人在河南省境内进行猎捕活动的，报省野生动物行政主管部门批准。

国家和省重点保护以外的水生野生动物的捕捉，依照《中华人民共和国渔业法》以及有关法规的规定办理。

第十八条 经批准持猎枪狩猎的，必须同时持有公安部门核发的持枪证。

第十九条 建立狩猎场，必须经省野生动物行政主管部门批准。建立对外国人开放的狩猎场，必须报经国务院野生动物行政主管部门批准。

第二十条 鼓励驯养繁殖野生动物。

驯养繁殖省重点保护野生动物和国家保护的有益的或者有重要经济价值、科学研究价值的陆生野生动物的，应当持有县(市、区)野生动物行政主管部门核发的驯养繁殖许可证。

驯养繁殖国家重点保护以外的水生野生动物的，按照国家有关规定办理。

以生产经营为主要目的驯养繁殖野生动物的，应当凭驯养繁殖许可证，向工商行政管理部门办理注册登记。

第二十一条 禁止非法出售、收购野生动物及其产品。饭店、餐馆等饮食服务行业不得出售已保护的野生动物及其产品为原料的食品；不得用野生动物及其产品的名称或别称作菜谱招徕顾客。

因特殊情况出售、收购、利用省重点保护野生动物及其产品和国家保护的有益的或者有重要经济价值、科学研究价值的陆生野生动物及其产品的，必须经省野生动物行政主管部门或者其授权单位批准，并按照规定向指定单位出售、收购。

第二十二条 经营利用省重点保护野生动物及其产品和国家保护的有益的或者有重要经济价值、科学研究价值的陆生野生动物及其产品的，应当按照国家有关规定向县级野生动物行政主管部门申请领取野生动物经营许可证，并凭证到工商行政管理部门办理注册登记。

经批准依法经营利用野生动物及其产品的，必须按照经营许可证规定的年度经营利用限额指标从事经营利用活动，并按照国家和省有关规定缴纳野生动物资源保护管理费。

第二十三条 运输、携带省重点保护野生动物及其产品和国家保护的有益的或者有重要经济价值、科学研究价值的陆生野生动物及其产品出县境的，应当持县级野生动物行政主管部门核发的运输许可证；出省境的，应当持省野生动物行政主管部门核发的运输许可证。

铁路、交通、民航、邮政等承运单位和个人应当凭证运输和携带野生动物及其产品。商检、海关等部门和木材检查站，应当对运输、携带野生动物及其产品的行为进行检查。对违法运输、携带野生动物及其产品的，应当及时移交野生动物行政主管部门处理。

第二十四条 出口省重点保护野生动物及其产品和国家保护的有益的或者有重要经济价值、科学研究价值的陆生野生动物及其产品，须经省野生动物行政主管部门审查批准。并按照国家有关规定办理出口手续。

第二十五条　科研、教学等单位对野生动物进行野外考察、科学研究、采集标本、拍摄电影、录像,属省重点保护野生动物和国家保护的有益的或者有重要经济价值、科学研究价值的陆生野生动物的,由省野生动物行政主管部门统一安排,当地野生动物行政主管部门应当给予支持。

对采集标本或者以营利为目的拍摄电影、录像的,应当按照国家和省有关规定收取野生动物资源保护管理费。

第二十六条　野生动物行政主管部门依照本办法规定核发的有关许可证和证件,应当在接到申请之日起二个月内作出批准或者不批准的决定。国家另有规定的,从其规定。

发证机关或者其授权的单位,对依法核发的有关许可证和证件进行年审。

第二十七条　经营利用野生动物或者其产品的,应当缴纳野生动物资源保护管理费。收费标准和办法,由省野生动物行政主管部门会同财政、物价部门制定,报省人民政府批准后施行。

第四章　法律责任

第二十八条　违反《野生动物保护法》及有关法规,《野生动物保护法》及有关法规有明确处罚规定的,按其规定进行处罚。

第二十九条　非法捕杀省重点保护野生动物的,由野生动物行政主管部门没收猎获物、猎捕工具和违法所得,吊销狩猎证或者捕捉证,并处以相当于实物价值十倍以下的罚款。

第三十条　非法捕杀国家保护的有益的或者有重要经济价值、科学研究价值的陆生野生动物的,由野生动物行政主管部门没收猎获物、猎捕工具和违法所得,吊销狩猎证,并处以相当于实物价值七倍以下的罚款。

第三十一条　违反本办法第十三条规定的,由野生动物行政主管部门处以二万元以下罚款。

第三十二条　对误捕野生动物不予放生的,由野生动物行政主管部门责令改正。拒不改正的,没收野生动物,并可处以实物价值五倍以下的罚款。

第三十三条　违反本办法第二十条规定,未取得驯养繁殖许可证或者未按照驯养繁殖许可证规定驯养繁殖省重点保护野生动物和国家保护的有益的或者有重要经济价值、科学研究价值的陆生野生动物的,由野生动物行政主管部门没收违法所得,处以二千元以下罚款,并处没收野生动物、吊销驯养繁殖许可证。

第三十四条　未经批准,出售、收购、加工、运输、携带国家保护的有益的或者有重要经济价值、科学研究价值的陆生野生动物及其产品的,由工商行政管理部门或者野生动物行政主管部门没收实物和违法所得,并处以实物价值七倍以下的罚款。

第三十五条　违反本办法规定,不凭野生动物及其产品运输许可证承运、携带野生动物及其产品的,由野生动物行政主管部门对承运单位或者个人处以所运(带)实物价值百分之三十的罚款。

第三十六条　饭店、餐馆等饮食服务行业利用野生动物及其产品的名称或别称作菜谱招徕顾客的,由野生动物行政主管部门或者工商行政管理部门责令限期改正,逾期不予改正的,处以五千元以下的罚款。

第三十七条 伪造、倒卖、转让野生动物及其产品运输许可证、经营许可证的,由野生动物行政主管部门没收违法所得,并处以一万元以下的罚款。

第三十八条 在自然保护区、禁猎区、禁渔区破坏野生动物主要生息、繁衍场所的,由野生动物行政主管部门责令其停止破坏行为,限期恢复原状或者赔偿损失,并处以相当于恢复原状所需费用三倍以下的罚款。

第三十九条 对违法经营利用野生动物及其产品,进入集贸市场的,由工商行政管理部门或者其授权的野生动物行政主管部门查处;在集贸市场以外的,由野生动物行政主管部门或者工商行政管理部门查处。对同一违法行为不得作重复处罚。

第四十条 拒绝、阻碍野生动物管理人员依法执行职务,未使用暴力、威胁方法的,由公安机关依照《中华人民共和国治安管理处罚条例》处罚。

第四十一条 违反《野生动物保护法》和本办法,构成犯罪的,依法追究刑事责任。

第四十二条 野生动物行政主管部门及有关行政管理部门的工作人员玩忽职守、滥用职权、徇私舞弊的,由所在单位或者上级主管机关给予行政处分;构成犯罪的,依法追究刑事责任。

第四十三条 当事人对行政处罚决定不服的,可以在接到处罚通知之日起十五日内,向作出处罚决定机关的上一级机关申请复议;对上一级机关的复议决定不服的,可以在接到复议决定之日起十五日内,向法院起诉。当事人也可以在接到处罚决定之日起十五日内直接向法院起诉。当事人逾期不申请复议或者不向法院起诉,又不履行处罚决定的,由作出处罚决定的机关申请法院强制执行。

第五章　附　则

第四十四条 本办法的具体应用问题,由省野生动物行政主管部门负责解释。

第四十五条 本办法自公布之日起施行。

参 考 文 献

[1] 邵文杰.河南省志·动物志.郑州:河南人民出版社,1992
[2] 邵文杰.河南省志·林业志.郑州:河南人民出版社,1992
[3] 邵文杰.河南省志·植物志.郑州:河南人民出版社,1993
[4] 宋朝枢.伏牛山自然保护区科学考察集.北京:中国林业出版社,1994
[5] 宋朝枢.宝天曼自然保护区科学考察集.北京:中国林业出版社,1994
[6] 宋朝枢.鸡公山自然保护区科学考察集.北京:中国林业出版社,1994
[7] 王新民,等.豫北黄河故道湿地鸟类自然保护区科学考察与研究.郑州:黄河水利出版社,1995
[8] 宋朝枢,等.太行山猕猴自然保护区科学考察集.北京:中国林业出版社,1996
[9] 宋朝枢,等.董寨鸟类自然保护区科学考察集.北京:中国林业出版社,1996
[10] 路纪琪,等.河南啮齿动物志.郑州:河南科技出版社,1997
[11] 林晓安,等.河南湿地.郑州:黄河水利出版社,1997
[12] 中华人民共和国濒危物种进出口管理办公室.中国濒危经济野生动物驯养繁殖研究.哈尔滨:东北林业大学出版社,1997
[13] 王春生.河南年鉴.河南年鉴社,1998
[14] 周家兴,等.河南省哺乳动物名录.新乡师范学院、河南化工学院联合学报,1961(2):45~52
[15] 吴淑辉,等.河南省两栖动物区系研究.新乡师范学院学报,1984,41(1):89~92
[16] 瞿文元.河南蛇类及其地理分布.河南大学学报,1985(3):59~61
[17] 徐新杰,等.河南省鸟类分布新记录——白鹮.河南林业科技,1991,32(2):35~36
[18] 郑合勋,等.卢氏县的大鲵资源.河南大学学报(自然科学版),1992,22(4):51~56
[19] 赵尔宓.中国两栖动物地理区划.四川动物(增刊),1995:3~15
[20] 方保华,等.河南省太行山区的猕猴及其驯养·灵长类研究与保护.北京:中国林业出版社,1995
[21] 刘冰许,等.黑鹳在中国河南省的概况与保护对策.河南畜牧兽医,1996,17(2):19~20
[22] 姚孝宗.河南省鸟类新记录——叉尾太阳鸟.四川动物,1997,16(1):47
[23] 邢铁牛,等.河南省典型湿地冬季水鸟资源调查初报.河南林业科技,1998,18(3):12~15
[24] 河南省计划委员会,河南省环境保护局.河南省自然保护区发展规划(1998~2010 年).1998